思潮卷

新青年
LA JEUNESSE

张宝明 主编 张 剑 副主编

2

新文化元典
丛书

河南文艺出版社

图书在版编目(CIP)数据

新青年.思潮卷/张宝明主编. —郑州:河南文艺出版社,2016.5(2025.1重印)
(新文化元典丛书)
ISBN 978-7-5559-0349-9

Ⅰ.①新… Ⅱ.①张… Ⅲ.①期刊-汇编-中国-民国 Ⅳ.①Z62

中国版本图书馆 CIP 数据核字(2015)第 286617 号

总策划	王国钦
策 划	王淑贵
责任编辑	王淑贵
美术编辑	吴 月
责任校对	陈 炜
装帧设计	张 胜

出版发行	河南文艺出版社
本社地址	郑州市郑东新区祥盛街 27 号 C 座 5 楼
承印单位	河南省四合印务有限公司
经销单位	新华书店
纸张规格	640 毫米×960 毫米 1/16
印　　张	23.5
字　　数	260 000
版　　次	2016 年 5 月第 1 版
印　　次	2025 年 1 月第 5 次印刷
定　　价	42.00 元

版权所有　盗版必究
图书如有印装错误,请寄回印厂调换。
印厂地址　焦作市武陟县詹店镇詹店新区西部工业区凯雪路中段
邮政编码　454950　电话　0391-8373957

出版说明

一、为纪念《新青年》(原名《青年杂志》)创刊 100 周年,本社特别策划出版"新文化元典丛书"。

二、本丛书由著名学者张宝明主编并提供稿本,由本社分"平装普及"与"精装典藏"两个版本先后出版。"普及版"以大众阅读为目标,分为"政治卷""思潮卷""哲学卷""文学创作卷""文学批评卷""文字卷""翻译卷""青年妇女卷""文化教育卷""随感卷"10 卷;"典藏版"以学者研究为指归,延续了本社 1998 年版《回眸〈新青年〉》的版本形式,分为"哲学思想卷""社会思潮卷""语言文学卷"3 卷。

三、本丛书在编辑过程中,对文章内容(包括当时特殊的语言、语法使用,习惯性虚词、数字、异体字用法,对外文中人名、地名的个性化翻译等)及作者署名均以其原貌呈现。为方便今天读者阅读,本次出版对原文中的繁体字进行了简体转换,对可以确定的技术性错讹进行了订正,对个别的标点符号用法进行了相对规范。对错讹较多的英语、俄语等外文,特邀有关专家进行了认真校订。

四、"随感卷"内容选自《新青年》原版各卷中的"随感录"。因原文发表时大部分并无标题,本次专卷出版的标题为主编所加。

五、本丛书的策划出版,也是我们对 2019 年"五四"运动 100 周年的一次提前纪念。

河南文艺出版社
2016 年 5 月

回眸:唯以深情凝望……(代序)

张宝明

1492年10月11日,克里斯托弗·哥伦布看见海上漂来一根芦苇,欢呼雀跃地宣布了被称为"救世主"之新大陆的发现。

1915年9月,《青年杂志》创刊。这就是那个日后易名为《新青年》的月刊,她从此成为一代又一代青年人心目中拨云见日的精神新大陆。

饶有情趣的是,无论是彼岸还是此岸的"新大陆",其发现过程都需要有敢于冒险的勇气、勇于担当的气魄、胸怀天下的责任。500年前,哥伦布想方设法说服了西班牙女王得以扬帆;100年前,陈独秀费尽口舌让出版商动心,在那出版业凋敝、萧条的时代,主编那"让我办十年杂志,全国思想全改观"的信誓旦旦背后多少有些心酸。

一个世纪过去了,重温百年历史记忆,翻阅那一页页泛黄的纸张时,我无法用编选或剪辑来保存这样一个精神存照。

作为20世纪一轮最为壮丽的精神日出,《新青年》以其鲜活的时代性入世,演绎了一台精彩纷呈的思想史专场。她已经在百年的风雨沧桑中固化为一尊灵魂的雕像、一座精神的丰碑。形而下的标本馆可以被肢解、分离，甚至拆卸为齿轮和螺丝钉，可谁若是声称复制出形而上的灵魂标本馆，我们不免顿生疑窦。因为灵魂的雕像和精神的丰碑只能内化于每一个人的心底，存贮于每一个人的心灵。

回望百年，再也没有这样的思想演绎更值得我们咀嚼了。仿佛，她就是我那无法用肉眼观看的神经末梢。岁月陶铸了文化的沧桑，年龄剪断了思想的记忆。"剪不断，理还乱。"因此，面对沧桑的文化记忆，面对凌乱的思想线团，我们无法用具象化的"编选"或"剪辑"称谓，更无法用当年文化先驱的启蒙来"普及"当下的启蒙。这里的思想静悄悄，这里的灵魂无眠，这里精神永远……我们最好的纪念就是无言面对，默默注目，深深凝望……

《新青年》，已经不是当代青年心目中的"新大陆"；回眸《新青年》，无非是想通过那一代知识先驱心中流淌的文字为20世纪中国做一个有血有肉的注脚。发黄的纸张、右行竖迤的文字以及远离的先驱成为朦朦胧胧的追问，我们在回眸中分明看到了自己。我们在解读自己，也在解剖自己，更是在反省着自己。有时，我们又不能不拷问何以如此失去自己。这不是多愁善感，而是因为风雨沧桑的生命之旅招惹了我们的思绪：《新青年》不是一个尘封的历史遗存，而是一个活生生的对象，一段可以触摸的历史，更是一曲跌宕的纸上声音：说你，说他，说我……

风流，不会像诗中说的那样总被雨打风吹去。昔日的偲傥，同样可以因我们的自觉而获得立体的再现。多年之后，长征之后落定延安的毛泽东对埃德加·斯诺吐露心声说：在1916年，我和几个朋友成立了新民学会……许多团体大半都是在陈独秀主编的《新青年》的影响下组织起来的。而我在师范学校读书时，就开始阅读这本杂志了,并且十分崇拜陈独秀和胡适所做的文章。他们成了我的模范,代替了我已经厌弃的康有为和梁启超。青年时代的毛泽东,有很长一段时间都在翻阅、谈论、"思考《新青年》所提出的问题"。1918年2月,读到《新青年》的周恩来在日记中奋笔疾书:晨起读《新青年》,晚归复读之。于其中所持排孔、独身、文学革命诸主义极端赞成。恽代英从武昌写来肺腑之言,盛赞《新青年》的思想价值:我们素来的生活,是在混沌的里面。自从看了《新青年》,渐渐地醒悟过来,真是像在黑暗的地方见了曙光一样。我们对于做《新青年》的诸位先生,实在是表不尽的感激。当时在陆军第二预备学校读书的叶挺也热情洋溢地表达过对《新青年》的仰慕和膜拜:空谷足音,遥聆若渴。明灯黑室,觉岸延丰。最后并以急不可待的心情期盼着"思想界的明星"(毛泽东语)。陈独秀指点迷津:吾辈青年,坐沉沉黑狱中,一纸天良,不绝于缕,亟待足下明灯指迷者,当大有人在也。

热血的政治青年对此刊有一种天然的偏爱,在校读书的文学青年对此更是欢喜。北大学生杨振声曾这样回忆说:像春雷初动一般,《新青年》杂志惊醒了整个时代的青年。冰心也这样评论《新青年》:"五四"运动前后,新思潮空前高涨,新出的报纸杂志像雨后春笋一样,目不暇接。我们都贪婪地争着买,争着借,彼此传阅。其中我最喜欢的是《新青年》里鲁迅先生写的小说,像《狂人日记》等篇,尖锐地抨击吃人的礼教,揭露着旧社会的黑暗和悲惨,读了让人同情而震动。凡此种种,举不胜举。

热血青年如是说,引导"新青年"的当事人更是引以为豪。胡适就曾在20世纪30年代为重印《新青年》激动不已,并挥毫题词:《新青年》是中国文学史和思想史上划分一个时代的刊物。最近二十年中的文学运动和思想改革,差不多都是从这个刊物出发的。胡适为重印《新青年》的广而告之及定位,与其在1923年写给"新青年派"高一涵、陶孟等同人的信中表述一脉相承:二十五年来,只有三个杂志可代表三个时代,可以说创造了三个新时代:一是《时务报》,一是《新民丛报》,一是《新青年》。《民报》与《甲寅》还算不上。题中之意还在于:《新青年》创造了一个崭新时代,永远不会被遗忘和尘封。鲁迅作为"新青年派"的中坚,也曾在为《中国新文学大系》所作的序言中鼓与呼:凡是关心现代中国文学的人,谁都知道《新青年》是提倡"文学改良",后来更进一步号召"文学革命"的发难者。从学术"象牙塔"走向办杂志、发议论的公共空间,从学问家到舆论家,"新青年派"知识群体经历了一个艰难的选择里程。这里,我们不难从鲁迅心灰意冷的"钞古碑"到满怀激情地"听将令"之转变窥见同人们的"一斑":但是《新青年》的编辑者,却一回一回的来催。催几回,我就做一篇。这里我必得纪念陈独秀先生,他是催我做小说最着力的一个。

....

我们知道,在世界文明史上,18世纪的法国因其启蒙运动的舆论力量留下盛名,并产生了一批以伏尔泰为精神领袖的舆论之王。当作为社会良知化身的知识分子以公共面目出现时,就获得了舆论家的声誉。胡适这位现身说法的当事人这样用英文将其正名为"Journalist"或者"Publicist",而且对"意中舆论家"有这样的诉求:有"笔力"、懂国内外"时势"、具"远识",其中"公心"和"毅力"最不可或缺——这是胡适1915年1月尚在美国留学时日记中记下的夙愿。回国任职北京大学后,学问家的身份反被舆论家的名声所掩盖,他走了一条"一发不可收"的不归路。从此,思想史上的胡适而不是学术上的胡适,成为声名鹊起的一代思想骄子。

《新青年》创刊于上海,兴隆于北京,终结于广州。在这一平台上汇聚起来的"新青年派"同人,学术凹陷,思想凸显;学问淡出,舆论立言。"五四"新文化运动的天空中,最耀眼的是那一抹以"民主""科学"为主调的绚丽彩虹。舆论的彰显与张扬,拉动着中国现代性加速转型。1905年科举的终结,让传统士人走向边缘,而舆论家的身份意识和担当情怀重新将他们推向时代的浪尖和话语的中心。这里,"新青年派"同人不再是书斋里"钻牛角"、翻故纸的学术把玩者,而是一批"执牛耳"、观天下的社会现实参与者。行走于风雨故园中的时代先驱们,可以不是理性、冷静的审慎思考者,却是理想在前、激情在身的担当者。一百年后回眸《新青年》,我们可以为他们的急不择言、话不留余的语言暴力保持一份反思的态度,但毋庸置疑的是,他们留下的文本却为我们读懂20世纪以及当下的中国提供了弥足珍贵的思想路径。从这里,走进历史现场;在这里,读懂近世中国。的确,在享受这一新文化运动元典阅读快感之际,无论如何都无法阻止我们的心跳。

这里,不但有"妙手"写下的"文章",更有"道义"担当的"铁肩"。《新青年》寻求真理、坚持真理的使命感与历史同在,历历在目;新文化运动敢于担当、勇于担当的责任感与日月同辉,常读常新。听其言——陈独秀在文学革命的战车上立下过"愿拖四十二生的大炮为之前驱"的誓言,还有那振聋发聩之守护"民主""科学"的承诺:西洋人因为拥护德、赛两先生,闹了多少事,流了多少血,德、赛两先生才渐渐从黑暗中把他们救出,引到光明世界。我们现在认定:只有这两位先生,可以救治中国政治上、道德上、学术上、思想上一切的黑暗。若因为拥护这两位先生,一切政府的压迫、社会的攻击笑骂，就是断头流血，都不推辞。信誓旦旦，掷地有声。观其行——1919年6月8日，陈独秀为声援和欢迎"五四"运动中被捕出狱的学生撰写的《研究室与监狱》就是一篇激情四溢、气势磅礴的短平快舆论：世界文明发源地有二：一是科学研究室，一是监狱。我们青年要立志出了研究室就入监狱，出了监狱就入研究室，这才是人生最高尚优美的生活。从这两处发生的文明，才是真正的文明，才是有生命有价值的文明。陈独秀雄于言、力于事的个性和品格，在舆论抛出三天之后"知行合一"。被胡适誉为"一个有主张的'不羁之才'"的陈独秀，在经过三个月的监禁后，成为中国共产党的创始人。

　　无独有偶，作为《新青年》主力的舆论家胡适向来以性格稳健、思想"健全"著称。即使如此，他在"新青年派"同人营造的公共空间里丝毫不减锐气，文风堪称犀利直接、所向披靡。如同我们看到的那样，当《民国日报》记者邵力子以北洋政府下令"取缔新思想"之舆情发难胡适，并"三十六计，走为上计"揣测其生病住院时，当事人严正地在《努力周报》上发布公告：我是不跑的，生平不知趋附时髦；生平也不知躲避危险。封报馆，坐监狱，在负责任的舆论家的眼里，算不得危险。然而，"跑"尤其是"跑"到租界里去唱高调：那是耻辱！那是我决不干的！这就是"新青年"那一代知识先驱的共同心声和承诺。知其言，观其行。新文化运动的舆论家就是这样直面着人生、关注着社会、履行着诺言、担当着责任。胡适很早就认识到"舆论家之重要"并"以舆论家自任"。应该说，无论是陈独秀还是胡适，尽管在北京大学地位显赫，但真正"暴得大名"并在中国政治史、思想史、文化史上留下重要的影响，依靠的不是作为学问家的"学术"志业，而是以不安本分的"舆论家"起家。在《新青年》周围,一个知识群体为国家、民族的现代性演进而不遗余力地万丈激情挥洒自如。不甘于自处出世、超然的边缘,而要走向中心,有所担当的"家国""天下"情怀体现得淋漓尽致。

百年回眸,在演出那场思想史专场的新文化思想舞台上,海归们给沉寂的中国注入了前所未有的生机。陈独秀、胡适、周作人、鲁迅、李大钊、钱玄同、刘半农、高一涵、沈尹默……"新青年派"同人扬鞭策马、奋笔疾书。本来,学术是他们的安身立命之本,学问家应该是他们原汁原味的角色担当。但是,归国后面对中国的现实,让他们有一种坐不住、不安分的冲动,携带着西方文明的种子,他们很快从一身长衫的学问家华丽转身为西装革履的舆论家,成为指点江山、激扬文字的中心人物……

百年回眸,新文化元典已经走过了一个世纪。在"知识分子到哪里去了""知识分子还能感动中国吗""人文学还有存在的必要吗"之追问不绝于耳的今天,重读《新青年》是那样的情真意切。只要启蒙还没有"普及",只要"五四"先驱设计的目标还没有抵达,只要"中国梦"还在路上,我们就不能不读《新青年》!百年回眸,那是一个渐行渐远的大时代。我们只有以这样的方式默行注目礼……

百年回眸,《新青年》同人打造的"金字招牌"历历在目。当我们手捧10卷本"普及版"的时候,其实我们是在"提高"着对自我与这个时代的认知。本来,"普及"和"提高"就是一个问题的两个方面,无法化约,采用这样的划分完全是为了阅读的需要。我们深知,其中的每一卷都是一个个精神的制高点、诗意心灵的停泊站:"政治卷""思潮卷""哲学卷""文字卷""文学创作卷""翻译卷""文学批评卷""随感卷"的单打以及"青年妇女卷""文化教育卷"

的组合,都能够给读者带来无限的遐想。一杯茶,或一杯咖啡,在原汁原味的隽永文字中咀嚼、品味、思考,唯有这样的互动才能使我们徜徉于心旷神怡的天地。或浓烈,或淡雅,或遥远,或温馨,思想的滋味本来如此……

目录

新旧问题 …………………………………… 汪叔潜 1
抵抗力 ……………………………………… 陈独秀 5
当世二大科学家之思想 …………………… 陈独秀 10
当代二大科学家之思想（续第一号）…… 陈独秀 16
论生活上之协力与倚赖 …………………… 罗佩宜 24
新青年之家庭 ……………………………… 李 平 28
社会 ………………………………………… 陶履恭 30
经济学之总原则 …………………………… 章士钊 35
论迷信鬼神 ………………………………… 徐长统 39
论信仰 ……………………………………… 恽代英 43
归国杂感 …………………………………… 胡 适 47
人生真义 …………………………………… 陈独秀 54
"今" ………………………………………… 李大钊 57
中国学术思想界之基本误谬 ……………… 傅斯年 61
辟"灵学" …………………………………… 陈大齐 70
有鬼论质疑 ………………………………… 陈独秀 85
新的！旧的！ ……………………………… 李大钊 87
易卜生主义 ………………………………… 胡 适 91
偶像破坏论 ………………………………… 陈独秀 109

答陈独秀先生《有鬼论质疑》	易乙玄	112
难易乙玄君	刘叔雅	120
"作揖主义"	刘半农	126
"恭贺新禧"	陈大齐	131
本志罪案之答辩书	陈独秀	137
论自杀	陶履恭	139
对于梁巨川先生自杀之感想	陈独秀	146
不朽	胡适	149
何为科学家？	任鸿隽	159
日本的新村	周作人	166
工作与人生	王光祈	177
我对于丧礼的改革	胡适	181
本志宣言		194
"新思潮"的意义	胡适	197
科学的起源和效果	王星拱	206
游欧之感想	陶履恭	216
论新旧	潘力山	225
自杀论	陈独秀	231
基督教与中国人	陈独秀	247
近代心理学	张嵩年	258
人口问题，社会问题的锁钥	顾孟馀	264
贫穷与人口问题	陶孟和	281
马尔塞斯人口论与中国人口问题	陈独秀	299
什么是科学方法？	王星拱	311
《社会主义史》序	蔡元培	316

新历史 …………………………	陶孟和	321
生存竞争与互助 ……………………	周建人	330
达尔文主义 …………………………	周建人	338
《新青年》之新宣言 ……………………………		347
科学与人生观序 ……………………	陈独秀	353

新旧问题

汪叔潜

　　吾何为而讨论新旧之问题乎？见夫国中现象，变幻离奇，盖无在不由新旧之说淘演而成。吾又见夫全国之人心，无所归宿；又无不缘新旧之说，荧惑而致。政有新政、旧政，学有新学、旧学，道德有所谓新道德、旧道德，甚而至于交际酬应，亦有所谓新仪式、旧仪式。上自国家，下及社会，无事无物，不呈新旧之二象。吾人与事物之缘，一日未断，则一日必发生新旧问题。新新旧旧，杂陈吾前，吾果何所适从耶？吾有此疑问，吾料人人均有此疑问，则辨之乌可不早辨耶？

　　吾国自发生新旧问题以来，迄无人焉对于新旧二语下一明确之定义。在昔前清之季，国中显分维新、守旧二党，彼此排抵，各不相下，是谓新旧交哄之时代。近则守旧党之名词，早已随前清帝号以俱去。人之视新，几若神圣不可侵犯。即在昌言复古之人，亦往往假托新义，引以为重。夷考其实，则又一举一动，罔不与新义相角触。因此之故，一切现象似新非新，似旧非旧，是谓新旧混杂之时代。新旧交哄之时，姑无论其是否，然人各本其良心上之主张，不稍假借。国家一线之生机，犹系于此。独至新旧混杂，非但是非不明，且无辨别是非之机会。循此不变，势必至于举国之人不复有精神上之作用，吾不知国果何所与立也？

夫有是非而无新旧，本天下之至言也。然天下之是非，方演进而无定律，则不得不假新旧之名以标其帜。夫既有是非、新旧，则不能无争。是非不明，新旧未决，其争亦未已。始则口诛笔伐，终且兵阵相攻矣！吾国新旧问题，倘不早日解决，所谓新旧之争，必愈演而愈烈。试观数岁以来，国法何以朝更夕改？政治何以举棋不定？曰：惟新旧之争故。人心何以涣散不宁？社会事业何以停滞不进？亦惟曰：新旧之争故。此本过渡时代必经之阶级，原不足怪。今日所可异者，人人投身于新旧竞争之漩涡，行其实而独避其名。今试举一人或一事焉，欲辨别其孰为新、孰为旧，几不可能。明明旧人物也，彼之口头言论则全袭乎新；自号为新人物也，彼之思想方法，终不离乎旧。譬之封爵，旧事也，而取义于平等，则新矣；譬之办学，新事也，而明分乎阶级，则旧矣。诸如此类，不胜枚举。是故从前新旧之争，如火如荼；近则新旧之争，为鬼为蜮。磊落光明之态度，一变而为昏沉暧昧，一旦积久而卒发，将有过当倾侧之虞！吾尝考此现象之所由成，盖有三派之人不能不负其责。

一曰伪降派 此派盖纯乎旧者也。彼之旧脑筋、旧观念、旧方法、旧习惯，实与有生以俱来。彼于革新事业，本属格格不入，徒以迫于外势，不得不降心以相从。彼之降心相从，不过为彼之一种手段。彼虽极力敷衍新门面，然所谓旧观念旧方法者，仍随在流露于不自觉。今日新旧混杂之故，实以此派为之主动。

一曰盲从派 此派盖近乎新者也。彼之趋新，如恐不及，一唱百和，竟成风气。问其究有真知灼见与否？无有也；叩其究有真正信仰与否？亦无有也。此派之人，在国中实居多数。彼虽自命为新界之功臣，实则为新界之罪人。

一曰折衷派 往当新旧二派明张旗鼓之时，国中辄有一部分之人，好为调停之说，以为二者可以并行不悖。新者固在所取法，旧者亦未可偏废。一方面提倡维新，一方面又调护守旧，所谓折衷派是也。此派言论，对于认理不真之国民，最易投合。且彼自身处于不负责任之地位，而能周旋于二者之间，因以为利，彼之自处可谓巧矣！故养成此不新不旧之现象者，尤以此派为最有力。

综此三派，可以一言蔽之曰：旧者不肯自承为旧，新者亦不知所以为新而已。吾恶夫作伪，吾恶夫盲从，吾尤恶夫折衷。吾以为新旧二者，绝对不能相容。折衷之说，非但不知新，并且不知旧。非直为新界之罪人，抑亦为旧界之蟊贼。吾为此言，吾非好为提倡新旧之争也。吾以为国于天地，必有与立一国之人，苟有一致之趋向上也。假使不然，则维新固有维新之精神，守旧亦有守旧之精神。人人各本其自信者，锲而不舍，精神之角斗，无时或息，终必有正当解决之一日。惟依违其间，唯唯否否，乃至匿怨而友，阴相残贼，而国家之元气，真乃斲丧尽净矣！不亦重可悲乎？

今日之弊，固在新旧之旗帜未能鲜明。而其原因，则在新旧之观念与界说未能明了。夫新旧乃比较之词，本无标准。吾国人之惝恍未有定见者，正以无所标准，导其趣舍之途耳！今为之界说曰：所谓新者无他，即外来之西洋文化也；所谓旧者无他，即中国固有之文化也。如是，则首当争辨者，西洋文化与中国文化根本上是否可以相容？欲解决此问，又当先知西洋之伦理与中国之伦理是否相似。此在稍识外情者，亦必知欧美各国之家族制度、社会制度以至于国家制度，固无一焉可与中国之旧说勉强比附者也。欧美现今一切之文化，无不根据于人权、平等之说。在二百年前，其为君权政治、特权社会，固无异于中国或且加甚焉。乃自法兰西革命以还,人权之说大唱,于是对于人生之观念为之大变;人生之观念既变,于是对于国家之观念亦不得不变;人生之观念变,于是乎尊重自由,而人类之理性,始得完全发展;国家之观念变,于是乎,铲除专制,而宪政之精神,始得圆满表见。是谓之西洋文化,而为吾中国前此所未有,故字之曰"新"。反乎此者则字之曰"旧"。二者根本相违,绝无调和折衷之余地。今日所当决定者,处此列族竞存时代,究竟新者与吾相适,抑旧者与吾相适?如以为新者适也,则旧者在所排除;如以为旧者适也,则新者在所废弃。旧者不根本打破,则新者绝对不能发生;新者不排除尽净,则旧者亦终不能保存。新旧之不能相容,更甚于水火、冰炭之不能相入也。吾国提唱维新几三十年,大都局于新旧比较之词,从未体认新旧根本之异。根本观念倘未明了,仅斤斤于一事一物之新旧,则所谓为新旧者,乃时间的而非空间的,乃主观的而非客观的,乃比较的而非绝对的。人人得各新其所新,而旧其所旧。新旧之说愈繁,而新旧之界愈晦;新旧之界愈晦,而新旧之争愈乃不可收拾。戾气磅礴,罔测所届,此诚中国唯一之根本大患。此而不辨,则一切云雾终无廓清之日。国事且不论,即吾个人安身立命之所,亦不能不有所归宿,岂遂任多数潮流所支配,或东或西,自贻无形之天君以无限之苦痛?吾社会未来之主人翁,不应急择所趣舍也耶?

(第一卷第一号,一九一五年九月十五日)

抵抗力

陈独秀

一、抵抗力之谓何

"天道远,人道迩。天道恶,人道善。"吾人眼前之正路,取径乎迩而不迷其远,尽力乎善以制其恶而已!宇宙间一切生灭现象,吾人觉性之所能知,能力之所可及,此人道也;其生灭之本源,吾人所未知也,自然也,此天道也。老聃曰:"天法道,道法自然。"自然之天道,其事虽迩,其意则远,循乎自然。万物并处而日相毁,雨水就下而蚀地,风日剥木而变衰,雷雹为殃,众生相杀,孰主张是?此老氏所谓"天地不仁,以万物为刍狗也",故曰"天道恶"。众星各葆有其离力而不相并,万物各驱除其灾害而图生存。人类以技术征服自然,利用以为进化之助,人力胜天,事例最显。其间意志之运用,虽为自然进动之所苞,然以人证物,各从其意志之欲求以与自然相抗,而成败别焉,故曰"人道善"。兹所谓"人道"者,非专为人类而言,人类四大之身,亦在自然之列。惟其避害、御侮、自我生存之意志,万类所同,此别于自然者也。自然每趋于毁坏,万物各求其生存。一存一毁,此不得不需于抵抗力矣!抵抗力者,万物各执着其避害、御侮、自我生存之意志,以与天道自然相战之谓也。

二、抵抗力之价值

万物之生存进化与否,悉以抵抗力之有无、强弱为标准。优胜劣败,理无可逃,通一切有生、无生物。一息思存,即一息不得无抵抗力,此不独人类为然也。行星而无抵抗力,已为太阳所吸收;植物而无抵抗力,则将先秋而零落;禽兽而无抵抗力,将何以堪此无宫室、衣裳之生活?人类之生事愈繁,所需于抵抗力者尤巨。自生理言之,所受自然之疾病,无日无时无之。治于医药者,只十之二三;治于自身抵抗力者,恒十之七八。自政治言之,对外而无抵抗力,必为异族所兼并。对内而无抵抗力,恒为强暴所劫持。抵抗力薄弱之人民,虽尧舜之君,将化而为桀纣;抵抗力强毅之民族,虽路易拿翁之枭杰,亦不得不勉为华盛顿,否则身戮为天下笑耳。自社会言之,群众意识,每喜从同恶德污流,惰力甚大,往往滔天罪恶;视为其群,道德之精华,非有先觉哲人力抗群言,独标异见,则社会莫由进化。自道德言之,人秉自然,贪残成性,即有好善利群之知识,而无抵抗实行之毅力,亦将随波逐流,莫由自拔。矧食色根诸天性,强言不欲,非伪即痴,然纵之失当,每为青年堕落之源,使抗欲无力。一切操行、一切习惯,悉难趣诸向上之途,而群己之乐利,胥因以破坏。审是人生行径,无时无事不在剧烈战斗之中,一旦丧失其抵抗力,降服而已!灭亡而已!生存且不保,遑云进化!盖失其精神之抵抗力,已无人格之可言;失其身体之抵抗力,求为走肉行尸,且不可得也!

三、抵抗力与吾国民性

吾国衰亡之现象,何只一端?而抵抗力之薄弱,为最深、最大之病根!退缩苟安,铸为民性,腾笑万国,东邻尤肆其恶评。最近义勇青年杂志所载《支那之民族性与社会组织》文中,有言曰:

> 彼等但求生命财产之安全,其国土之附属何国,非所注意。其国为历代易姓革命之国也,其国王之为刘氏或李氏,乃至或英、或俄、或法,一切无所容心,所谓"凿井而饮,耕田而食,帝力于我何有哉"之言,最足表示彼等之性格。彼等所愿者,租税少、课役稀、文法不繁而已。数千年来,所谓为政者,设种种文法,夺百姓之钱,以肥私腹,而百姓之利害休戚,不置眼中,终至官贼同视。彼等于个人眼前利益以外,决不喜为之。政治上之抗争,宁目为妨害产业之绝大非行。政治之良否是非,一般人民绝不闻问,彼等但屈从强有势力者而已……(中略)支那今日之醒觉,不过一部分外国留学生,而一般国民,深以政争妨害自身产业为彼等心中第一难堪之痛苦。若夫触世界之潮流,促醒其迷梦,使知国家为何物,民权为何物,自由为何物,其日尚远也!

日人此言,强半属于知识问题者,犹可为国人恕,惟其"屈从强有势力者"一言,国人其何以忍受?然征诸吾人根性,又何能强颜不承?呜呼!国人倘抛置抵抗力,惟强有势力者,是从世界强有势力者多矣!盗贼外人,将非所择,厚颜苟安,真堪痛哭矣!呜呼!国人须知奋斗乃人生之职,苟安为召乱之媒!兼弱攻昧,弱肉强食,中外古今,举无异说。国人而抛置抵抗力,即不啻自署奴券,置身弱昧之林也。举凡吾之历史、吾之政治、吾之社会、吾之家庭,无一非暗云所笼罩。欲一一除旧布新,而不为并世强盛之民所兼、所攻、所食,固非冒万险、排万难,莫由幸致。以积重难返之势,处竞争剧烈之秋,吾人所需抵抗力之量,较诸今日之欧战,理当无减有增,而事象所呈,适得其反。愚昧无知者无论矣,即曲学下流、合污远祸、毁节求容者,亦尚不足深责。吾人所第一痛心者,乃在抵抗力薄弱之贤人君子。其始也,未尝无推倒一时之概,澄清天下之心。然一遇艰难,辄自沮丧。上者愤世自杀;次者厌世逃禅;又其次者嫉俗隐遁;又其次者酒博自沉。此四者,皆吾民之硕德名流而如此消极、如此脆弱、如此退葸、如此颓唐,驯致小人道长,君子道消,天地易位。而亡国贱奴,根性薄弱,真乃铁案如山矣!或谓"今俗浇薄,固如此也",而征之在昔,耦耕之徒,目孔、墨为多事;汉、明之灭,或归罪于党人;历代国变,义烈之士,亦不过慷慨悲歌、闭门自杀而已。杨雄、蔡邕文学盖世,而贬节于王、董;谯周、冯道,士林所不齿也,而少年操行,俱见重于乡党;洪承畴初未尝无殉国之志,而卒为清廷厚禄美色所动;曹操、秦桧之为巨奸大恶,妇孺所知也,而操相济南、桧为御史时,不可谓非正人君子。由是而知吾国社会恶潮流势力之伟大,与夫个人抵抗此恶潮流势力之薄弱,相习成风,廉耻道丧,正义消亡,乃以铸成今日卑劣无耻、退葸苟安诡易圆滑之国民性。呜呼!悲哉!亡国灭种之病根,端在斯矣!

四、国人抵抗力薄弱之原因及救济法

披荆斩棘,拓此宏疆!吾人之祖先,若绝无抵抗力,则已为群蛮所并吞。而酿成今日之罢弱现象者,其原因盖有三焉:一曰学说之为害也。老尚雌退,儒崇礼让,佛说空无。义侠伟人,称以大盗;贞直之士,谓为粗横。充塞吾民精神界者,无一强梁敢进之思。惟抵抗之力,从根断矣!一曰专制君主之流毒也。全国人民,以君主之爱憎为善恶,以君主之教训为良知。生死予夺,惟一人之意是从。人格丧亡,异议杜绝。所谓纲常大义无所逃于天地之间,而民德、民志、民气,扫地尽矣!一曰统一之为害也。列邦并立,各自争存,智勇豪强,犹争受推重。政权统一,则天下同风,民贼独夫,益无忌惮。庸懦无论矣!即所谓智勇豪强,非自毁人格,低首下心,甘受笞挞,奉令惟谨,别无生路。"臣罪当诛,天王圣明。"至此则万物赖以生存之抵抗力,乃化而为不祥之物矣。并此三因,造成今果。吾人而不以根性薄弱之亡国贱奴自处也,计惟以"热血汤"涤此三因,以造成将来之善果而已。拿破仑有言曰:"'难'字、'不能'字,惟愚人字典中有之,法兰西人所不知也。"孟子曰:"富贵不能淫,贫贱不能移,威武不能屈,此之谓大丈夫。"萧尔孙曰:"吾不识世间有可畏之事。"乃木希典有言曰:"训练青年,当使身心悉如钢铁!"卡内基有言曰:"遇难而退,遇苦而悲者,皆无能之人也。"岩崎氏者,以穷汉而成日本之第一富豪,其死也,卧病数十日,未尝一出呻吟之声。美利坚力战八年而独立,法兰西流血数十载而成共和,此皆吾民之师资。幸福事功,莫由幸致。世界一战场,人生一恶斗!一息尚存,决无逃遁苟安之余地。处顺境而骄,遭逆境而馁者,皆非豪杰之士也,外境之降虏已耳!

(第一卷第三号,一九一五年十一月十五日)

当代二大科学家之思想

陈独秀

英史家嘉莱尔(Carlyle)所造英雄崇拜论,罗列众流,不及科学家,其重要原因盖有二焉:其一,前世纪之上半期,尚未脱十八世纪破坏精神,科学的精密之建设,犹未遑及,世人心目中所拟英雄之标准与今异也。其一,当时科学趋重局部与归纳,未若综合的演译的学说,足以击刺人心也。二十世纪科学家之自负,与夫时代之要求,与前异趣。诸种科学,蔚然深入。综合诸学之预言的大思想家,势将应时而出。社会组织,日益复杂。人生真相,日渐明了。一切建设,一切救济,所需于科学大家者,视破坏时代之仰望舍身济人之英雄为更迫切。彼应此时代之要求,而崭然露其天才之头角者,于当世科学家中得二人焉:一曰梅特尼廓甫(Metchnikoff),一曰阿斯特瓦尔特(Ostwald)。

梅特尼廓甫

(一)略历 梅特尼廓甫,以一八四五年,生于俄罗斯加耳廓甫州。父为陆军士官,母犹太人也。本乡大学卒业后,复游德意志诸大学。归国以一八七〇年,任阿得萨(Odessa)大学动物学教授。居十余年,辞职南游意大利西细里亚岛(Sicilia),从事地震学之研究者数岁。此数岁中实梅氏最重要之生涯也。其地濒海,便于无脊动物之研究,因以发见高等动物及人类与无脊动物之血液的关系。一八八四年,更造论发明白血球退治微生物之作用,大为法国巴士特氏(Pasteur)所赞赏。巴氏为近世大化学家、大医家,数年前巴黎某杂志,曾发起投票公认何人为国史中最大英杰。及揭晓时,拿破仑大帝仅居第四位,政治家甘必达(Gambetta)居第三位,第二为文家嚣俄(Hugo),巴氏乃居第一位,其盛名可想。一八九五年,巴氏招聘梅特尼廓甫为其医学研究所之管理者。巴士特研究所,创始于一八八六年,为各国医学研究所之嚆矢,设备最称完美,得梅氏之管理,盛名益著。巴士特之功,在发见诸种病原。梅特尼廓甫之功,在根绝诸种病原,谋长生久视之术。世多称梅氏继巴氏后,为贡献人类幸福之双星。梅之为人,朴质寡言,贫居巴黎市外,不喜交际。然四方来问学者,无不殷勤接待,详说而曲喻之。数年前曾以研究鼠疫,亲来满洲一游。(梅)氏之血统,乃半犹太人,于宗教则为无神论者,于政治则自由主义之人。以此之因,宜其不容于国内。一八八一年亚历山大二世暗杀案起,俄之政潮,日趋剧急。梅特尼廓甫亦以政见得罪皇帝,辞阿得萨而南游,适此时也。

(二)长生说 易从来之实验的治疗法,而从事于组织的研究,穷探病源,施以根本之救治,此现代医学界之大革命也。革命之健将为谁?即梅特尼廓甫是矣。旧式之药剂法,率用人身以外之植物质或矿物质。金鸡纳(Quinine)及水银,尚为比较害少之品,纳此等于胃中,经过各消化机,以达血管,驱杀病菌,此常法也。若现代驱杀病菌之法，率不假外物，即在增多血液中原有之一种消毒素（Antitoxin），血清注射，与以刺戟，其效立见。或于马之血液中提取同质之物，愈足补益。白血球退治病菌，亦人身生理自然之作用，梅氏字之曰"食菌细胞"（Phagocyte），取希腊语食（Phage-in）、器（kytos）二字以成之也。盖以白血球周历人身各处寻求食物无已时，自营半独立之生活，若单细胞动物阿米巴（Amoeba）然，虽皮肤及硬骨中，亦能羼入。例如皮肤受伤，白血球即时凝集，混于血液，恰若积土成垒，以御敌攻，结合新成之皮肤，保护新生之肉，皆其职也。其或病菌侵入，敌势强大之时，白血球则整队以御之。敌军增多，白血球亦即续发相当之动员令，奋斗求胜，死而后已。战斗酣时人身遂至发热，用显微镜窥之，战况历历可见。白血球退治有毒之微生物其效如此，此梅氏初期研究之所得也。更深讨论之，白血球岂始终杀敌致果，以卫吾人之生命乎？此当然之疑问也。原夫白血球之贪食病菌，非有保卫人体之义务，乃以自身食欲为之动机。有时大敌当前，竟然放弃其作用，必病菌附有阿卜索宁（Opsonium）类之刺激物，使白血球对之食欲亢进，乃能兴奋其杀敌之精神。据梅特尼廓甫之意见，白血球虽有防卫人身之作用，而身体衰弱时，则变而为强敌。人生之衰老也，精力之消耗也，皆由此贪食之白血球食杀人身神经细胞之故。食毛发之色素，则颁白而变衰。肝肾二脏，被蚀易形，夺取骨骼中之石灰质纳诸血管，一面致骨骼脆弱，一面使动脉变硬，一举而生二害。人生之由壮而老也，半由于病菌之围攻，半由于谋叛者白血球之内应。梅氏研究之结果，曾下有名之定义曰："人身机关之衰老也，全属微生物之为害，与他病症无异。"又曰："衰老者，传染的慢性病也。高等部分，日变形而软化，白血球活动过度，亦其重大之原因也。"夫以衰老为一种病症，且特属微生物为害之结果,则寻流溯源,未必无治疗之法。此梅特尼廓甫所以醉心于长生术之研究也。因此研究而首得之疑问,即大肠之于人身是否需要是矣。盖以大肠中多附诱起病因之微生虫。梅氏直谓大肠为无用之长物,倘施以外科手术,割去或缩短之,未必即有特别之恶影响。由有脊动物解剖之证明,肠之长短与生命之长短成反比例。但梅氏尚未尝以外科手术割去大肠,及用化学消毒之事,惟尽力培养无害之细菌于肠中,以驱逐繁殖有毒之细菌。施此术也,以乳酸菌为最有效,以其有克杀毒菌之功用。例如肠窒扶斯,乃最易传染之大肠病也。布加利亚人喜用乳酸菌,而此疾稀见。牛肉与乳,其滋养分殆相伯仲。惟肉易腐败,发生有害之分子,乳之味酸而甘,且含有砂糖分,可防止腐败细菌之增长。然则牛乳之为物,不徒为人身之滋养品,且可攻克侵入大肠内之毒物也。蒙古与俄属南部,喜食马乳之作品,游牧之民,多嗜凝结之牛乳。埃及与印度边境,牛乳亦为重要之食品。布加利亚人以喜食含有极强度细菌之乳酸闻名,而其人之寿逾百岁者,实居多数。文明程度低下,与夫贫乏之人,每多长寿。由此以推,生活简单而应顺自然,亦长寿之条件。依梅氏意见,人之老死,既得其因,复有疗法。长生久视,虽未必遽能实现,而定命固属妄说。人生保寿百年以外,实非异事也。

（三）道德意见　伦理学者所谓利他主义,宗教家所谓博爱主义,非世人目为金科玉律,莫敢废置者乎？而梅特尼廓甫氏,乃谓利他、博爱非永久不可缺欠之道德。冒危险,供牺牲,舍己济人之善行,当随文明之进步,日益减少而至于无。此实梅氏创获之见解,惊倒一世者也。欲明其说之涯略,请举其言曰:"人事界之祸害,随文明进步而减少,终至全然消灭,而牺牲之事鲜矣。防疫而有血清法，医生遂无与传染病相战之危险。昔之医生，施义膜性咽喉炎 Diphtheria 患者以手术，不得不舍命为之。余之友人中，少年有望之医生供此牺牲而死者，实繁有徒。今已有义膜性咽喉炎退治血清之发明，即无前此牺牲之必要矣。要之，科学进步，即所以杜绝牺牲之道也。在昔亚布喇哈姆（Abraham，犹太人之祖，见《圣书》），以宗教信仰，牺牲其孤儿。此等高尚行为，其日益稀少而至绝迹乎？自合理的道德言之，此种行为，虽云有赞赏之价值，而究有何所用耶？人人拒绝他人同情之时代，其将至乎？康德以行善为人间纯粹之义务，斯宾塞以助人为人间本能之要求，此等原理，将行于何时何世，吾不得而知也。自理想言之，人各自达于充足之境遇行善不及于他人，此种社会，其旦暮遇之。"（以上见梅氏 The Prolongation of Life. p. 323）梅氏眼中之博爱利他主义，不过为应时之道德，非绝对不可离之真理。其破坏博爱利他主义之根底，视尼采为尤甚。盖尼采目博爱利他为不道德之恶劣行为，意过偏激，不合情理，使人未能释然。梅氏之解释个人主义，亦不似尼采猖披过当，令人怀疑也。请更征其言曰："无论若何社会主义，均不能完全解决社会之生活问题，与夫个人之自由保障。惟人智之进步，乃足使人人之财产自然趋于平均。盖人有知识，深明多藏之害，当然弃其有余。自来生活奢侈者寿命多促，其事至愚。履人生之常道，以简朴严正为生者，往往得最大之幸福。明乎此，则富者尚质素之生活，贫者自日趋于顺境。但遗产私有之习惯，未必为根本必无之事。进化非急激而行者，必由种种之努力及新知识之加增，乃有济也。新生产之社会学导先路者，当为其姊生物学。据生物学之所教，凡组织愈复杂者，其个体之意识愈发达，乃至有个体不甘为团体牺牲之患。惟劣等动物，若粘菌、若管状水母等，其个性全然没却于团体之中，然其所牺牲者乃极少，此等动物绝无自个意识故也。营社会生活之羽虫，居劣等动物与人类之中间，有明了之自个意识者，惟人类而已。故为社会组织之便利计，未可强人以牺牲。敢断言曰："人类社会生活之组织当以个性之研究为第一义。"（以上见 The Prolongation of Life. p. 231）由上之言，梅氏道德见解，乃以个人之完全发展，为人类文明进步之大的。博爱利他非究竟义，其说视自来主张个人主义者，设词缓而树义坚矣。然梅氏虽主张个人主义，而生平行事，决非绝对利己之人，虽不以博爱利他为究竟义，而所行多博爱利他之事。自表面观之，似为矛盾之见解，其实梅氏乃笃行者而非幻想者，乃科学家而非哲学家，乃不以博爱利他为究竟义，非恶夫博爱利他有害于今之社会也。犹之氏之重身命，说长生，乃乐天家而非厌世家，胡为轻身东来，乐与极酷至险之鼠疫为伍耶？盖其个人精神之伟大，无论若何博施济众，而非以博爱利他为动机也。其重惜生命，乃了解人生存顺殁宁之真正价值。阴暗怯弱之厌世家固彼所不为，庸懦苟偷之乐天家，亦彼所不取，以矛盾议之者浅矣。

（第二卷第一号，一九一六年九月一日）

当代二大科学家之思想（续第一号）

陈独秀

阿斯特瓦尔特

（一）略历　精力说之倡导者阿斯特瓦尔特氏,颜其居曰"精力别墅"（Landhaus Energie）。彼诚精力绝人,名称其实,非若东洋流之名士,戏以雅号佳名自饰也。氏任莱卜兹（Leipzig）大学教授,并同校化学实验室之主任。教学之暇,手著之书,除化学多种外,尚有二十余种,其页数计一万五千八百余。又论文百数十首,页数千六百余;讲演数种,三百余页;介绍学说,三千九百;著作批评,九百有余。此外,复担任刊行《物理化学评论》（自一八八七年始）及"科学丛书"（自一八八九年始）,宾客往访,率珍重遇之。有问学者,尤不惜殷勤详答。其精力之强,诚堪惊叹。氏以一八五三年生于里加（Riga 俄之西北港市）,年二十二卒业于大学,年二十七与某女结婚。次年,任里加某工业学校教授。一八八七年,去俄罗斯往德意志,任撒格逊尼（Saxony）王国都中莱卜兹大学教授,时年三十有四。在职十九年,等身著作,大部分成于此时。一九〇六年,辞教授之职,移居乡间"精力别墅",精研哲学。今犹健在,老而益勤。或有以何故弃有用之化学,而从事哲学等不生产之学问为质者,阿斯特瓦尔特答曰："公等视哲学为不生产之学问耶？是谬见也。所谓文明者，专门研究之时代，与夫全体综合之时代，互更递进。前世纪乃专门研究时代也，今世纪乃全体综合时代也。余自始即好哲学，然未尝治之者，时代为之也。今其时矣，此余之所以舍莱卜兹而来精力别墅也。"氏长于语学之天才，兼精俄、德、英、法各国语及世界语。尝谓各国异语，颇为学术及交通之障碍，遂锐意于世界语之改良及传播。一九〇九年，以化学所得诺倍尔赏金，悉数充作传播世界语之用。然彼对于语学问题，则以为青年学习语学过甚，有伤独创及论理之能力。尝谓尼采之偏见畸行逾越常规者，乃学习古典语过多之故。奥匈国民之天才罕见者，以其大部分之精力与时间，均消磨于语学之需要耳。氏之日常生活，喜时时转换其业务，治学倦时，改作绘画、风琴（疑为钢琴。编者注）（Piano）、胡弓（Violin）为其长技。青年时代，兼擅诗曲。盖事后休息，先时所营，仍留脑际。必改向性质绝不相同之事物，则血液乃移行作用绝不相同之他部脑髓，前用之部，始获真正之宁息。其毕生事业，亦一事成功，即改营他事，以资休养。此即应用其精力之第二法则也。（说见后）

（二）幸福公式　去今十年前，阿斯特瓦尔特氏以裁决仍留莱卜兹而任大学教授，抑或退居"精力别墅"而从事哲理家之生活也，遂证明下方之幸福公式，以自白其经验。

$$G = E^2 - W^2$$

此公式中之 G 为幸福（Glück），E 为精力（Energie），W 为逆境（Widerwillig）。盖以人生幸福之大小，视其奋发之精力以为衡。欲享受幸福之一日，不可不一日尽力以劳动；欲享受一生之幸福，不可不尽力劳动以终其生。劳动者，获得幸福之唯一法门也。故无论何人何时,应竭精力之限度,以送其努力奋斗之生涯。就此公式,更进一步而成下之方程式。

$$G = E^2 - W^2 = (E + W)(E - W)$$

幸福之 G,由精力 E 之加增,其量弥大,而缘此所生逆境之 W,其量亦加大,例如亚历山大、拿破仑、罗斯福其人,皆精力雄足,而与之反对之势力,亦甚强大。但彼等幸福之全量,究非吾等意想所及,是曰英雄的幸福(Heldenglück)。惟是人间之精力,不尽如罗斯福等,而欲效其奋斗主义之生活,则烦冤痛苦,必非一端。于是所生之幸福,全与罗等殊科。守避世禁欲主义之生活,若希腊哲人狄阿贵内斯(Diogenes)然,印度之"涅盘说"、希腊之"斯托亚学派"〔(Stoic)、雅典哲人齐隆(Zenon)淡泊主义之学派〕,皆此类也。夫节精力、避痛苦,乃云山隐者之生活,非有为青年之所宜,是曰田舍的幸福(Hüttengluck)。英雄的幸福与田舍的幸福,虽各有其满足之点,而谓为同等之幸福,则不可也。恰如大小二杯,各注以酒其满足也同,其容量则不同。

(三)精力法则　精力论占阿斯特瓦尔特之学说之重要部分。其师赫克尔以物质(Substanz 或译本质)为其哲学之中枢,阿氏则以精力(Energie 或译势力)为其哲学之主脑。精力之法则有二:其一,即一八四二年马耶(Mayer)所发明之精力常存说是也。其说以为无限空间中,生起一切现象之精力,其状态虽有所变更,其总量则常存而无所增减。例如,吾人之购求煤炭也,非求其所燃之炭素,乃求其中能燃之精力。煤之燃也,其炭素与酸素化合而为炭酸加斯,散而为烟,他无所有。吾人所用者,乃燃烧之际炭素与酸素化合所生之热而已。以此热力故至令锅内之水化而为蒸气。水蒸气之膨胀力,异常强大,于是发热精力一变而为膨胀精力。以此膨胀力故至令蒸气机关行动，于是膨胀精力又变而为连动精力，用此力以转动发电机，则运动精力又变而为电气精力。传电燃灯，则电气精力又变为发光精力。以电行车，则电气精力再转而为运动精力。自发热至此，精力之状态已经过种种变化，而其为力之量，精密计算之，曾不稍有增减。此即常存之说，精力之第一法则也。然则宇宙间之精力，既常存而无所增减，而以何原因？忽有此良否盛衰，万有不齐之现象耶？欲解答此疑问，则不得不求诸精力之第二法则，即阿斯特瓦尔特之精力低行说是也。其说乃谓精力之为物，平行如水，无物激之，时有由高就下之势，低行抵于水平，遂静止而失其作用矣。故引水灌远，必取源于高处。欲转动水车而以水平之水，其必不得水力之效用，复何待言？水之精力，一度效用，则如量低下，复抵水平，此自然之势也。其他精力之作用，悉无异于是。一切精力莫不由高就低，以保其水平性。精力而不在水平以上，决未有能利用之理由。宇宙者，精力大流之总和也。人间文野之差，乃以酌此大流之浅深为标准耳。例如，初民始知用棒，是为文明开发之第一步。因用棒以延长身体之精力，在徒手者之精力水平以上也。次知投石，则文明开发又进一步。因石能致远，视用棒者之身体精力更增高度也。又其次则发明弓、矢、舟、车，文明更进一步。因其人身体精力之扩充，又在投石者之精力水平以上也。迨近世蒸气、机械、电报、电话、飞机、潜艇之发明，而文明大进，人间精力之伸张，远在古人之精力水平以上。此皆利用宇宙间自然常存之精力，而不任其废置低行故也。今日之世界，非文明的行动尚有多事，如国际战争及社会中各阶级之冲突，此皆作为无益。精力低行之量尚属广大，故讲求利用精力之法，关系于世界文明，至为紧要矣。此第二法则影响于哲学社会学者至巨，且视第一法则之精力常存说为优胜。盖前世纪为纯粹科学时代，盛行宇宙机械之说，乃以第一法则为哲学之根基，生物学者赫克尔教授集其大成。二十世纪将为哲理的科学时代，化学者阿斯特瓦尔特氏导其先河，置重第二法则，说明生命及社会之现象，且以为未来之预言，法兰西之数学者柏格森氏与之同声相应。非难前世纪之宇宙人生机械说，肯定人间意志之自由，以"创造进化论"为天下倡，此欧洲最近之思潮也。机械说谓世界之要素二：曰物质，曰运动。万物皆成于原子，原子不可分，而有永久存在性。各原子于一定之时间，以一定之速度，向一定之方向而进行。以此推论，假令各原子遽然中止，且以同前之速度逆行其进路，则万象悉返前境。将见死者肉其白骨，鬼雄起立战场，败落之果飞上枝头，已燃之灰复返为木，世界历史均次第旧幕重开。此理论将不为机械论者所非难，而亦物理学所容许，然为自然界、人世界之所必无。彼怀古笃旧者，正不必耽此迷梦也。是以第一法则，虽为一种不可破之定理，必待第二法则以补其缺憾。生物界之吾人，允当努力以趋无穷向上之途，时时创造，时时进化，突飞猛进，以遏精力之低行，不可误解机械说及因果律，以自画也。

（四）效率论　所谓理想的机械者，科学家之恒言也。今世之机械，颇近于理想，而犹未至。由来机械之目的，乃以一种之动作变生他种之动作是也。理想的机械最重此义。倘所呈效果，无加于吾人自力之所为，则无机械之必要矣。例如植物为自体生存计，直接受日光之精力与作用。人类及其他动物，未能直接应用太阳之精力，不得不假植物，间接以取其由太阳精力所成之食物。因是植物者不啻为变更日光发射之精力，而为食物化学的精力之机械矣。此二种精力之量，吾人得而测量之。盛夏之际，一亚克（Acker.德国面积名,合英国四八四〇方码)之地,所受日光几何?测其热度而知之;所生之植物,其包含之精力分量几何?燃烧之而测其热度亦知之。就二者精密比较,其结果殊可惊异。盖植物体中所贮之精力较所受日光之精力,每不及百分之一。虽其生活作用不无消费,而大部分有用之精力,付之废弃,可断言也。然则植物者可谓为极不完全之机械矣。惟其可取之点,乃在植物独力生成,不假人助而收获耳。加以人工,固生产增额。适度耕作之地,较诸天然荒原与夫原始时代之森林,所获自增数倍。然人工备至之地,即极盛之花园,所含藏之精力,较其受诸日光之分量,亦相差甚远。所受精力与所生精力之比例,以术语言之,是曰效率。植物之效率最低,以其不能利用所受之精力也。效率最高者,莫如近世之发电机。其所生之电气精力,较所受之机械精力,仅少百分之五。效率之说,本取日常语言,应用于科学,毋宁谓为"善之权衡"(Güteverhaltnis)尤觉适当。例如评判豆或麦之善恶,可比量一亚克之产额多寡而知之。又若发电机,其不能利用精力至百分之九五者,则谓之恶发电机矣。道德上善恶之定论,亦同此理。盖世事万端,无一不与精力之变化相关联。道德之事,非在例外。惟是依第一法则,精力决无消亡之理。而机械不良,未能变原料精力为等量之有用精力,其效率遂至不齐,亦系显然之事实。斯二说似有不可调和之疑问,然第二法则已足解答此疑问。欲求效率之高,惟在善于利用精力,不令低行已耳,非第一法则之有何谬误也。且发电机所呈之效率,虽只百之九五,而其他五分决非消灭,乃一部分因磨擦而变热,一部分因电线之抵抗化而为电流。即如植物所利用之太阳精力,虽只百分之一,其余九十九分之热仍存宇宙间,未尝丝毫消灭。只以机械之良莠不齐,遏制精力低行之程度有强弱,斯所呈之效率有高低，非精力之本身有所生灭增减也。尤如货币，由甲地汇至乙地，其损失之部分，乃为汇费而非货币之自身。汇兑机关之美恶，非以汇费损失之多寡决之乎。此亦效率高低可判断道德上善恶之一证也。夫机械之不完全，为精力效率低下之重大原因，吾人可目为定则矣。而尚有一种谬见，不得不辨明者，即人工机械之不完全，较天然机械尤甚之说是也。今世人为机械之巧夺天工者，不一而足。新器发明，犹日进未已，其所不能者，乃吾人头脑冥顽及熟练不足之罪耳。电气应用于人生，不过百余年以来之事，人间生活已因此生重大之变更。由现在以测将来，其使吾人精力效率之增高，宁有限度？科学之与产生二果，其一精力之为物，大效用于人间之生活；又其一则原料精力变为有用精力之时，其效率必至增加。在昔以亚里斯多德之明哲，亦以为奴隶制度终无废弃之理。盖希腊、罗马之经济基础，皆建筑于奴隶制度之上。诸大思想家之得以委身学问也，皆奴隶制度之赐，否则一切劳力之事，必躬自为之。但利用牛马风水，以供劳役，无假力奴隶之必要，距今千余年前既已发见，此岂亚里斯多德所及料？由斯以谈科学智识之增长，人间精力效率之高度，其事至明。人间若不幸无此智识，仍至何时亦固守愚昧劣等之生活状态以终。吾人在此种生活状态期间，尚有何等伦理道德之可言乎？古之人胼手胝足，挥汗如雨；今之人劳力极微，惟聚精凝神，安坐以操配电盘与推进机而已，使人间之劳动，不同于牛马。科学之功用，自伦理上观之，亦自伟大。更试就宗教言之，世非仰望基督为持人类和平之使命而来耶？然历史上所生结果，不幸全与之相反。近代之人对于和平论之伦理的价值有所怀疑，视古人加甚。今日颇有从事世界之和平运动者（按：诺倍尔赏金，亦奖励此种事业。印度达噶尔之获赏，即以其有功于世界之和平运动，非以其文学也），与其谓为影响于基督之和平教训，宁谓为戒于战争及战争准备浪费巨量精力之故。若工艺、若伦理道德，阿斯特瓦尔特氏皆以"精力的命令"为贯彻吾人生涯全体之统治权，惟是精力之变更及其效率之增加也，将何道之由耶？曰是在积极以求机械之改良，消极则以"勿为浪费精力之事"为格言，犹之经济学家恒以"不生产之消费"为大戒也。经济学贵在以较少之时间与精力获较多之生产物。阿斯特瓦尔特之著书中，亦恒有曰："汝之劳动，务以极少量原料精力之损失，以成高尚有用之精力。"（按自蒸汽机发明以来，人间时间之节省及精力效率之增加，已属不可思议。而近日欧美人节省时间与精力之法，日异月新，无微不至。例如作书之字母，依声连书，已称便利矣。而尚嫌于每字结束之后，另于 t 上加横，i 上加点，废时耗力，且欲去之。以视吾东洋使用象形文字之民族，其文明进化，一时如何可及）

(第二卷第三号，一九一六年十一月一日)

论生活上之协力与倚赖

罗佩宜

人生而有欲，且循世运嬗衍之骎进，欲以日奢。凡所为充其欲者，求之一人之身不能备也。则其势必取于相养相资，而通力合作协同为治之事起矣。然所谓相养相资协力为治者，必有一要件焉，则人皆有独立自营之力是已。苟生民秉彝，于独立自营之事有亏，则通功易事之事弗举。通功易事弗举，而谓能营协力共同之生活，既已仅矣，何则？以有易无者，必有所以易之者，或仅恃他人之惠爱以为赠施，与夫一己之武力智巧，以猎取之。则其情毗于倚赖而不可以久，以供之者难乎其为继也。故协力之生活，必起于交易既行以后，民各出其独立自营之余裕，相为资养，而后人各餍足其欲而无遗憾焉。

且协力治生之为用，不仅餍足人人之欲愿已耳。凡厚用资生之事，莫不待其群之通力合作而后举。人治日蒸，则所待者益繁。昔之一人一家已足尽其能事者，必联数十人、数百家而始克有成焉，政治及其他事业无论已。一公司焉，其母财，非一股东之力所能措也；其业务殷繁，非一人所克肩任也。故一群资生前用之业，必合群策群力而后举。有劳心者焉，有劳力焉，其致功程效各殊，要皆竟其长以图生事之发展则一。夫而后，一群之生计舒裕而不困，此协力治生之大效也。于此有害生焉，则协力为治之事生，而依赖仰食之群起。夷考其朕，厥有数因。一、食祖父勤殖之余，膏腴坐拥，匪绍箕裘，而丰衣美食，龇𪘁偷生，是谓侈惰之群；二、坐縻饩廪，罔知生计。惟工辞揣色，博主人欢，若倡优侏儒，斗鸡走马，竭智尽力，无裨事功，是谓便辟之群；三、狡黠性成，以摴蒲赌博为业，或故设骗局，抛卖空盘，鱼肉颛愚，变诡万状，是谓谲诈之群；四、杀人越货，胈臂夺食，小或狗偷，大且狼逐。贵如王公，贱则盗贼，朘削下民，衣食万方，是谓暴戾之群。凡兹种种，不胜指偻。或无所事事，坐縻饷饩；或噪突叫嚣，恣为蟊贼。问名则是，辨实则非。其劳逸贵贱虽殊，而其耗国财以蠹民功则一也。甚哉！协同治生之事，为缮群成俗所必需，而流弊所伏，适资以害群。利日进，弊亦日进，孜孜攘攘，将迁流递嬗，靡所底止耶？

昔者，斯密亚丹氏尝纵论生利之事，有曰：总一国之民，无论或劳力，或不劳力，劳力矣。或生利，或不生利，其待养于地之所产，民之所出，则均。顾一国之岁殖，只有此数。惟其养徒食者数多，则以赡能生者数寡；赡能生者数寡，而国之所殖，岁以荒矣。又谓一国之岁殖日微，则所存留于国内之金银，其势亦不可久，彼必输之外邦。而致本国所不足之物，输出之数，必与岁殖所不足之量相齐。故以国贫而后有金银外溢之事，非金银外溢而后国贫也。虽然，究其旨归，则一国分利之人多而生利之人少也。

唯斯密氏谓国之王侯君公，降至执法司理之官吏，称戈擐甲之武夫，皆仰食于生利之民，而为不生利者。后之学者，辄以其言太过，多訾议之。平心而论，天下通义，治人者必食于人，受治于人者必有以食人。即云设官治兵，实皆在公之隶。既公隶矣，则其群自不能无所食之,而听其自谋,以反乎协同为治之公例。且人类未几于大同,则保卫之责,化导之方,凡关于民质民德诸无形之利,尤不可以已也。惟是率私奉公必有其界,若或衣租食税,漫无制防。惟务竞小已之权利,谋司枋之尊荣,则与协同为治之义已乖。夫一国之租税,每岁之度支,已为不生产之费用矣。而犹罔惜民艰,恣为放肆,浮虚冗滥,所费日多。至于养人劝工之政,则废而不举。民虽极于勤奋,而损下终不足以益上。驯至公私交罄,民之流离者众,而国亦月削日微矣。此斯密氏所由伍官吏师儒于倡隶之伦,而斥为不生利之功,诚慨乎其言也矣。

夫人栖息于一群之中,无独立自营之力,儳然终岁而不生利者,其害犹小。徒倚赖于生利之民,以分享其利者,其害滋大。民之致力而生财也,为数有限。苟节而贮之,用以规后利于将来,则生生不息,其利溥可屈于无穷。今也,仰劳民勤劬之余,以恣其贪欲无艺,则国财坐竭。来日大难,其见之有形者,则农工商业,日以萎缩夷伤。而民生利赖之业,其甫苗之机,待萌之蘗,被摧抑于无形者,迨莫能以巧历算矣。其始也,以分功之故,而协力之生业以宏;其继也,以分利之故,而倚赖之生活以长。治何所殊而有进退,国何所届而有荣枯,胥国人协力治生之功之消长致之耳。

惟倚赖生活不可以恒久恃也,盖供者易竭。而倚赖既久,渐以失其独立自营之力,一旦去所以倚,则亦自即于淘汰而已矣。记曰儒河上肇君有云,共同生活为人类进于上治之动机。于是时也,有寄生生活之事,潜起并行,以妨害其进化焉,而致遗生事无限之困穷。其二者外形逼肖,区别綦难,凡含生负气之伦,莫不具此前例。有足审者,即如蜂之与蚁,为吾人所习见也。苟细为判别,则显著等差矣。其中或司卵育,或专御侮,或营业觅食,分功并骛而绝不相蒙。自大较观之，一共同生活也。究之雄者力优，不是生业，为之供设以给其生者，实一群不雌不雄之俦耳。以供役之群，率皆孱弱不竞，遂为其雌若雄者所屈，为之厮保佣卒，而终于不悔。其彼此权利义务之分际，若通其藩而无所制焉。故自蜂蚁之生活言之，与谓为共同，宁谓为寄生，即谓为协力，宁谓为倚赖也。又谓若虮虱之寓于人，茑萝之寓于树，仰他体之脂膏，供一群之咕嘬，其为计未有能恒者。夷考动植二界，以寄生为生活之类，皆昔苑而今枯，其例甚显。孑遗所存，足以供吾侪学理之笺释者亦寥寥耳。以是知被寄生者，惟以供他群牺牲之故，因而耗失其自觉之机能而不省。寄生者亦以有所倚赖，其致力成物之诸器及良知，久于不用，则亦麻痹不仁势成废弃矣。故唇亡者齿寒，蛮僵者駆仆，同归于尽，有由然也。呜呼！此言可发人类社会之深省矣。

(第二卷第二号，一九一六年十月一日)

新青年之家庭

李 平

　　吾师彬夏女士,造"基础之基础"论,有云:"予尝著论谓中国街道之污秽,原于家庭之污秽。因家庭为吾人饮食起居之地,最易造养吾人之习惯。试思始落母胎,呱呱坠地,其地即家庭。凡目所先见,耳所先闻,手足所先接触者,为家庭与家庭之事物。其后成长于此,老死于此。则家庭者,此躯壳之所寄存,而灵魂之所依附也,最易造养吾人之习惯。若家庭污秽,吾人即习惯于污秽,无往而不污秽,且莫觉其污秽。谓予不信,试观中国,其街道之污秽如同家庭,无城乡市镇皆臭。即往欧美唐人街,仍黑暗臭秽。而欧美人虽移在吾国,仍清洁整齐,其街道亦平坦阔大。是则家庭之清洁能使人习惯清洁,并将其所至境域,亦变清洁也。"又云:"予故曰改良家庭,即整顿社会也,岂专指清洁与污秽而言。家庭于社会之影响,此其一耳。"(俱见《妇女杂志》本年八月号社说第二页)旨哉言乎!家庭与吾人及社会之关系既如此密切,故前此国人之腐败,青年之堕落,要皆恶劣家庭所养成。家庭不良,社会国家斯不良耳。今之谋革新者,独舍家庭而求之社会国家,讵有济乎?欲为新青年筹改造新家庭之准备,因作斯篇。挂一漏万,在所不免,世有同调,幸垂教焉。

一、家庭之组织,仅许一夫一妻,及未婚之子女。

二、家庭之出纳庶务,均由主妇主张之,男子无干涉之权。

(第二卷第二号,一九一六年十一月一日)

社会

陶履恭

"社会、社会",此近来最时髦之口头禅。以之解释万有现象,冠诸成语之首者也:曰社会教育,曰社会卫生,曰社会道德,曰社会习惯。政治之龌龊,则归咎于社会;教育之不进,则溯源于社会;文学之堕落,则社会负其责;风俗之浇漓,则社会蒙其诟。要之,无往而非社会。嘻,"社会、社会",人间几多罪孽尽托汝之名而归于消灭。

世人用语,率皆转相仿效,而于用语之真义反漫然不察。物质界之名词,每有实物可稽寻。世人用之,或能无悖词旨,鲜支离妄诞之弊。独进至于抽象之名词,无形体之可依托,而又非仅依吾人官觉所能理会。设转相沿袭,不加思索,非全失原语之真义,即被以新旨而非原语之所诂,此必然之势也。夫社会一语,宋儒以之诂村人之组织。今人用之,以译梭西埃特(Society)。梭西埃特之与社会,其语源,其意味,殆若风马牛之不相及。特以西方思想之传播,吾人假固有之名词,以诂输入之新义而已,非因袭千年前之古训也。际兹时会,社会、社会之声,万喙金同,充耳不绝。梭西埃特之本性,即今日所谓社会之真义,岂非吾人所当深切研究者耶。

今试执一般之学子,而卒然质以社会之义,则必曰:"人群而已,人与人相集之团体而已。"斯说尚矣。人何以必有群,何以必集为团体,人群果何以异于兽群？社会之团体,果何以别于公司之团体,何以别于学校之团体？既为群,既为团体,果否亘久不散,历万劫而不灭？群之各员,果否有相牵动相连带之关系？社会之中,果否有共同之努力、共同之理想？凡此诸问题,皆社会之根本观念,而一般以社会为口头禅者所弗暇致思者也。

社会者,人与人相集之团体也。其所以异于兽群者,以其永存,非若动物之聚散靡常。西比利亚之荒原,饿狼结群,猎取食物,其成群也,迫于食欲之冲动。一旦食欲既满,则无复结群之必要,而群之各员咸星散。动物之中,人类而外,固亦有终始群居者矣。若蚁、若蜂,其最著者也。然群居之人类,犹有别乎其他群居之动物。人类之群乃人类所组织,其人与人之间,关系密切,影响深远。视诸其他动物之群,繁复万状。今日之动物心理学、昆虫心理学,固属研究初期,于动物、昆虫之结群,于其群居之奥秘,犹未能一览而无余。即使异日群居动物、群居昆虫之研究豁然大明,吾敢断言,人类之社会,固仍为至繁、至密之群也。公司、学校,固亦人类之团体矣,然而吾不能称之为社会。公司之职员,有更易而其职解。即使其任务终身,而其为公司职员之资格,不过当其人生命之一方面。职员乃专对于公司而言；对于国家,则称国民；对于家族,则称父、称兄弟、称子侄。学校之生徒、教师,非悉能终身不去职者也。即使有就学终身、掌教终身其人者,教学乃其人一方面之活动,非全生命也。要之,公司、学校,非能包括人之全生命。公司不过当人之职业的事务一方面,学校不过人之教学的一方面,咸属片面的、人为的一种团结,人类之一种团体而已,不得称为社会也。

举此以例其他,则人间无量数之团体,只能表示人类之片面的、人为的组织,而不能毕括全生命,要不外人类之一种团体,易言以明之,人类群居生活之一方面,不得称为社会也。

　　由是观之,社会者,人类种种活动之周围,亦即人类群居生活之全体也。虽然,社会吾不之见,非若宫室、汽车之形体具在,可以视、可以摩挲,可以吾人之官觉理会者也。吾人之所能理会者,唯社会关系、社会制度而已。吾人之存于斯世也,绝不可以个人而独存。对于其他个人,势必生无穷之关系。种种关系,性质靡同,而可大别为数类。吾之对于父母,对于兄弟、姊妹,对于妻子,是皆与生养攸关,可称为生命之关系;吾之日常劳动,专勤事业,势必与他人相共,是为经济的或实业的关系;吾人立于国家主权之下,与他人同属于政治范围之内,负责任,享权利,是为政治的关系。吾人广义之生命,吾人之活动,非特限于生命的关系、经济的关系、政治的关系已也。吾人与他人之关系,必犹于吾人之心灵发展,有所进益、增蓄思想、研究学术、教学相长,是为知识的关系。崇高信仰、洁己修行、明人神、人人之道,是为宗教之关系。二者之关系,咸发达吾人之心灵者也。兹所述之五端,特其荦荦大者,而人与人之关系繁复,又绝非止于此。人之相接触、相邻近,勿论其与吾有否生命、经济、政治诸关系,要有不可磨灭之关系存乎其间。吾之一举一动,势必不免涉及他人,而他人之行为,亦难免涉及于我。吾之言语思想,亦必与他人之言语思想相通相应。故人既群居,道德的关系,心理的关系,乃无往而不存。

　　人群之中,个人与个人之关系,既若是之伙,更扩而充之,则个人与团体、团体与团体之关系,其数愈多,枚举愈难。故吾生于斯世,乃觉无数之社会关系,萦绕于吾之一身,吾乃若万矢之的,络绎不绝之社会关系麇集于吾身。昔卢梭著《民约论》，弁言既竟，首章之首句曰："人之生也自由，而无处不受束缚。"束缚匪它，即以人之寄身于斯世，无穷之社会关系，必憧憧往来于人我之间。自十七八世纪之绝对自由、自然自由之立足点观之，则斯类之关系，限制行为，形同束缚，卢梭之语非诬。自今日之社会学理观之，则人之所以为人，人之所以有文明之进步，有心理之发展，胥赖乎社会关系。社会之文野，文化之进退，胥视乎社会关系之密均繁复程度何似，则卢梭之呻吟语于今日已无价值。夫社会之生命亦即种种社会关系之活动，家族之中，婚姻、祭祀，是生命之活动也；劳形骸，营生活，是经济之活动也；输纳租税，监督政府，是政治之活动也；修养心性，瞻拜至尊，是心灵之活动也。若夫道德的心理的活动，则吾人行之，犹无时或间。总之，凡因社会关系而产出之社会活动，千差万别，靡有休息，可总称为社会之生命，其影响及于个人，及于团体，及于团体之各个人，而影响之反动，复反及于个人，及于团体，其相牵动、相连带之关系，殆莫可究诘。关系愈繁，则活动之关系愈密切，愈显人类有相共相同之追求，是亦即社会进化之征也。

社会者，一种抽象之观念。吾人不能睹其形，剖析而阐明之，唯见种种相牵连之关系，种种相关系之活动。而所以范畴关系、范围活动者，厥为社会制度。制度者，关系活动之标准，吾人所共认、共守者也。若家族制度、婚姻制度、商业制度、劳动制度、政治制度、教育制度、宗教制度，莫非规则吾人之活动。而吾人之日常起居，晤接周旋，罔不有礼节、仪制以范围。我兹所谓制度者，非具体之制度也。就具体之制度，而深求其本，详探其旨，咸不外乎一种道理之表象。例若祖先崇拜，乃吾族之一种宗教制度，岁时祭祀，跪拜号泣，固属仪式，而实所以表示慎终追远之观念；焚化楮钱，供献品物,事死如事生,事亡如事存,实表示死后生命之信仰；折经咒,招亡魂,仗十方佛力、莲花化生,实表现佛教净土宗之教旨。总之,试取吾族祖先崇拜之制度,详诵而深究之,将见具体之制度,正观念旨意之表象、具体制度之变更,亦即观念旨意之嬗变也。又若国会之制,乃政治制度,巍然之建筑,灿烂之宪法,要不过宪政大旨之一种表现而已。若遽以具体之国会宪法为政治制度,是忘却制度之本旨也（此理甚奥,兹所举不过二例,以促读者之注意,容当别为文以论之）。

　　吾述至此,则世人一般关于社会观念之谬,将不俟辩而自明。所谓社会者,至泛至漠之名词,叩其意义,阐解维艰,世人既不暇思索其真意,卒至举人世上一切问题,悉以社会一语容纳之,而责任乃无所归。噫！是邪说乱世,诱人于迷涂也。夫社会之成,成于个人之相往还,生无穷之关系。而个人之关系,准乎制度,以为活动。故人世上之恶,非制度之不良,即活动之不当,或关系之不正,而决非社会之责也。关系之不正,个人之过也；活动之不当,个人之失也。即制度之窳废,亦吾人所得而纠正,个人之责也。吾不云乎,制度所以范围关系、范围活动,则社会制度,诚可为革新人群、革新社会之基础。社会之进化,社会制度之进化而已。举此以律吾国社会之状况,则举凡家族制度、婚姻制度、劳动制度、政治制度、教育制度、交际制度,乃及其他无量数之制度,何一不亟当改革？谋根本之刷新,何一非个人之责任？彼昏昏者,不此之谋,而日犹以社会之牌匾,叫嚣于众,以若所为,求若所欲,是直若群氓既陷于泥淖之中,不思躬自表率,谋所振拔之,而反轻易的脱卸责任,复从而抑制之也。噫！

（第三卷第二号,一九一七年四月一日）

经济学之总原则

——在北京学术研究会之演说

章士钊

贵会号为学术研究会,兹请就"学术"两字约略言之。凡划出一定范围,将其中所有事实及其相互之关系,一一调查明晰,虽未能尽,而约略可以假定。将来别有所得,亦必不至与所已见之现象全然相反。因将此种事实、此种相互关系、此种已见之现象,条分缕析,从而观其共同之点何在,即其共同之点立为原则。而原则又有大小偏全之分焉,于此大小偏全之中,或更能发见总原则者,即谓之"学"。本此种种原则,求其所以应用,即谓之"术"。以经济言之,凡人生之如何劳力,如何生财,如何耗费,以及金融如何流通,财产如何分配,皆所应行研究之事实。此种种事实,类有相从之种种原则。而种种原则之中,又有总原则立其上焉。此总原则为何?即以最小之劳费,而求最大之效果是也。此原则也,其义与中国"俭"字相合。唯"俭"之云者,乃指资本如何用法始最合算,非如守财虏储钱不用,而自行克苦之谓也。由是言之,经济学可谓之"俭学",实则此义并不为创。英文之 Economy,其含有"俭"义,一望而知。即日人所谓不经济,亦即不合算之谓也。但"俭"字须分两方面观之，一人的方面，一财的方面。人与财皆包括在资本以内，故计较资本之用，不可不双管齐下也。当民国元二年之时，兄弟在北京目睹项城政治之浊乱，曾发为"正本清源综核名实"之论。此八字看来似觉过于广泛，做去似难得下手方法。而兄弟当时理想，实不过一经济总原则之作用。盖谓欲救中国之弊，总须做到有一分的才，得一分的用；有一文的钱，得一文的用。由前之说，是谓俭才；由后之说，是谓俭财。今人之恒言曰：人才消乏，有事无人办，是固有然。但由他方面观之，有人才而未得相当之用者实夥。近日以来，兄弟有欧洲同学之工程师、矿师数人，所学甚好而不得用，亦只好混入无数奔走伺候之人之中，求一与所学全不相应之小事，以资糊口。兄弟睹此，为其人计，为国家生计前途计，均觉寒心。夫以中国现时所有人才之总量，悉投之生计界中，尚虞其不足。而乃以社会罪恶之故，多方阻之。兄弟前所谓有一分之才得一分的用，始能救中国的弊者。今竟有数分之才，不得一分之用。才之不俭，可谓极矣。此犹为消极一方也。若在积极一方，真才不得其用，不才者即取其位而居之；无才不足以善事，加以不才又足以败事，故国事至今日愈不可问也。以言乎财，则今日无论公私，其为用之不得其正，更不必举例即可了然。然姑且言之，今人动曰生活程度日高如何如何。究其实，生活程度高是何解说，不必人人都能答复。兄弟在欧洲时，亦闻其国人说到生活程度高，但乃其社会中之好现象，人无不乐其高。独在吾国适得其反何也？盖欧洲所谓生活程度高者，例如一教习，去年月薪百圆，差足自给。而今年仍为月薪百圆，但以国家经济组织完密，制造日精，出品愈夥，而物价益低，该教习月以八十圆支持家用，即可得去年所以自给之程度。而此赢余之二十圆，则以之洁其家室，新其衣冠，多购书籍，并偶或携其妻子为观剧游园之乐。而生活程度，顿觉其高矣。此乃言本人技术不进者也。若本人技术进步，则薪俸以及他种利润更有增加。一面再食国家经济组织完密、物价低廉之赐，则生活程度愈见其高矣。而吾中国则不然，国家经济组织全无可言，工业不兴，恶币充斥，以至物价日高一日。例如去年月薪百圆，足以自给者，今年百物腾贵，非以百二十圆不能支持去年之生活。斯时有两歧路，为其人所抉择：一减少应有之生活物事，使收支适合；一攫取额外不应得之金钱，以撑持现时之生活。由前之说，则仰望生活程度之高，而自安于低。由后之说，则冀追他人之生活，而仰齐其高，大约今之恒言所谓生活程度高者，俱是此种。其所以酿成如是现象，不外二因：(一) 社会之经济能力不充，机关不备，以致物价腾踊。(二) 个人之技术不进，无法以致高薪。以此二因，社会之滥用愈甚，经济事业愈不得发达。人才为社会虚荣所侵伐，又无途以致用，日益不能自养。其结果又益使物价腾踊，技术败退，互相为因，互相为果，反复数巡，中国如枯槁矣。其他国家之滥用，如养冗兵、养冗员、行政官之贪婪无厌、实业家之滥投资金，无在不足促国家即于破产之一途，则尤其彰明较著者也。中国本为贫国，以其尽有之财，悉数纳入正轨，以求相当之效，尚虑其不能追及近世文明之百一，而乃公私滥费如此，岂非完全自杀。由上观之，吾国今日之根本大弊在两点：一为才不得其用，一为财不得其用。至才与财之足用与否，尚为第二问题。兄弟前言经济学总原则为以最小之劳费，求最大之效果。所谓最小最大全无限度。故用一分之才，容或收两分三分乃至十分之效果。用一文的钱，容或收两文三文乃至十文之效果。此在欧洲社会，可以语此。而吾乃反是。吾今大抵有两分三分乃至十分的才，而不必有一分的效果，耗两文三文乃至十文的钱,而不必有一文的效果。故吾不敢过于希望所悬俭才俭财之的,亦唯适如其量以相求而已。故兄弟历年所持"正本清源综核名实"之论,在乎以一分之才,得一分之用;以一文之钱,得一文之用,而止也。然欲行此,谈何容易。如果有清明强健之政府,可以望其行之,如果有清明强健之社会,亦可以望其行之。而二者皆不可得,于是不得不求诸少数优秀之士,务便默喻此意,利用种种机会,以冀贯彻其主旨。贵会以学术研究为名,兄弟个人私意,以为舍俭才俭财无学,舍实行俭才俭财无术,不识诸君以为何如?

(第三卷第二号,一九一七年四月一日)

论迷信鬼神

徐长统

呜呼！我国人之迷信多矣。宗教之迷信也，做官之迷信也，风俗之迷信也，学说之迷信也，种种迷信不一而足。而其迷信最久、最深、最不可遏止者，厥唯鬼神之迷信而已。是故他种迷信姑勿论，特于迷信鬼神一事而申论之。

今夫鬼也神也，何言之者如此之多，信之者如此之深也。吾冥思之，穷鞫之，殆有两义焉，即一关于人，一关于物也。

关于人者何，第一试问人有好奇性乎？既有好奇性，则偶闻平生所罕闻者，无论是非，必主张之以使成事实也。第二试问人有造谣性乎？既有造谣性，则偶闻奇异之事，无论虚实，必修饰敷衍之，以传于他人也。第三试问人有习惯性乎？既有习惯性，则幼小时所闻鬼神事，所谈鬼神话，至长必记忆之，以支配于其心，每接一事，必以鬼神之意而逆之也。若是者，欲人之不言鬼神，不信鬼神，胡可得哉？欲人之言鬼神，信鬼神，确实而不荒谬亦何可得哉？

关于物者何？第一由事物实质之未明了也。如夜行时，见一木骨树立，而以为鬼神立于其处焉。如熟眠时，偶有鼠猫接触，以致惊醒，而以为鬼神来此显灵焉。此不过略举以为例耳，其他类此者，更十仆而不能数也。第二由于事物真理之未曾考察也。如一声音触于山彦中而反射，未考察音，以为鬼神在山彦中传话也。如用一着色之玻璃窗，而窗之内外风光骤异，未考察者，以为鬼神在此间现怪也。如蜃市楼者，由光线屈折而使空气变状，未考察者，以为鬼神来往于其间也。又如圣脱枯拉港者，每遇船舶到，则该港人民必患寒疾，众深信之。其后奇痕铿蒲学士细心而苦究之，知其港之地势，非有大东北风，外人船舶不得进，故患寒疾者，不因船舶而因东北风也。未考察者，以为外人船舶中必带有鬼神来此作祟也。又如日本于某城于某年每朝鸡鸣之前，有声如当天下者，一城之人咸谓鬼神告天下有大变动，盖将有当天下之人出也。然有一人欲探知其原因，迎其声而行，乃知在城外之锻冶所，每朝三点钟即从事于锻工。故知当天下之声，即打铁之声云。若终不考察，必以为鬼神能告人以祸福也。此不过略举以为例耳。其他类此者，更十仆而不能数也。第三由于事物之变化无穷也。如雌鸡化雄也，是生物之一种生理变态也，不知者以为鬼神使之然也。如桑谷共守也，是植物之一种特别机能也。不知者，以为鬼神使之然也。他如化石结晶、石磷光等，是地质中所构成之化合物也。不知者，以为化石结晶石乃鬼神所变之物，磷光乃鬼神所放之火也。又如地震山崩、暴风疾雨等，是地球之收缩及空气之急变也。不知者以为地震山崩为地神所致，暴风疾雨为天神所施也。此亦不过略举以为例耳。其他类此者，更十仆而不能数也。

然则，人之既好迷信鬼神也若彼，事物又易令人迷信为鬼神也若此，故夫学者不察天变地异之本于何理，偶遭山崩地裂等事，而曰此乃鬼神所致也，不必研究也。呜呼！试问我国之学识何由而增进乎？农者不察耕种栽培之方法善良与否，偶遭荒歉之岁，而曰天也命也,不可挽回也。呜呼!试问我国农业何由而振兴乎?病者不知求医之调治,不讲摄生之力法,及致陷身于危境之时,而信鬼神祈禳之法。呜呼!试问我国之种族何由而强健乎?为政者不察各国政治之潮流,偶有变乱或危殆时,而曰我国阳九之厄,灰劫之运也,不能与人相较也。呜呼!试问我国政治何由而改良乎?且不特此也,试问有矿不采,有路不治者,抑何故乎?曰风水之不利也。试问迎神赛会,耗费金钱而不惜,废时失事而不悔者,抑何故乎?曰将敬鬼神而求福以免祸也。又试问有产业而不生息,有职务而不履行,朝以愁闷,夕以感叹者,抑何故乎?曰相命卜筮,多谓我将于某月某日必病死,而因此灰心也。此不过聊举以为例耳,其他类此者,更十仆而不能数也。

呜呼!迷信鬼神之害,尚忍言乎?吾不得不为迷信鬼神者忧,更不得不为我国家前途患焉。虽然,我心犹未死。我愿举一二补救方法,而为迷信鬼神者告焉。

一曰壮其胆力也。萧尔逊曰,吾未见有所可畏之事,吾不识畏之为何物也。王阳明曰,人人有路透长安,坦坦平平一直看。夫人苟具一种勿畏性,则向其前途也,有破釜沉舟,一瞑不视之概。徇其主义也,有天上地下,唯我独尊之观。如此则何有于鬼,何有于神哉?苟人具有路透长安之想,则高,高山顶立,深,深海底行。以第二之世界,为归宿之故乡,以无极之长途,为所怀之希望。如此则又何有于鬼,何有于神哉?此欲免迷信鬼神,而胆力之不可不壮也。二曰多求知识也。传曰,妖由人兴。语云,少见多怪,旨哉斯言。譬诸人皆以风为神物所呼吸,雷为天神之击鼓,而曾学天文者,必知其妄矣。人皆以磷光为幽灵所燃火,地震为鳌鱼之转身,而曾学地文者,必知其诬矣。此不过略举其万一耳,苟他日学业之精达于极点,举今日所谓鬼也神也,悉扫而空之,亦意中事也。此欲免迷信鬼神,而学识之不可不多求也。

(第三卷第四号,一九一七年六月一日)

论信仰

恽代英

今日已为宗教之末日矣。而一般学者,顾于此古董之宗教,不忍遽尔抛弃。虽不敢争神之存在与否,彼所设教律之正确与否,但日日号于人曰:信仰为人类向上之根本,故吾人为保存人类之此等向上性,即有不能不保存人类各项信仰之必要,即有不能不保存人类所信仰之宗教之必要。此近日宗教家唯一之护符也。

要上所言,不能谓无片面理由。信仰之引人向上,固不可诬之事。且其功用能使怯者勇,弱者强,散漫者精进,躁乱者恬静。历史所载,其伟大之成绩,不可偻数,今人震眩之以为不可抛弃,盖亦非偶然也。唯信仰固有如此之功用,而除信仰外,尚不乏有此同一之功用者。以信仰比之,其利益大小,固有差异。宗教虽为一种信仰,而除宗教外尚不乏他种之信仰,以宗教比之,其利益大小,又有差异。故必谓信仰不可抛弃,其说已非上乘。又因信仰不可抛弃,而谓宗教即亦不可抛弃,其说尤可议矣。

道德上之大动力有三:一曰信,二曰爱,三曰智。(基督教谓为信、爱、望之三者,然望包在信内)信之功用,既如上所述矣。至于爱之功用,凡言社会学、伦理学者无不知之。吾人最大之道德,如孝慈者，出于父子之爱也。如悌友者，出于兄弟之爱也。如敬随者，出于夫妇之爱也。如博爱者，出于商人对于大群之爱也。如慈仁者，出于常人对于不幸之同类之爱也。凡爱之情愈深，其道德之行为愈真挚。一切有道德之价值的品性，皆因而产生焉。故粗暴之武人，对于其妻子，常呈其特别之忍耐；柔弱之女子，对于其产儿，常呈其特别之勇猛。爱之功用，亦犹信之功用，对于人有特别不可思议之影响。故苟能启发人类对于各方面自然具有之爱力，即不须信仰之鞭策，已足养成其见善如不及之品性矣。

至就智的方面言之，知行合一之说，东西哲人，皆有倡导者。苏格拉底曰，人之所以为不善，皆以不知其为不善故。程子曰，人性以循理而行为顺，故烛理明则自乐行。是其说也。道德之真意义，道德对于吾人之真关系，吾人苟能灼见确知，自然趋善避恶，如不能舍。古人言，明理则不惧。盖唯明理者，乃知世所谓可惧者本不足惧，或不应惧。其取舍行藏，皆确然有主张，有把握。虽无所谓信仰，而自然勇，自然强，自然精进，自然恬静。如此可知，信仰之为用，甚有限也。

信与爱、智虽同为三原动力之一，然以信与智较，即相形而绌。信与智，常相冲突之物也。吾人之智，常欲破除吾人之信。吾人之信，又常欲闭塞吾人之智。然使吾人因信而弃智，是自绝文化进步之本原，而安于迷惑愚妄之境地也，其可乎哉？总之，吾人之信如与智不一致之时，则此信为无价值，为不足保存。虽彼有种种有力之功用，以此等功用，不过引导吾人于迷惑愚妄之境地，使吾人倒行逆施，自绝于进化之门，不为有益，但有害耳。

就上之论据，可知有知识之人，初不须假借信仰之力，更不须假借宗教之力，自能竭力实践道德上之义务。虽有时信仰与知识一致,足以增加其人实践道德之力量,然如不幸而不与知识一致,则徒为其勇猛进德之妨碍。而凡名为信仰者,即多少含有不与知识同时并进之意。故信仰与知识一致,乃偶然之事。其不一致,乃当然常有之事。以此故知,信仰虽有若干之利益,然利不胜弊,绝对无保存之价值也。或曰,有知识之人,不宜以信仰画制之,固矣。无知识或知识简单之人,其知识既不足以认识道德,则假信仰乃至宗教以扶掖之,不亦可乎?曰,世人谓无宗教,则中下社会中人无信仰,于道德之前途大有妨碍,则误也。凡无知识或知识简单之人,有信仰乃至有宗教,以扶掖之,固为有利之事。然即无宗教,彼亦仍自有其信仰。而此信仰者,非知识至可以认识道德之程度,绝不至破坏也。此自有之信仰为何?曰,信仰法律制裁,信仰社会制裁,信仰良心制裁。是皆知其当然,而不知其所以然,故谓之信仰,不谓之知识也。此三种制裁之信仰,其效力绝不小于神之制裁之信仰。而此三种制裁为当时社会风俗习惯之反映,其比较于亘古不变的神之制裁,即本质上亦应较为合理可信。故即对于无知识或知识简单之人,虽似不可不假信仰以扶掖之,然于宗教之存废,初不可假此以为护符也。

无知识或知识简单之人,如上所述,自然有其较合理的信仰。然即此等信仰,吾人虽不必破坏之,亦决不可提倡之。盖无知识可进而为有知识,知识简单可进而为知识高尚。如必如宗教家,为之立一坚固之信仰,则异日必为其知识进化之累矣。如此可知,凡今日言保存宗教,提倡信仰者,皆多事也,皆有害无利之事也。

且吾人与其以宗教范围无知识或知识简单之人,使其为无理由之信,毋宁以教育启发之使其智,训练之使其爱之,为愈盖有智以指导其行为。而智与爱,又共同鞭策之,则自能见善无不为,而所为无不善。比之但以无理由之信鞭策行为者，虽勇于有为，而所为或合理或不合理，皆未可知，其利益远殊矣。由此可知，信仰为用，对于有知识无知识者，皆极微小。而宗教为用，则又微小之微小，直无足轻重也。就已事论之，宗教固亦可谓为社会结合，文化增长之一因，然此皆主持宗教者意不及料之结果。即此等结果，亦唯在野蛮社会中，可以见之。若在今日，人心对于宗教之信仰，已甚薄弱。虽以强力迫使之信仰，亦口应而心非。盖宗教已应成过去之一物，此一时，彼一时，固非人力之所得争矣。

  智与爱为千古不磨之道德原动力。信仰二字，吾人虽不必十分排斥，亦大可不更加提倡矣。异哉，吾国学者，于此日此时，乃欲大倡信仰之说于吾国，宗教也，国教也，纷呶不可辨析。意者自欧风东渐，彼数百年前之宗教史，有足使吾人羡慕者耶。或西人既至今日，尚任其宗教自由存在，自由传播，即足为吾人应建设宗教，应建设国教之唯一理由耶。或有欲为大教主大牧师，以俯享一国人之尊敬崇拜者耶。吾甚愿其一读此篇，恍然知宗教之价，在今日且不足道。而悟于其所主张，国教之非也。

（第三卷第五号，一九一七年七月一日）

归国杂感

胡　适

我在美国动身的时候，有许多朋友对我道："密斯忒胡，你和中国别了七个足年了，这七年之中，中国已经革了三次的命，朝代也换了几个了。真个是一日千里的进步。你回去时，恐怕要不认得那七年前的老大帝国了。"我笑着对他们说道："列位不用替我担忧。我们中国正恐怕进步太快，我们留学生回去要不认得他了。所以他走上几步，又退回几步，他正在那里回头等我们回去认旧相识呢。"

这话并不是戏言，乃是真话。我每每劝人回国时莫存大希望：希望越大，失望越大。所以我自己回国时，并不曾怀什么大希望。果然船到了横滨，便听得张勋复辟的消息。如今在中国已住了四个月了，所见所闻，果然不出我所料。七年没见面的中国还是七年前的老相识！到上海的时候，有一天，有一位朋友拉我到大舞台去看戏。我走进去坐了两点钟，出来的时候，对我的朋友说道："这个大舞台，真真是中国的一个绝妙的缩本模型。你看这大舞台三个字岂不很新？外面的房屋岂不是洋房？里面的座位和戏台上的布景装潢又岂不是西洋新式？但是做戏的人都不过是赵如泉、沈韵秋、万盏灯、何家声、何金寿这些人。没有一个不是二十年前的旧古董！我十三岁到上海的时候，他们已成了老角色了。如今又隔了十三年了，却还是他们在台上撑场面。这十三年造出来的新角色都到哪里去了呢？你再看那台上做的《举鼎观画》，那祖先堂上的布景，岂不很完备？只是那小薛蛟拿了那老头儿的书信，就此跨马加鞭，却忘记了台上布景是一座祖先堂！又看那出《四进士》，台上布景，明明有了门了，那宋士杰却还要做手势去关那没有的门！上公堂时，还要跨那没有的门槛！你看这二十年前的旧古董，在二十世纪的大舞台上做戏，装上了二十世纪的新布景，却偏要做那二十年前的旧手脚！这不是一幅绝妙的中国现势图吗？"

  我在上海住了十二天，在内地住了一个月，在北京住了两个月，在路上走了二十天。看了两件大进步的事：第一件是"三炮台"的纸烟，居然行到我们徽州去了；第二件是"扑克"牌居然比麻雀牌还要时髦了。"三炮台"纸烟还不算希奇，只有那"扑克"牌何以会这样风行呢？有许多老先生向来学 ABCD，是很不行的，如今打起"扑克"来，也会说"恩德""累死""接客倭彭"了！这些怪不好记的名词，何以会这样容易上口呢？他们学这些名词这样容易，何以学正经的 ABCD，又那样蠢呢？我想这里面很有可以研究的道理。新思想行不到徽州，恐怕是因为新思想没有"三炮台"那样中吃罢？ABCD，不容易教，恐怕是因为教的人不得其法罢？

  我第一次走过四马路，就看见了三部教"扑克"的书。我心想"扑克"的书已有这许多了，那别种有用的书，自然更不少了，所以我就花了一天的工夫，专去调查上海的出版界。我是学哲学的，自然先寻哲学的书。不料这几年来，中国竟可以算得没有出过一部哲学书。找来找去，找到一部《中国哲学史》，内中王阳明占了四大页,《洪范》倒占了八页！还说了些"孔子既受天之命""与天地合德"的话。又看见一部《韩非子精华》,删去了《五蠹》和《显学》两篇,竟成了一部《韩非子糟粕》了。文学书内,只有一部王国维的《宋元戏曲史》是很好的。又看见一家书目上有翻译的莎士比亚剧本,找来一看,原来把会话体的戏剧,都改作了《聊斋志异》体的叙事古文！又看见一部《妇女文学史》,内中苏蕙的回文诗足足占了六十页！又看见《饮冰室丛著》内有《墨学微》一书,我是喜欢看看墨家的书的人,自然心中很高兴。不料抽出来一看,原来是任公先生十四年前的旧作,不曾改了一个字！此外只有一部《中国外交史》,是我从前很佩服的,如今居然到了三版了。只有这件事可以使人乐观。此外那些新出版的小说,看来看去,实在找不出一部可看的小说。有人对我说,如今最风行的是一部《新华春梦记》,这也可想见中国小说界的程度了。

　　总而言之,上海的出版界——中国的出版界——这七年来简直没有两三部以上可看的书！不但高等学问的书一部都没有,就是要找一部轮船上火车上消遣的书,也找不出！（后来我寻来寻去,只寻得一部吴稚晖先生的《上下古今谈》,带到芜湖路上去看。）我看了这个怪现状,真可以放声大哭。如今的中国人,肚子饿了,还有些施粥的厂把粥给他们吃。只是那些脑子教饿的人可真没有东西吃了。难道可以把些《九尾龟》《十尾龟》,来充饥吗？

　　中文书籍既是如此,我又去调查现在市上最通行的英文书籍。看来看去,都是些什么莎士比亚的《威匿思商》《麦克白传》,阿狄生的《文报选录》,戈司密的《威克斐牧师》,欧文的《见闻杂记》……大概都是些十七世纪、十八世纪的书。内中有几部十九世纪的书,也不过是欧文、迭更司、司各脱、麦考来几个人的书,都是和现在欧美的新思潮毫无关系的。怪不得我后来问起一位有名的英文教习，竟连 Bernard Shaw 的名字也不曾听见过，不要说 Tchekoff 和 Andreyev 了。我想这都是现在一班教会学堂出身的英文教习的罪过。这些英文教习，只会用他们先生教过的课本。他们的先生又只会用他们先生的先生教过的课本。所以现在中国学堂所用的英文书籍，大概都是教会先生的太老师或太太老师们用过的课本！怪不得和现在的思想潮流绝无关系了。

有人说，思想是一件事，文学又是一件事，学英文的人何必要读与现代新思潮有关系的书呢？这话似乎有理，其实不然。我们中国人学英文，和英国、美国的小孩子学英文是两样的。我们学西洋文字，不单是要认得几个洋字，会说几句洋话。我们的目的在于输入西洋的学术思想。所以我以为中国学校教授西洋文字，应该用一种"一箭射双雕"的方法，把"思想"和"文字"同时并教。例如教散文，与其用欧文的《见闻杂记》，或阿狄生的《文报选录》，不如用赫胥黎的《进化杂论》。又如教戏曲，与其教莎士比亚的《威匿思商》，不如用 Bernard Shaw 的 *Androcles and the Lion*，或是 Galsworthy 的 *Strife* 或 *Justice*。又如教长篇的文字，与其教麦考来的《约翰生行述》，不如教弥尔的《群己权界论》……我写到这里，忽然想起日本东京丸善书店的英文书目。那书目上，凡是英美两国一年前出版的新书，大概都有。我把这书目和商务书馆与伊文思书馆的书目一比较，我几乎要羞死了。

我回中国所见的怪现状，最普通的是"时间不值钱"，中国人吃了饭没有事做，不是打麻雀，便是打"扑克"。有的人走上茶馆，泡了一碗茶，便是一天了。有的人拿一只鸟儿到处逛逛，也是一天了。更可笑的是朋友去看朋友，一坐下便生了根了，再也不肯走。

有事商议，或是有话谈论，倒也罢了，其实并没有可议的事，可语的话。我有一天在一位朋友处，有事忽然来了两位客，是□□馆的人员。我的朋友走出去会客，我因为事没有完，便在他房里等他。我以为这两位客一定是来商议这□□馆办什么要事的。不料我听得他们开口道："□□先生，今回是打津浦火车来的，还是坐轮船来的？"我的朋友说是坐轮船来的。这两位客接着便说轮船怎样不便，怎样迟缓。又从轮船上谈到铁路上，从铁路上又谈到现在中、交两银行的钞洋跌价。因此又谈到梁任公的财政本领，又谈到梁士诒的行踪去迹……谈了一点多钟，没有谈上一句要紧的话。后来我等得没法了，只好叫听差去请我的朋友。那两位客还不知趣，不肯就走。我不得已，只好跑了，让我的朋友去领教他们的"二梁优劣论"罢！

美国有一位大贤名弗兰克令（Benjamin Franklin）的，曾说道："时间乃是造成生命的东西。"时间不值钱，生命自然也不值钱了。上海那些拣茶叶的女工，一天拣到黑，至多不过得二百个钱，少的不过得五六十钱。茶叶店的伙计，一天做十六七点钟的工，一个月平均只拿得两三块钱！还有那些工厂的工人，更不用说了。还有那些更下等，更苦痛的工作，更不用说了。人力那样不值钱，所以卫生也不讲究，医药也不讲究。我在北京上海看那些小店铺里和穷人家里的种种不卫生，真是一种黑暗世界。至于道路的不洁净，瘟疫的流行，更不消说了。最可怪的是无论阿猫阿狗都可挂牌医病。医死了人，也没有人怨恨，也没有人干涉。人命的不值钱，真可算得到了极端了。

现今的人都说教育可以救种种的弊病。但是依我看来，中国的教育，不但不能救亡，检直可以亡国。我有十几年没到内地去了。这回回去，自然去看看那些学堂。学堂的课程表，看来何尝不完备。体操也有，图画也有，英文也有，那些国文、修身之类，更不用说了。但是学堂的弊病，却正在这课程完备上。例如我们家乡的小学堂，经费自然不充足了，却也要每年花六十块钱去请一个中学堂学生兼教英文唱歌。又花二十块钱买一架风琴。我心想这六十块一年的英文教习，能教什么英文？教的英文，在我们山里的小地方，又有什么用处？至于那音乐一科，更无道理了。请问那种学堂的音乐，还是可以增进"美感"呢？还是可以增进音乐知识呢？若果然要教音乐，为什么不去村乡里找一个会吹笛子的唱昆腔的人来教？为什么一定要用那实在不中听的二十块钱的风琴呢？那些穷人的子弟学了音乐回家，能买得起一架风琴来练习他所学的音乐知识吗？我真是莫名其妙了。所以我在内地常说："列位办学堂，尽不必问教育部规程是什么。须先问这块地方上最需要的什么。譬如我们这里最需要的是农家常识、蚕桑常识、商业常识、卫生常识，列位却把修身教科书去教他们做圣贤！又把二十块钱的风琴去教他们学音乐！又请一位六十块钱一年的教习教他们学英文！列位且自己想想看，这样的教育造得出怎么样的人才？所以我奉劝列位办学堂，切莫注重课程的完备，须要注意课程的实用。尽不必去巴结视学员，且去巴结那些小百姓。视学员说这个学堂好，是没有用的。须要小百姓都肯把他们的子弟送来上学，那才是教育有成效了。"

以上说的是小学堂。至于那些中学校的成绩，更可怕了。我遇见一位省立法政学堂的本科学生，谈了一会，他忽然问道："听说东文是和英文差不多的，这话可真吗？"我已经大诧异了。后来他听我说日本人总有些岛国的习气，忽然问道："原来日本也在海岛上吗?"……这个固然是一个极端的例,但是如今中学堂毕业的人才,高又高不得,低又低不得,竟成了一种无能的游民。这都由于学校里所教的功课,和社会上的需要毫无关涉。所以学校只管多,教育只管兴,社会上的工人、伙计、账房、警察、兵士、农夫……还只是用没有受过教育的人。社会所需要的是做事的人才。学堂所造成的是不会做事又不肯做事的人才。这种教育不是亡国的教育吗?

我说我的"归国杂感",提起笔来,便写了三四千字。说的都是些很可以悲观的话。但是我却并不是悲观的人。我以为这二十年来中国并不是完全没有进步,不过惰性太大,向前三步又退回两步,所以到如今还是这个样子。我这回回家寻出了一部叶德辉的《翼教丛编》,读了一遍,才知道这二十年的中国实在已经有了许多大进步。不到二十年前,那些老先生们,如叶德辉、王益吾之流,出了死力去驳康有为,所以这书叫做《翼教丛编》。我们今日也痛骂康有为。但二十年前的中国,骂康有为太新;二十年后的中国,却骂康有为太旧。如今康有为没有皇帝可保了,很可以做一部《翼教续编》来骂陈独秀了。这两部"翼教"的书的不同之处,便是中国二十年来的进步了。

我相信世间万事万物,无一不是新陈代谢,进化无穷。我预料二十年后,陈独秀也要做一部《翼教再续编》来骂他人。哈哈!"后之视今,亦犹今之视昔。"不知那日叶德辉、康有为、陈独秀三人,作何等感想。

独秀识

(第四卷第一号,一九一八年一月十五日)

人生真义

陈独秀

人生在世,究竟为的甚么?究竟应该怎样?这两句话实在难得回答的很。我们若是不能回答这两句话,糊糊涂涂过了一生,岂不是太无意识吗?自古以来,说明这个道理的人也算不少,大概约有数种:第一是宗教家,像那佛教家说世界本来是个幻象,人生本来无生。"真如"本性为"无明"所迷,才现出一切生灭幻象。一旦"无明"灭,一切生灭幻象都没有了,还有甚么世界,还有甚么人生呢?又像那耶稣教说人类本是上帝用土造成的,死后仍旧变为泥土。那生在世上信从上帝的,灵魂升天;不信上帝的,便魂归地狱,永无超生的希望。第二是哲学家,像那孔孟一流人物,专以正心修身齐家治国平天下做一大道德家、大政治家,为人生最大的目的。又像那老庄的意见,以为万事万物都应当顺应自然。人生知足,便可常乐,万万不可强求。又像那墨翟主张牺牲自己,利益他人为人生义务。又像那杨朱主张尊重自己的意志,不必对他人讲甚么道德。又像那德国人尼采也是主张尊重个人的意志,发挥个人的天才,成功一个大艺术家,大事业家,叫做寻常人以上的"超人",才算是人生目的。甚么仁义道德,都是骗人的说话。第三是科学家,科学家说人类也是自然界一种物质，没有甚么灵魂。生存的时候，一切苦乐善恶，都为物质界自然法则所支配，死后物质分散，另变一种作用，没有连续的记忆和知觉。

这些人所说的道理，各个不同。人生在世，究竟为的甚么，应该怎样呢？我想佛教家所说的话，未免太迂阔。个人的生灭，虽然是幻象，世界人生之全体，能说不是真实存在吗？人生"真如"性中，何以忽然有"无明"呢？既然有了"无明"，众生的"无明"，何以忽然都能灭尽呢？"无明"既然不灭，一切生灭现象，何以能免呢？一切生灭现象既不能免，吾人人生在世，便要想想究竟为的甚么，应该怎样才是。耶教所说，更是凭空捏造，不能证实的了。上帝能造人类，上帝是何物所造呢？上帝有无，既不能证实，那耶教的人生观，便完全不足相信了。孔孟所说的正心修身齐家治国平天下，只算是人生一种行为和事业，不能包括人生全体的真义。吾人若是专门牺牲自己，利益他人，乃是为他人而生，不是为自己而生，决非个人生存的根本理由。墨子的思想，也未免太偏了。杨朱和尼采的主张，虽然说破了人生的真相，但照此极端做去，这组织复杂的文明社会，又如何行得过去呢？人生一世，安命知足，事事听其自然，不去强求，自然是快活的很。但是这种快活的幸福，高等动物反不如下等动物，文明社会反不如野蛮社会。我们中国人受了老庄的教训，所以退化到这等地步。科学家说人死没有灵魂，生时一切苦乐善恶，都为物质界自然法则所支配，这几句话倒难以驳他。但是我们个人虽是必死的，全民族是不容易死的。全人类更是不容易死的了。全民族全人类所创的文明事业，留在世界上，写在历史上，传到后代，这不是我们死后连续的记忆和知觉吗？

照这样看起来，我们现在时代的人所见人生真义，可以明白了。今略举如下：

——人生在世，个人是生灭无常的，社会是真实存在的。

——社会的文明幸福，是个人造成的，也是个人应该享受的。

——社会是个人集成的，除去个人，便没有社会。所以个人的意志和快乐，是应该尊重的。

——社会是个人的总寿命。社会解散，个人死后便没有连续的记忆和知觉，所以社会的组织和秩序，是应该尊重的。

——执行意志，满足欲望（自食色以至道德的名誉，都是欲望），是个人生存的根本理由，始终不变的（此处可以说"天不变道亦不变"）。

——一切宗教法律道德政治，不过是维持社会不得已的方法，非个人所以乐生的原意，可以随着时势变更的。

——人生幸福，是人生自身出力造成的，非是上帝所赐，也不是听其自然所能成就的。若是上帝所赐，何以厚于今人而薄于古人？若是听其自然所能成就，何以世界各民族的幸福不能够一样呢？

——个人之在社会，好像细胞之在人身。生灭无常，新陈代谢，本是理所当然，丝毫不足恐怖。

——要享幸福，莫怕痛苦。现在个人的痛苦，有时可以造成未来个人的幸福。譬如有主义的战争所流的血，往往洗去人类或民族的污点。极大的瘟疫，往往促成科学的发达。

总而言之，人生在世，究竟为的甚么？究竟应该怎样？我敢说道：

个人生存的时候，当努力造成幸福，享受幸福。并且留在社会上，后来的个人也能够享受。递相授受，以至无穷。

（第四卷第二号，一九一八年二月十五日）

"今"

李大钊

我以为世间最可宝贵的就是"今",最易丧失的也是"今"。因为它最容易丧失,所以更觉得他可以宝贵。

为甚么"今"最可宝贵呢?最好借哲人耶曼孙所说的话答这个疑问:"尔若爱千古,尔当爱现在。昨日不能唤回来,明天还不确实,尔能确有把握的就是今日。今日一天,当明日两天。"

为甚么"今"最易丧失呢?因为宇宙大化,刻刻流转,绝不停留。时间这个东西,也不因为吾人贵它爱它稍稍在人间留恋。试问吾人说"今"说"现在",茫茫百千万劫,究竟哪一刹那是吾人的"今",是吾人的"现在"呢?刚刚说它是"今"是"现在",它早已风驰电掣地一般,已成"过去"了。吾人若要糊糊涂涂把它丢掉,岂不可惜?

有的哲学家说,时间但有"过去"与"未来",并无"现在"。有的又说,"过去""未来"皆是"现在"。我以为"过去未来皆是现在"的话倒有些道理。因为"现在"就是所有"过去"流入的世界。换句话说,所有"过去"都埋没于"现在"的里边。故一时代的思潮,不是单纯在这个时代所能凭空成立的。不晓得有几多"过去"时代的思潮,差不多可以说是由所有"过去"时代的思潮,一凑合而成的。吾人投一石子于时代潮流里面,所激起的波澜声响,都向永远流动传播,不能消灭。屈原的《离骚》,永远使人人感泣。打击林肯头颅的枪声,呼应于永远的时间与空间。一时代的变动,绝不消失,仍遗留于次一时代,这样传演,至于无穷,在世界中有一贯相联的永远性。昨日的事件与今日的事件,合构成数个复杂事件。此数个复杂事件,与明日的数个复杂事件更合构成数个复杂事件。势力结合势力,问题牵起问题。无限的"过去",都以"现在"为归宿。无限的"未来",都以"现在"为渊源。"过去""未来"的中间全仗有"现在"以成其连续,以成其永远,以成其无始无终的大实在。一掣现在的铃,无限的过去未来皆遥相呼应。这就是过去未来皆是现在的道理。这就是"今"最可宝贵的道理。

现时有两种不知爱"今"的人:一种是厌"今"的人,一种是乐"今"的人。

厌"今"的人也有两派。一派是对于"现在"一切现象都不满足,因起一种回顾"过去"的感想。他们觉得"今"的总是不好,古的都是好。政治、法律、道德、风俗,全是"今"不如古。此派人唯一的希望在复古。他们的心力全施于复古的运动。一派是对于"现在"一切现象都不满足,与复古的厌"今"派全同。但是他们不想"过去",但盼"将来"。盼"将来"的结果,往往流于梦想,把许多"现在"可以努力的事业都放弃不做,单是耽溺于虚无缥缈的空玄境界。这两派人都是不能助益进化,并且很足阻滞进化的。

乐"今"的人大概是些无志趣无意识的人,是些对于"现在"一切满足的人。觉得所处境遇可以安乐优游,不必再商进取,再为创造。这种人丧失"今"的好处,阻滞进化的潮流,同厌"今"派毫无区别。

原来厌"今"为人类的通性。大凡一境尚未实现以前,觉得此境有无限的佳趣,有无疆的福利。一旦身陷其境,却觉不过尔尔,随即起一种失望的念,厌"今"的心。又如吾人方处一境,觉得无甚可乐。而一旦其境变易,却又觉得其境可恋,其情可思。前者为企望"将来"的动机。后者为反顾"过去"的动机。但是回想"过去",毫无效用,且空耗努力的时间。若以企望"将来"的动机,而尽"现在"的势力,则厌"今"思想却大足为进化的原动。乐"今"是一种惰性(inertia),须再进一步,了解"今"所以可爱的道理,全在凭它可以为创造"将来"的努力,决不在得它可以安乐无为。

热心复古的人,开口闭口都是说"现在"的境象若何黑暗,若何卑污,罪恶若何深重,祸患若何剧烈。要晓得"现在"的境象倘若真是这样黑暗,这样卑污,罪恶这样深重,祸患这样剧烈,也都是"过去"所遗留的宿孽,断断不是"现在"造的。全归咎于"现在"是断断不能受的。要想改变它,但当努力以创造将来,不当努力以回复过去。

照这个道理讲起来,大实在的瀑流,永远由无始的实在向无终的实在奔流。吾人的"我",吾人的生命,也永远合所有生活上的潮流,随着大实在的奔流,以为扩大,以为继续,以为进转,以为发展。故实在即动力,生命即流转。

忆独秀先生曾于"一九一六年"文中说过,青年欲达民族更新的希望,"必自杀其一九一五年之青年,而自重其一九一六年之青年。"我尝推广其意,也说过人生唯一的蕲向,青年唯一的责任,在"从现在青春之我,扑杀过去青春之我,促今日青春之我,禅让明日青春之我"。"不仅以今日青春之我,追杀今日白首之我,并宜以今日青春之我，豫杀来日白首之我。"实则历史的现象，时时流转，时时变易，同时还遗留永远不灭的现象和生命于宇宙之间，如何能杀得？所谓杀者，不过使今日的"我"不仍旧沉滞于昨天的"我"。而在今日之"我"中，固明明有昨天的"我"存在。不止有昨天的"我"，昨天以前的"我"乃至十年二十年百千万亿年的"我"，都俨然存在于"今我"的身上。然则"今"之"我""我"之"今"，岂可不珍重自将为世间造些功德。稍一失脚，必致遗留层层罪恶种子于"未来"无量的人，即未来无量的"我"，永不能消除，永不能忏悔。

我请以最简明的一句话写出这篇的意思来：

吾人在世，不可厌"今"而徒回思"过去"，梦想"将来"，以耗误"现在"的努力。又不可以"今"境自足，毫不拿出"现在"的努力谋"将来"的发展。宜善用"今"，以努力为"将来"之创造。由"今"所造的功德罪孽，永久不灭。故人生本务，在随实在之进行，为后人造大功德，供永远的"我"享受、扩张、传袭，至无穷极，以达"宇宙即我，我即宇宙"之究竟。

（第四卷第四号，一九一八年四月十五日）

中国学术思想界之基本误谬

傅斯年

三年以前,英国杂志名《十九世纪与其后》(*The Nineteenth Century and After*)者,载一推论东方民性之文。作者姓名与其标题,今俱不能记忆,末节厚非东方文明,印吾心识上者,历久不灭。今举其词,大旨谓:

东方学术,病痾生于根本。衡以亚利安人之文明,则前者为无机,后者为有机,前者为收敛,后者为进化。质言之,东方学术,自其胎性上言之,不能充量发展。倘喀郎(Chalons)之役,都尔(Tours)之军,条顿罗甸败北,匈奴或大食胜者,欧洲荣誉之历史,将随罗马帝国以覆亡。东方强族,篡承统绪,断不能若日耳曼人,仪型先民,与之俱进。所谓近世文明者,永无望其出于亚细亚人之手。世间之上,更不能有优于希腊,超于罗马之政化。故亚利安族战胜异族,文明之战胜野蛮也,适宜文明战胜不适文明也。

移录此言,以启斯篇。当日拘于情感,深愤其狂悖。及今思之,东方思想界病中根本之说,昭信不诬。缩东方之范围,但就中国立论，西洋学术，何尝不多小误，要不如中国之远离根本，弥漫皆是。在西洋谬义日就减削，伐谬义之真理，日兴不已。在中国则因仍往贯，未见斩除，就令稍有斩除，新除谬又将代兴于无穷。可知中国学术，一切误谬之上，必有基本误谬，为其创造者。凡一切误谬所由生成，实此基本误谬为之潜率，而一切误谬不能日就减削，亦惟此基本误谬为之保持也。今欲起中国学术思想界于较高之境，惟有先除此谬，然后从此基本误谬以生之一切误谬，可以"神遇而不以目视"。欲探西洋学术思想界之真域，亦惟有先除此谬，然后有以相容，不致隔越。欲知历来以及现在中国学术思想界之状况何若，亦惟有深察此弊之安在，然后得其实相也。

至于此种误谬，果为何物，非作者之陋所能尽量举答。姑就一时觉察所及，说谈数端，与同趣者共商榷焉。

一、中国学术，以学为单位者至少，以人为单位者转多，前者谓之科学，后者谓之家学，家学者，所以学人，非所以学学也。历来号称学派者，无虑数百，其名其实，皆以人为基本，绝少以学科之分别，而分宗派者。纵有以学科不同，而立宗派，犹是以人为本，以学隶之，未尝以学为本，以人隶之。弟子之于师，私淑者之于前修，必尽其师或前修之所学，求其具体。师所不学，弟子亦不学；师学数科，弟子亦学数科；师学文学，则但就师所习之文学而学之，师外之文学不学也；师学玄学，则但就师所习之玄学而学之，师外之玄学不学也。无论何种学派，数传之后，必至黯然寡色，枯槁以死。诚以人为单位之学术，人存学举，人亡学息，万不能孳衍发展，求其进步。学术所以能致其深微者，端在分疆之清。分疆严明，然后造诣有独至。西洋近代学术，全以学科为单位，苟中国人本其"学人"之成心以习之，必若柄凿之不相容也。

二、中国学人，不认个性之存在，而以为人奴隶为其神圣之天职。每当辩论之会，辄引前代名家之言，以自矜重，以骇庸众，初不顾事理相违，言不相涉。西洋学术发展至今日地位者，全在折中，于良心，胸中独制标准。而以妄信古人依附前修为思想界莫大罪恶。中国历来学术思想界之主宰，概与此道相反。治理学则曰，"纂承道统"，"辅翼圣哲"。治文学则曰，"惧斯文之将坠，宣风声于不泯。"治朴学则曰，"功莫大于存古。"是其所学之目的，全在理古。理古之外，更无取于开新，全在依人，依人之外，更无许乎独断。于是陈陈相因，非非相衍，谬种流传，于今不沫。现于文学，则以仰纂古人为归宿；现于哲学，则以保持道统为职业；现于伦理，则忠为君奴，孝为亲奴，节为夫奴，亲亲为家族之奴。质而言之，中国学术思想界，不认有小己之存在，不许为个性之发展。但为地下陈死之人多造送葬之"俑"，更广为招致孝子贤孙，勉以"无改于父之道"。取物以譬之，犹之地下之隧宫，亦犹之地上之享庙，阴气森森，毫无生趣。导人于此黑暗世界，欲其自放光明，讵可得耶？

三、中国学人，不认时间之存在，不察形势之转移。每立一说，必谓行于百世，通于古今。持论不同望空而谈，思想不宜放之无涯之域。欲言之有当，思之由轨。理宜深察四周之情形，详审时代之关系。与事实好合无间，亲切著明，然后免于漫汗之谈，诏人而信已。故学说愈真实者，所施之范围愈狭，所合之时代愈短。中国学者，专以"被之四海""放之古今"为贵，殊不知世上不能有此类广被久延之学说，更不知为此学说之人，导人浮浅，贻害无穷也。

四、中国学人，每不解计学上分工原理（Division of Labour），"各思以其道易天下"。殊类学术，皆一群之中，所不可少，交相为用，不容相非。自中国多数学人眼光中观之，惟有己之所肄，卓尔高标，自余艺学，举无足采。宋儒谈伦理，清儒谈名物，以范围言，则不相侵陵，以关系言，则交互为用。宜乎各作各事，不相议讥。而世之号称汉学者，必斥宋学于学术之外，然后快意。为宋学者，反其道以待汉学。壹若世上学术，仅此一家，惟此一家可易天下者。分工之理不明，流毒无有际涯。举其荦著者言之：则学人心境，造成褊浅之量，不容殊己，贱视异学。庄子谓之"各思以其道易天下"。究之，天下终不可易，而学术从此支离。此一端也。其才气大者，不知生有涯而知无涯，以为举天下之学术，皆吾分内所应知，"一事不知，以为深耻"。所学之范围愈广，所肄之程度愈薄，求与日月合其明，其结果乃不能与爝火争光。清代学者，每有此妄作。惠栋钱大昕诸人，造诣所及，诚不能泯灭。独其无书不读，无学不肄，真无意识之尤。倘缩其范围，所发明者，必远倍于当日。此又一端也，凡此两者，一褊狭而一庞大，要皆归于无当。不知分工之理，误之诚不浅也。

五、中国学人，好谈致用，其结果乃至一无所用。学术之用，非必施于有政，然后谓之用，凡所以博物广闻，利用成器，启迪智慧，熔陶德性，学术之真用存焉。中国学人，每以此类之大用为无用，而别求其用于政治之中。举例言之。紬绎封建之理，评其得失，固史学当家务之急，若求封建之行于后世，则谬妄矣。发明古音，亦文学界之要举，若谓"圣人复起，必举今日之音反之醇古"，则不可通矣，历来所谓读书致用，每多此类拘滞之谈。既强执不能用者而用之，其能用者，又无术以用之，亦终归于不能用。盖汗漫之病，深入肌髓，一经论及致用之方，便不剀切，势必流入浮泛。它姑不论，但就政学言之，政学固全在乎致用者。历来谈政之士，多为庞大之词，绝少切时之论。宋之陈同甫叶水心，清之龚定盦魏默深，皆大言炎炎，凭空发抒，不问其果能见诸行事否也。今日最不可忽者：第一，宜知学问之用，强半不在见于行事，而施于有政者尤稀。第二，宜于致用之道，审之周详，勿复汗漫言之，变有用为无用也。

六、凡治学术，必有用以为学之器。学之得失，惟器之良劣足赖。西洋近世学术，发展至今日地步者，诚以逻辑家言，诣精致远，学术思想界为其率导，乃不流于左道也。名家之学，中土绝少，魏晋以后，全无言者。即当晚周之世，名家当涂，造诣所及，远不能比德于大秦，更无论于近世欧洲。中国学术思想界之沉沦，此其一大原因。举事实以言之：墨家名学，"本之于古者圣王之事"，引古人之言以为重，逻辑所不许者。墨子立"辩"，意在信人，而间执反对者之口，故有取于此，立为"第一表"。用于辩论则可，用于求真理之所在，真理或为往古所囿。魏晋以后，印度因明之学入中国，宜乎为中国学术之助矣。然因明主旨，在护法，不在求知。所谓"世间相违"、"自教相违"者，逻辑不以为非，而因明悬为厉禁。旧义不许自破，世间不许相违，执此以求新知识。讵有得者，谈名学者，语焉不精，已至于此，若全不解名学之人，持论之无当，更无论矣。余尝谓中国学者之言，联想多而思想少，想象多而实验少，比喻多而推理少。持论之时，合于三段论法者绝鲜，出之于比喻者转繁，比喻之在中国，自成一种推理式。如曰，"天无二日、民无二王"，前辞为前提，后辞为结论，比喻乃其前提，心中所欲言乃其结论。天之二日，与民之二王，有何关系。说者之心，欲明民之无二王，而又无术以证之，遂取天之一日，以为譬况。壹若民之所以无二王者，为天之无二日故也。此种"比喻代推理"，宜若不出于学者之口，而晚周子家持论，每有似此者。孟子与告子辩"生之为性"，而取喻于"白羽""白雪"之"白"，径执"白"之不为"白"，以断"生"之不为

"性",此其曲折旋转,虽与"天无二日"之直下者不同,而其借成于比喻,并无二道。操此术以为推理之具,终古与逻辑相违,学术思想,更从何道以求发展？后代论玄学者,论文学者,论政治者,以至乎论艺术者,无不远离名学,任意牵合。词穷则继之以联想,而词不可尽;理穷则济之以比喻,而理无际涯。凡操觚之士,洋洋洒洒,动成数千言者,皆应用此类全违名学之具,为其修学致思之术,以成其说,以立其身,以树其名。此真所谓病痼生于心脾,厉气遍于骨髓者。形容其心识思想界,直一不合实际,不成系统。汗漫支离,恍惚窈冥之浑沌体而已。

　　七、吾又见中国学术思想界中,实有一种无形而有形之空洞间架,到处应用。在政治上,固此空洞架子也;在学问上,犹此空洞架子也;在文章上,犹此空洞架子也;在宗教上,犹此空洞架子也;在艺术上,犹此空洞架子也。于是千篇一面,一同而无不同。惟其,到处可合,故无处能切合也。此病所中,重形式而不管精神,有排场不顾实在。中国人所想所行,皆此类矣。

　　上来所说,中国学术思想界根本上受病诸端,乃一时感觉所及,率尔写出,未遑为系统之研究,举一遗万,在所不免。然余有敢于自信者,则此类病痼,确为中国学术思想界所具有,非余轻薄旧遗,醉心殊学,妄立恶名,以厚诬之者。余尤深察此种病魔之势力,实足以主宰思想界,而主宰之结果,则贻害于无穷。余党谥中国政治宗教学术文学以恶号,闻者多怒其狂悖。就余良心裁判,虽不免措词稍激,要非全无所谓。请道其谥,兼陈其旨,则"教皇政治""方士宗教""阴阳学术""偈咒文学"是也。何谓教皇政治？独夫高居于上,用神秘之幻术,自卫其身,而氓氓者流,还以神秘待之。政治神秘,如一词然,不可分解。曾无人揭迷发覆,破此神秘,任其称天而行，制人行为，兼梏人心理，如教皇然。于是一治一乱，互为因果，相衍于无穷，历史黯然寡色。自秦以还，二千年间，尽可缩为一日也。何谓方士宗教？中国宗教，原非一宗，然任执一派，无不含有方士（即今之道士）浑沌支离恶浊之气。佛教来自外国，宜与方士不侔。学者所谈，固远非道士之义。而中流以下，社会所信仰之佛教，无不与方士教义相糅，臭味相杂。自普通社会观之，二教固无差别。但存名称之异，自学者断之，同为浑浑噩噩初民之宗教。教义互窃互杂，由来已久。今为之总称，惟有谥为方士的宗教，庶几名实相称也。何谓阴阳学术？中国历来谈学术者，多含神秘之作用。阴阳消息之语，五行生克之论，不绝于口。举其著者言之，郑玄为汉朝学术之代表，朱熹为宋朝学术之代表，郑氏深受纬书之化，朱氏坚信邵雍之言。自吾党观之，谈学术至京焦虞氏《易说》《皇极经世》《潜虚》诸书，可谓一文不值，全同梦呓。而历来学者，每于此大嚼不厌。哲学，伦理，政治（如"五帝德""三统循环"之说是），文学（如曾氏古文四象是）及夫一切学术，皆与五行家言，相为杂糅。于是堪舆星命之人，皆被学者儒士之号，而学者亦必用术士之具，以成其学术，以文其浅陋，以自致于无声无臭之境。世固有卓尔自立，不为世风所惑者，而历来相衍，惟阴阳之学术为盛也。何谓偈咒文学？中国文人，每置文章根本之义于不论，但求之于语言文字之末。又不肯以切合人情之法求之，但出之以吊诡，骈文之涩晦者，声韵神情，更与和尚所诵偈辞咒语，全无分别。为碑志者，末缀四言韵语。为赞颂者亦然。其四言之作法，直可谓与偈辞咒语，异曲同工。又如当今某大名士之文，好为骈体，四字成言，字艰意晦，生趣消乏，真偈咒之上选也。吾辈诚不宜执一派之文章，强加恶谥于中国文学，然中国文学中固有此一派，此一派又强有势力,则上荐高号,亦有由矣。(又如孔子,老子,子思,世所谓圣人也。而《易系》《老子》《中庸》三书,文辞浑沌,一句可作数种解法,《易系》《中庸》姑不具论,《老子》之书,使后人每托之以自树义,汉之"黄老"托之,晋之"老庄"托之,方士托之,浮屠亦托之以为"化胡"之说,又有全不相干大野氏之子孙,"戏"谥为"元玄皇帝"。此固后人之不是,要亦老子之文,恍惚迷离,不可捉摸,有自取之咎也)凡此所说,焉能穷丑相于万一,又有心中欲言,口中不能者。举一反三,可以推知受病之深矣。今试问果以何因受病至此,吾固将答曰,学术思想界中,基本误谬,运用潜行,陷于支离而不觉也。

今日修明中国学术之急务,非收容西洋思想界之精神乎?中国与西人交通以来,中西学术,固交战矣。战争结果,西土学术胜,而中国学术败矣。然惑古之徒,抱残守缺犹如彼,西来艺学,无济于中国又如此。推察其原,然后知中国思想界中,基本误谬,运用潜伏,本此误谬而行之,自与西洋思想扞格不入也。每见不求甚解之人,一方未能脱除中国思想界浑沌之劣质,一方勉强容纳西洋学说,而未能消化。二义相荡,势必至不能自身成统系,但及惝恍迷离之境,未臻亲切著明之域。有所持论,论至中间,即不解所谓,但闻不相联属之西洋人名学名,佶屈聱牙,自其口出,放之至于无穷,而辩论终归于无结果。此其致弊之由,岂非因中国思想界之病根,入于肌髓,牢不可破?浑沌之性,偕之以具成,浮泛之论,因之以生衍。此病不除,无论抱残守缺,全无是处,即托身西洋学术,亦复百无一当。操中国思想界之基本误谬,以研西土近世之科学哲学文学,则西方学理,顿为东方误谬所同化,数年以来,"甚嚣尘上"之政论,无不借重于泰西学者之言。严格衡之,自少数明达积学者外,能解西洋学说真趣者几希。是其所思所言,与其所以腾诸简墨者,犹是。帖括之遗腔,策论之思想,质而言之,犹是笼统之旧脑筋也。此笼统旧脑筋者,若干基本误谬活动之结果。凡此基本误谬,造成中国思想界之所以为中国思想界者也,亦所以区别中国思想界与西洋思想界者也。惟此基本误谬为中国思想界不良之特质,又为最有势力之特质,则欲澄清中国思想界,宜自去此基本误谬始。且惟此基本误谬分别中西思想界之根本精神,则欲收容西洋学术想想。以为我用,宜先去此基本误谬,然后有以不相左耳。

(第四卷第四号,一九一八年四月十五日)

辟"灵学"

陈大齐

一

近日上海有人设坛扶乩，取乩书所得，汇刊成册，名曰《灵学丛志》。并设灵学会，以从事灵学之普及。吾所及见者，乃该丛志第一卷第一期，其内容之荒妄离奇，真足令人捧腹绝倒。据该志所载，所设之乩坛曰盛德坛，由孟轲主坛，庄周墨翟二人为之辅，下置"四秉十六司"，此种说话已属滑稽之极。而某日"圣贤仙佛"临坛时，各有题诗。周末诸子居然能作七绝诗，孟轲且能作大草，又李登讲音韵，能知 Esperanto（世界语）之发音，此真荒谬、离奇之尤者也。答吴稚晖先生音韵三篇，该会中人自谓惑人之力最大，足以使科学家信服者，据吾友钱玄同先生言，亦复陈义肤浅。假使果有陆德明等鬼，断不致作如此肤浅之文。此种荒谬之点，钱玄同先生别有详论，见本志本期《随感录》中，足以尽发妄人作伪之覆。至如该志所载，某日陆俞二人同扶，请陈仲瑀之鬼到坛所说一段，则扶者之肺肝益昭然若揭，不待智者而后知其诈也。呜呼！处二十世纪科学昌明之世界，而犹欲以初民社会极不合理之思想愚人，亦徒见其心劳而日拙耳。

二

吾今姑退让一步，灵学会诸君皆系有道君子，诚实无欺，断无作伪愚人之理，即以此项假定为事实。灵学会诸君虽无作伪之意，犹不失有作伪之实。盖扶乩等现象，假使果非有意作伪，在现今心理学视之，纯属扶者之变态心理现象，精神病者优为之，固不待"圣贤仙佛"之降临也。精神病者之胡言乱语，见神见鬼，精神病者自信以为真，而非约神病者必笑以为妄，何独至于扶乩时之"圣贤仙佛降临"而不敢妄之。尝闻人说笑话，有藏金于某处者，自书其处曰："此地无银三百两。"隔壁阿二见而窃之，更书于其傍曰："隔壁阿二勿曾偷。"今假有人焉，见"此地无银三百两"而信以为真无藏金，见"隔壁阿二勿曾偷"而信以为真勿曾偷，则闻者必笑其为至愚。乩书"亚圣到"而信为真孟轲乩书"武松到"，而信为真武松（闻无锡某处乩坛曾有武松、黄兴同时临坛之事）。此与信无金信未偷者又何以异，何独不敢愚之耶。生民之初，人智未进，思辨力未发达，所见所闻，莫不信以为真，不能反省而考察之，分析而研究之。迷信谬说之多，不足深怪。时至今日，智力既进，科学研究法亦渐备，乃犹欲法愚妄之行，诩诩然以自建新学为得意，不知深思力索，求一合理之说明，不亦大可哀耶。

要而言之，若扶者故作乩书，用以惑人，是有意作伪也。若纯出于扶者之变态心理，扶者不自知为己所书，而信为真有"圣贤仙佛"，是无意作伪也。作伪均也，不过有有意与无意之别耳。有意作伪，是奸民也；无意作伪，是愚民也。假灵学会诸君而有意作伪，吾无执法之权，惟有期其良心上之反省，不与之辩可耳。若其不然，果出于无意之作伪，则吾辈略有科学智识者，不可不聊尽提斯警觉之责。国有奸民，宁有愚民。今姑以君子待人，姑以扶乩为非有意作伪，本此意旨，以科学之理解释扶乩，以明扶乩之为变态心理现象，而非真有"圣贤仙佛"之降临。灵学会诸君或能因此稍加反省，不再鼓吹邪说，以蛊惑青年，不再摧残科学，以种亡国之根，则吾之希望为不虚矣。

三

乩何以能动，扶者动之也。诚实之扶者闻之，必哗辩曰：吾未尝动之，吾非故作虚言，吾实未尝动之也。诚实之扶者固未尝自觉其动，然而动之者仍是扶者，不过是扶者之无意识的筋肉动作耳。此种动作，虽于扶者为无意识，然仍出于扶者之筋肉，仍以扶者为动原。人生有许多自动作用（automatic action），如心脏之跳动，胃脏之消化，虽属生理一方面，亦是自动作用，方其运行也，人未尝以意志支配之，亦未尝知觉之。故自动作用是无意识作用，扶者动乩之筋肉动作，亦此种无意识的自动作用之一也。因是无意识作用，故乩之动虽原于扶者手臂筋肉之动，而扶者不自觉其运动出于彼也。

筋肉之能发无意识的自动作用，于施行催眠术时，例证颇多。术者或手持有光辉之体，使被催者凝视，或以两手按摩被催者之身体，为法虽有种种，要之施术若干分钟后，即可使被催者发生自动之运动。术者使被催者两手向前伸直，且告以手勿用力，任其自辟"灵学"

然,不自作运动,亦不故意抵抗运动,于是术者予被催者以两手接近之暗示,则被催者之两手自能渐相接近,至两手相合为止,而被催者不自觉其动也。两手既合之后,术者复予以两手分离之暗示,则被催者之两手又能逐渐分开,而被催者亦不自觉其动也。手虽运动,而动者不自觉,故为无意识的作用。当此之时,被催者若意存抵抗。不欲运动,则运动便不能发生。惟心无杂念,处于纯被动之位置,始能发现动作,以此知被催者之两手运动虽不意识,纯属自动,非术者自以手动之,亦非术者役使鬼神以动之,扶乩者手之运动,亦犹是也。

　　患 hysteria（歇斯推里亚病）者,有时身体某部忽丧失感觉。今假有病者,其右手丧失感觉,虽刺之不知痛,抓之不知痒,若于右手及目之间,设物为屏,使病者不能自见其手,乃以铅笔纳于右手之中,伺病者方注意它事时,窃以针刺其右手。右手本为无感觉之手,虽刺不痛,况值注意专一之时,而刺戟又微,其不能知觉,固无待言,然而刺戟之后,其无感觉之手能作适当之反应。例如以针刺手三次,则手写三字,刺五次,则写五字。又或于病者之耳畔,低声有所质问,其无感觉之手亦能作适当之回答。病者之手虽能运动作字,然病者不自知其所作何字,且亦不知其手所运动。扶乩者手之运动,亦犹是也。

四

　　人手能发无意识的运动,方运动之际,不能自知,此理观于上述诸例当可明了。今更转而论扶乩之必出于此种运动,并借西人实验之例以证明之。

与扶乩相类之事，泰西各国亦颇有之。有所谓 Planchette 者，以木板为之，状如心脏，下有三脚，两脚下有轮，故可推动。一脚中插铅笔，可借以留运动之痕迹于纸上。扶者置手于 Planchette 之上，凝心息虑，则 Planchette 能运动，有时且能作有意义之文句，而扶者固不自觉其动，亦不知其作何语也。又有以戒指或小球系于线之一端，而以两指夹持其它端，使线垂下，则线能作往来运动或回旋运动，持者固亦未尝有意使之动也。此种装置，英人谓之 magic pendulum（魔摆）。若持摆立于中央，而四围排列极大之字母，则摆能次第移向各字母，拼成字句，以答人问。昔罗马之卜者尝以此术愚人，遇有求卜者，则代祷上帝，藉摆之运动以宣神意。二千年前罗马卜者之用意，与今日中国灵学会诸君之见解不谋而合。然西方学者早知摆之运动出于手之无意识的运动，非有神灵凭于其上。十八世纪 Grey 尝研究此事，经种种实验，乃断言魔摆之线，于人手外，无论挂于何物上，不能运动。近时 Barrett 亦尝施以实验，以线之一端系于煤气灯之杆上，坚闭门窗，使室中无风，足以吹动此线，则向之持摆而可以使之动者，虽心中念念欲使摆动，而摆终不少动。由是观之，可知魔摆之动，实缘于人之动之。人手有自动运动，故所持之线亦随以动，灯杆不能自发运动，故同是此线，不能少动，一经实验，此理甚明。假如迷信者所云，有神灵凭其上，则魔摆虽离人手，而挂于毫不能动摇之物体上，亦当运动自如，不为之少阻，扶乩与持摆同出一理，视彼即可以喻此。

西洋又有所谓 Thought-reading（测思术）者，藏物某处，使精于此术者搜之，一搜即获。其法先于别室以布蒙术者之眼，藏者于藏物之后，引术者入室，以手置术者之额上或肩上，心中默念物藏某处，术者默立少顷，便趋赴藏品之处探而得之。藏物时术者不在室中，入室时又以厚布蒙眼，或厚布之间更实以棉絮，故断无以眼窥见之理，而默立少顷，一搜即获，使灵学会诸君见之，又不知将视术者为何如人。三十年前有 Bishop 者，精于此术，Romanes 尝集诸同志以实验法研究之。据 Romanes 研究之结果，术者之所以能趋赴藏者所思之处者，亦以受藏者筋肉无意识的自动运动之影响使然。盖藏者心中切念物藏某处，其心中所想，于不知不觉间发而为筋肉运动，欲引术者至其所思之处。术者心地寂静，纯取被动态度，其肩或额为藏者所扶，遂藉此以受扶者之运动而随以运动。当此之时，术者纯属被动之体，其反于藏者之关系，犹乩之于扶者，摆之于持者也。施术之际，必扶者置手于术者身上，而后术乃有效，已可想见术者之动出于扶者之动，若更加以实验，其理益明。试于术者之额上或肩上，置许多极软之棉絮，而后使扶者之手轻按其上，则术无效。或取丝线一条，以一端系于术者之额或肩上，而使扶者持其它端，不拉系，使线弛而不张，则术亦无效。术之无效，以棉絮柔软，线不紧张，不足以传扶者之运动故也。又若不以布蒙术者之眼，而反以布蒙扶者之眼，则术亦无效。盖扶者两眼被覆，虽心中切念藏物之处，然以不能辨方向与位置之故，行动失其指导，遂不能引术者以发见所藏之物。观此诸例，术者之能搜获藏物，纯属扶者无意识运动之结果，极为明白。测思术之术者犹扶乩时之乩，观彼又足以喻此。

　　观西人诸种实验之结果，借彼喻此，吾敢断言，乩之动，扶者助之，不过出于扶者之无意识的运动，故扶者或不自觉耳。乩动之理既明，则于扶者之外，更何烦设想"圣贤仙佛"为哉。然吾知吾文出后。必有某处乩坛乩能自动不须人扶之说发生，是则非吾所忍言矣。

五

乩之动出于扶者之自动作用,已如上述矣。然则自动作用谁实主之,何自动者不自觉其动耶？曰：自动作用出于 subconsciousness（下意识）。今先说明下意识之性质,则自动不觉之理自可明了。

昔人以为一切心作用无一非意识作用,心作用即是意识作用,意识作用即是心作用者。近自变态心理学等进步以来,乃知心作用与意识作用,其范围之广狭相去甚远。尽有是心作用而非意识作用者,吾言而自觉其言,吾动而自觉其动,是之谓意识作用。言而不自觉,动而不自知,然虽不意识,犹不失为心作用者,是为下意识作用。是故下意识作用者,乃无意识之心作用,平时潜伏于心作用中,不显然表现者也。乩动时之自动作用,出于下意识作用,故扶者虽不意识,犹不失为扶者之心作用。人之手臂平时居于意识作用势力范围之中,故一举一动,皆为意识之我所自觉,及一旦因故而为下意识所指挥,则虽动而非意识之我所能知矣。心作用中之有下意识,虽经变态心理学之探讨而其理益显,然下意识之用非仅变态时有之,常态时亦有焉。

常态时之有下意识作用,例证甚多,今姑举一二例证如下。吾人常见之物,其状态如何,未必能明记于心,然用之之时,未尝少误。例如日常出入之教室,其间向内开抑向外开,吾人未必明白记忆之,然开门之时,向外开者,必不往内推。虽不明忆而不少误者,下意识之功也。又如教室中所挂之黑板,高低如何,殆无人能详言者,然某日忽将黑板移高或移低,则入室者莫不觉黑板之迁移。不能明言其处而能知其迁移者,亦下意识之功也。吾人日常之意识作用,常有下意识作用为之助,而下意识作用但现其结果于意识作用中,故吾人有时行一事而不自知所以行之之故。

常态时之下意识作用,不过为意识作用之补助,未尝显然表现,亦未尝占据身体之一部分,与意识作用分道而驰也。至于变态之时,则下意识作用显然表现,且别树一帜,与意识作用分道而驰。如前述之歇斯推里亚病者,其无感觉之手能作字以答问,此盖手为下意识作用所占据,而脱离意识作用统治之范围,故手虽运动作字,而在意识之我则毫不自觉。上述之例,不过身体上一小部分为下意识作用所占据耳。精神病之较深者,身体全部尽为下意识作用所占据,有暂时占据者,亦有占据甚久而竟变作他人者。

一八八七年一月十七日,美国牧师 Ansel Bourne 于 Providence 市某银行取存项五百五十一元后,人忽不见,虽经警察搜查,卒不可得。而离 Providsnce 甚远之 Norristown 市上,有 Brown 者,新开一小杂货店,贩卖纸笔点心之类。开店后六星期。于三月十四日晨, Brown 醒时,忽大惊骇,自称 Ansel Bourne,不知此是何地,亦不知有开店之事,惟取存款一事,犹若昨日事耳。店伙邻人群骇为狂,延医诊视,亦断为狂疾。以其自称 Providence 人,姑电询该市,果有其人,失踪者将及两月,家属闻之,遂迎以归。而 Ansel Bourne 于此两月之间,所做何事,茫然不自记忆。此缘 Ansel Bourne 下意识之我驱逐意识之我,代领身体,故一切行事,意识之我莫从知之。

法国有少女名 Félida 者,患歇斯推里亚病,一八五八年就诊于 Azam 医士,时女年十四岁也。初病之时,昏睡约十分钟,及醒,人忽一变,忧郁之性变而为活泼之性,能言善歌,谈笑不倦,与 Félida 平时之性格大异。继续若干时后,忽又昏睡,醒后又为 Félida 如初。初病约每星期发病一次,而人格转移之间,须时约十分钟,其后每月发病,而转移之间,须时亦渐减少。二十七岁时,普通状态与病的状态,其继续时间约略相等。及三十二三岁时,竟反客为主,普通状态不过两三星期出现一次,每现亦不过数小时而止。盖是时 Félida 下意识之我已完全驱逐意识之我,而代为身体之主矣。两状态之间,绝无记忆之联络,故普通状态所为之事,病的状态不知之,病的状态所为之事,普通状态亦不知之。

变态现象程度之深浅,至不齐一,上述二例,乃举显而深者言耳。扶乩现象足一时的变态现象,扶者之手与臂一时为扶者下意识之我所占领,故手之运动及其所作之文字,扶者意识之我莫从而知之。

六

歇斯推里亚病者无感觉之手能作文字以答人问,Ansel Bourne 下意识之我能营商业,Félida 下意识之我能行常人一切之行为,则扶乩者下意识之我能藉乩以作文字,何疑之有,亦何怪之有?顾信奉"灵学"者必又有辩,以为扶乩所得之文,实非扶者所能作,例如《灵学丛志》中所载答吴稚晖先生音韵文三篇,文虽肤浅,然扶者毫无小学智识,即欲伪造亦断无伪造之实力。扶者意识之我尚不能作,乃谓扶者下意识之我为之,试问扶者下意识之我何由能做此文耶?此种见解实为创造"灵学"之大护符,而亦常人不敢绝对排斥"灵学"之一大原因也。虽然,谓下意识之我不能为意识之我所不能为者,亦未尝深思故耳。如前例所云,Ansel Bourne 一牧师也,未尝学习商业,亦未尝留意商情,而一旦变为 Brown,设店卖物,条理井然，有若素习，此非下意识之我能为意识之我所不能为之一证耶。盖意识之我统领身心，终日营营，以经营切己之事为专职，其有与一身利害不甚密切之事，有时虽映于吾目接于吾耳，吾视之不见听之不闻者有之，或虽一时闻见而知之，及事过境迁，遗忘净尽不稍留痕迹者有之。下意识之我则不然，以清闲之身处无事之位，得从容闲暇以观察意识我所视为不切己之事物，故意识之我所视而不见听而不闻者，下意识之我得见之闻之，或意识之我所既经遗忘不稍留痕迹者，下意识之我得牢记之，且与经验当时之情形无丝毫之异。Ansel Bourne 身为牧师，商业非其切己之事情，故其意识之我不知商情，然身居市上，岂无观察商事之机会，徒以事非切己，故未加注意耳，而下意识之我则尝留意及之，故一旦下意识之我统领身心，本过去之经验以经营商业，乃能有条不紊。下意识之我能经验意识之我所不经验，能记忆意识之我所不记忆，例证甚多，举数则如下。

Niss Hunt 于某日下午六时付园丁工资，以纸包之，并付信数封，嘱于归家途中寄出。一小时后，园丁忽奔回，言失去工资，沿途寻觅，杳不可得，恐已为人拾去。入夜，园丁睡后，忽梦见途中某处泥块之傍，纸包之工资在焉，晨起搜之，果得之于梦中所见之处。园丁能于梦中发见所失之物，一若甚属奇异，其实梦非能预言，亦非有神秘之力。当园丁遗落工资之时，其意识之我虽不及自觉，其下意识之我实亲见之。梦时意识休息，下意识之观念遂得出现于心中，其观念甚明且强，故醒后犹能忆之耳。此下意识之我能经验意识之我所不经验之一证也。

Delbaeuf 乃热心研究梦学之人，某晚梦见羊齿之下有许多蜥蜴，且梦见羊齿之植物学上名词是 asplenium ruta muralis。Delbaeuf

本不长于植物学，植物学上艰涩之学名更非其所知，乃一查植物学辞典，羊齿之学名固如梦中所见，不过末字 muralis 乃 muraria 之误耳。本非 Delbaeuf 所能知之学名，何忽于梦中见之？Delbaeuf 亦深以为异，而追思其故，终不可得。然 Delbaeuf 求学之毅力，迥非志行薄弱者所可比，孜孜考求，卒于十六年之后发见其原因。某日 Delbaeuf 于友人案头翻阅一册，中有羊齿乾叶，与梦中所见者同，下书植物学上学名，乃 Delbaeuf 亲笔。Delaeuf 见之大惊，及细细追思，始忆做梦前二年，友人之姊妹采集植物，以为旅行之纪念，使 Delbaeuf 于一一植物下记其学名。其后又于做梦前一年之旧杂志中发见一画，中画许多蜥蜴，一如梦中所见。此异时所经验之二事，Delbaeuf 意识之我早经遗忘，而其下意识之我犹能记忆，遂牵合之以成梦境。此下意识之我能记忆意识之我所不能记忆之一证也。

以上但就梦境举例，梦境之外，精神病者亦供给许多例证。如 Carpenter 书所载，有德意志少妇本未受高深教育，亦不知古代文字，而某日失神之际，胡言乱语，人不能解，细辨之乃拉丁语希腊语希伯来语也。闻者咸大惊异，及细考少妇身世，始知少妇幼时曾寄寓某僧家，病时所诵，即当年某僧所诵之句也。然而少妇醒时，并不能记忆此种文句，但于失神时偶一表现之耳。此又下意识之我能记忆意识之我所不能记忆之一证也。催眠之时，亦多此种例证，平时所既经遗忘者，催眠时得以暗示唤起其记忆。近时 Freud 之治精神病，亦应用是法。

下意识之我能为意识之我所不能为，例证甚多，不遑繁举，观上述诸例，其理已明。而下意识我之所为，亦必以过去经验为基础，知觉意识之我所不知觉，记忆意识之我所不记忆，遇有机会，则取所记忆者而再生之,或牵合数事以造成一想象,此理亦可于上述诸例征之。扶乩所得之文,虽非扶者所能作,顾安保扶者于无意之中,未常经验此文之材料耶。例如《灵学丛志》中所载音韵文三篇,其扶者有小学智识与否,非吾所敢断言,今假定扶者绝无小学智识,于平常精神状态断不能作此种文字,然安保扶者不尝寓目于音韵之文,意识之我虽忘之,而下意识之我犹忆之耶。人之不解音韵者,平时偶见音韵之文,或以不能尽明之故,或虽能解,以无关于己,便恝然置之,此盖事理之常,故其意识之我毫不解音韵,断不能作音韵之文。然其下意识之我与意识大异,或于意识之我不留意时,尝留意于他人案头音韵之书,或意识之我偶读音韵之文,觉无味而欲舍去者,下意识之我以极浓之兴味欢迎之,一字一句深入记忆,遇有表现之机会,便牵合各处所得材料,作成音韵之文,以自惊惊人。《灵学丛志》所载音韵文之扶者,安保其不为此种人耶。Delbaeuf梦中见植物学学名,浅者观之,必惊为神灵所示,而Delbauef卒于十六年之后发见其原因,德意志少妇诵希伯来等文,浅者视之,必骇为古鬼所凭,而彼国学者卒细考少妇之身世,以发见其原因。灵学会中人偶得音韵文三篇,非扶者意识之我所能作,不加深求,遽然断言是陆德明等灵魂所作,中外人求学之毅力,何相去若是之甚哉。

七

扶乩所得之文,确是扶者所作,有意作伪者,出自扶者意识之我,无意作伪者,出自扶者下意识之我,此理似已大明。然灵学会诸君或犹有一疑点,以为既是扶者下意识之我所作,而乩书明明作某鬼到者，又何故者。吾谓此乃扶者下意识我之顶冒招牌，正所以表现中国人之劣根性，而吾之谓扶乩为无意作伪者亦正指此。

中国人之天性，喜为古人之奴隶，以能做奴隶为荣，而以脱离古人羁绊为耻，是故"非先王之法服不敢服，非先王之法言不敢道"。对于古人之言行，几有"设令发于余窍……亦将承之"之概。此种奴隶根性，处处流露。今日言道德者，犹高标"三纲五常"之说，言家庭者，犹以"五世同堂"为荣。下而至于制一信笺，造一磁器，亦必仿古。处奴性极深之社会，而又不能自拔于流俗，于是不敢稍越范围，自立一说，但知依附古人之言，假托古人之言，遂以造成顶冒招牌之现象。中国经子诸书，几莫不有后人伪作搀杂其间，如《庄子》《列子》等书，可靠之文数篇而已，此数篇之外，皆顶冒招牌之结晶体也。扶乩者中国人也，而又为奴性极深之人，其下意识之我安得不为奴性所束缚，而假冒古人之招牌以自欺欺人耶。吾故敢断言，扶乩时之书某鬼到者，出于人冒鬼牌，是中国人第一拿手好戏，不足深怪者也。至如《灵学丛志》中所载颜曾诸人能作七绝诗，孟轲能作大草，则狐狸尾巴早现出来，更何所用其怀疑哉。

中国之扶乩者书某鬼到，假使扶者而为西人，素无奴隶根性，则乩虽作字，必不书某某鬼到。此非吾想象之谈，有事实可征者也。西人之扶 Planchette，与中国人之扶乩同，亦能作有意义之文字，然但闻 Planchette 之能作文字，从未闻作文之先，书 Homer 到或 Plato 到者。有奴性者书某鬼到，无奴性者否，两相比较，鬼到云云，其故可思矣。言科学者遇事接物，宜力索其故，深思其理，不可徒为表面现象所蒙蔽，书孟轲到，而必信为真孟轲到，此乃毫无辨别力者所为，灵学会诸君何亦不思之甚而信之之速耶。

八

《灵学丛志》第一期第一卷载鬼文若干篇外，又载人文若干篇，其中丁福保君之《我理想中之鬼说》及俞复君之答《吴稚晖书》二篇，似于扶持"灵学"最为有功。吾辟"灵学"既竟，不可不有一言批评及之。丁文荒谬绝伦，不睹作者姓名，几不敢信为人间所作。俞文说来仿佛有理，然细按之，一无是处。

丁君之鬼说，殆可谓"灵学"之精义矣。开口便说："人死为鬼，鬼有形有质，虽非人目之所能见，而禽兽等则能见之也。"试问禽兽见鬼，丁君何由知之。动物之有心作用，本非人直接所能知，人但能观其发表于外之动作，用以推知其内界之作用耳。禽兽见鬼，必非丁君直接所能知，然则丁君果借何道以推知禽兽之必能见鬼耶。俗传狗于夜中见鬼，则哭声呜呜，此村妇之谈，贤如丁君，想必不引此为论据。心与身相并行，故观察神经之构造，亦约略可以知某种心作用之有无。丁君医士也，必深于生理解剖等学，岂亦尝解剖禽兽之目，发见其视觉神经有特别作用，足以见鬼耶？抑或于视官外，发见别有感官，足以见鬼耶？浸假而禽兽果能见鬼，果知鬼之有形有质，然丁君是人，非能见鬼者，则丁君何由亦知鬼之有形质，而著之于文耶？岂丁君为今之介葛卢公冶长，能通牛鸣解鸟语，而尝受教于禽兽耶。凡此种种，疑莫能释。丁君全文，皆属一无征验之谈，但云如此如此，而未尝明示所以然之理。吾侪纯根，诚不解所谓，故吾对于丁君全文，无从批评，惟有取与对于第一段同一之态度，诘问丁君所以如此主张之理由。假一无理由而贸然立说，则与精神病者之呓语何异，只好一笑置之，任丁君与能见鬼者纵谈鬼事可耳。

　　俞文曰："夫科学之见重于当世，亦以事实征诸实象，定其公律，可成为有系统之学而已。以今日所得扶乩之征验，则空中之确有物焉，不可诬矣。"此段议论，说明"灵学"之所以成立，即吾所谓说来仿佛有理，然细按之，一无是处者是也。科学者之研究事物，宜具致密之观察，精细之分析，不可为幻象所蒙蔽，吾文上来已屡屡说及，已足破俞君之论矣。今复略述于此，以明其误。今之科学，以经验为基础，以事实为根据，通诸事实，求其公理，以成系统之学问，此诚不易之定论也。然所谓经验，所谓事实，亦有真妄之别，非谓耳目之见闻如是，即此经验便可以造成学问，必慎思明辨，察其无妄，然后可引以为学问之基础。梦中所见所闻，固梦者之经验，而方梦之际，亦梦者所引以为真事实，及醒后与外界对照，始知其为幻境。精神病者之见神见鬼，是精神病者之经验，亦精神病者所引为真事实，而旁人观之，莫不笑其诞妄。今假有人以梦时及精神病者之经验为基础，用以创进新学，吾知世人必哗笑其侧，且目之为精神病者矣。扶乩现象明属变态现象，乃珍重视之，欲借以新创"灵学"，其何以异于引梦时及精神病者之经验为基础，以新造科学者之所为耶。关于科学之研究方法，今不欲详论，有疑义者，可取论理学书读之，其疑自解。俞文又云："鬼神之说不张，国家之命遂促。"此种论调真与康有为不设虚君国终不治之主张同一鼻孔出气。试问国民道德，舍神道设教以外，何遂无改善之途径。更试问迷信极盛之世，岂人尽君子而一无小人。谚云，"若要黑心人、吃素淘里去寻"，岂不与俞君之论适相反耶。吾真不解二十世纪之中国人，其顽钝之状，犹与有史前之初民相等。

（第四卷第五号，一九一八年五月十五日）

有鬼论质疑

陈独秀

吾国鬼神之说素盛，支配全国人心者，当以此种无意识之定数观念最为有力。今之士大夫，于科学方兴时代，犹复援用欧美人之灵魂说，曲征杂引，以为鬼之存在，确无疑义，于是著书立说，鬼话联篇，不独己能见鬼而且摄鬼影以示人。即好学尊疑之士，亦以远西性觉 Intuition（日本人译为直觉，或云直观，或云观照。吾以为即释家之所谓"自心现量"，乃超越感官之知觉也，与感觉 Sensibility 为对文）哲学方盛，物质感觉以外，岂必无真理可寻？遂于不能以科学能释之鬼神问题，未敢轻断其有无。今予亦采纳尊疑主义，于主张无鬼之先，对于有鬼之说多所怀疑，颇期主张有鬼论者赐以解答。

吾人感觉所及之物，今日科学，略可解释。倘云鬼之为物，玄妙非为物质所包，非感觉所及，非科学所能解，何以鬼之形使人见鬼，之声使人闻？此不可解者一也。敢问？

鬼果形质俱备，惟非普通人眼所能见。则今人之于鬼，犹古人之于微生物，虽非人人所能见。而其物质的存在与活动，可以科学解释之，当然无疑。审是则物灵二元说，尚有立足之余地乎？此不可解者二也。敢问？

鬼若有质，何以不占空间之位置，而自生障碍，且为他质之障碍？此不可解者三也。敢问？

或云鬼之为物有形而无质耶？夫宇宙间有形无质者，只有二物：一为幻象，一为影像。幻为非有，影则其自身亦为非有。鬼既无质，何以知其非实有耶？此不可解者四也。敢问？

鬼既非质，何以言鬼者，每称其有衣食男女之事，一如物质的人间耶？此不可解者五也。敢问？

鬼果是灵，与物为二，何以各仍保其物质生存时之声音笑貌乎？此不可解者六也。敢问？

若谓鬼属灵界，与物界殊途，不可以物界之观念推测鬼之有无，而何以今之言鬼者，见其国籍语言习俗衣冠之各别，悉若人间耶？此不可解者七也。敢问？

人若有鬼，一切生物皆应有鬼，而何以今之言鬼者，只是见人鬼，不见犬马之鬼耶？此不可解者八也。敢问？

（第四卷第五号，一九一八年五月十五日）

新的！旧的！

李大钊

宇宙进化的机轴，全由两种精神运之以行，正如车有两轮，鸟有两翼，一个是新的，一个是旧的。但这两种精神活动的方向，必须是代谢的，不是固定的。是合体的，不是分立的，才能于进化有益。

中国人今日的生活全是矛盾生活，中国今日的现象全是矛盾现象。举国的人都在矛盾现象中讨生活，当然觉得不安，当然觉得不快。既是觉得不安不快，当然要打破此矛盾生活的阶级，另外创造一种新生活，以寄顿吾人的身心，慰安吾人的灵性。

矛盾生活，就是新旧不调和的生活，就是一个新的，一个旧的，其间相去不知几千万里的东西，偏偏凑在一处，分立对抗的生活。这种生活，最是苦痛，最无趣味，最容易起冲突。这一段国民的生活史，最是可怖。

欲研究一国家或一都会中某一时期人民的生活，任取其生活现象中的一粒微尘而分析之，也能知道其生活全部的特质：一个都会里一个人所穿的衣服，就是此都会里最美的市场中所陈设的；一个人的指爪上的一粒炭灰，就是由此都会里最大机械场的烟突中所飞落的。既同在一个生活之中，刹刹尘尘都含有全体的质性，都着有全体的颜色。

我前岁在北京过年，刚过新年，又过旧年。看见贺年的人，有的鞠躬，有的拜跪，有的脱帽，有的作揖，有的在门首悬挂国旗，有的张贴春联，因而起了种种联想。

想起黄昏时候走在街头，听见的是更夫的绑子丁丁地响，看见的是站岗巡警的枪刺耀耀地亮。更夫是旧的，巡警是新的。要用更夫，何用巡警？既用巡警，何用更夫？

又想起我国现已成了民国，仍然还有什么清室。吾侪小民，一面要负担议会及公府的经费，一面又要负担优待清室的经费。民国是新的，清室是旧的，既有民国，那有清室？若有清室，何来民国？

又想起制定宪法，一面规定信仰自由，一面规定"以孔道为修身大本"。信仰自由是新的，孔道修身是旧的。既重自由，何又迫人来尊孔？既要迫人尊孔，何谓信仰自由？

又想起谈论政治的。一面主张自我实现，一面鼓吹贤人政治。自我实现是新的，贤人政治是旧的。既要自我实现，怎行贤人政治？若行贤人政治，怎能自我实现？

又想起法制习俗。一面立禁止重婚的刑律，一面许纳妾的习俗。禁止重婚的刑律是新的，纳妾的习俗是旧的。既施刑律，必禁习俗；若存习俗，必废刑律。

以上所说不过一时的杂感，其余类此者尚多。最近又在本志上看见独秀先生与南海圣人争论，半农先生向投书某君棒喝。以新的为本位论，南海圣人及投书某君，最少应生在百年以前。以旧的为本位论，独秀半农，最少应生在百年以后。此等"风马牛不相及"的人物思想，竟不能不凑在一处，立在同一水平线上来讲话，岂不是绝大憾事？中国今日生活现象矛盾的原因，全在新旧的性质相差太远，活动又相邻太近。换句话说，就是新旧之间，纵的距离太近，横的距离太近。时间的性质差得太多，空间地接触逼得太紧。同时同地不容并存的人物、事实、思想、议论，走来走去，竟不能不走在一路来碰头，呈出两两配映，两两对立的奇观。这就是新的气力太薄，不能努力创造新生活，以征服旧的过处了。

我常走在前门一带通衢，觉得那样狭隘的一条道路，其间竟能容纳数多时代的器物：也有骆驼轿，也有上贴"借光二哥"的一轮车，也有骡车、车马、人力车、自转车、汽车等。把今世纪的东西，同十五世纪以前的汇在一处。轮蹄轧轧，汽笛呜呜，车声马声，人力车夫互相唾骂声，纷纭错综，复杂万状。稍不加意，即遭冲轧，一般走路的人，精神很觉不安。推一轮车的讨厌人力车、马车、汽车，拉人力车的讨厌马车、汽车，赶马车的又讨厌汽车。反说回来，也是一样。新的嫌旧的妨阻，旧的嫌新的危险。（照）这样层级论，生活的内容不止是一重单纯的矛盾，简直是重重叠叠的矛盾。人生的径路，若是为重重叠叠的矛盾现象所塞，怎能急起直追，逐宇宙的文化前进呢？仔细想来，全是我们创造的能力缺乏的缘故。若能在北京创造一条四通八达的电车轨路，我想那时乘坐驼轿、骡车、人力车等等的人，必都舍却这些笨拙迂腐的器具，来坐迅速捷便的电车。马路上自然绰有余裕，不像那样拥挤了。即有寥寥的汽车、马车、自转车等依旧通行，因为与电车纵的距离不甚相远，横的距离又不像从前那样逼近，也就都有容头过身的道路了，也就没有互相嫌恶的感情了，也就没有那样容易冲突的机会了。

因此我很盼望我们新青年打起精神，于政治、社会、文学、思想种种方面开辟一条新径路，创造一种新生活，以包容覆载那些残废颓败的老人。不但使他们不妨害文明的进步，且使他们也享享新文明的幸福，尝尝新生活的趣味，就像在北京建造电车轨道，输运从前那些乘驼轿、骡车、人力车的人一般。打破矛盾生活，脱去二重负担。这全是我们新青年的责任，看我们新青年的创造能力如何？

进！进！进！新青年！

守常先生要新青年创造新生活，这话固是绝对不错。但是我的意思，以为要打破矛盾生活，除了征服旧的，别无它法。那些残废颓败的老人，似乎不必请他享新文明的幸福，尝新生活的趣味，因为他们的心理，只知道牢守那笨拙迂腐的东西，见了迅速捷便的东西，便要"气得三尸神炸，七窍生烟"，"狗血喷头"的骂我们改了他的老样子。我们何苦把辛辛苦苦创造成功的幸福去请他们享受，还要看他们的脸，受他们的气呢？守常先生！你道我这话对不对？

玄同

更正　第四卷第四号《老洛伯》序言中言及 Lyrical Ballads 于一七八九年出版。注，即法国大革命之年。顷检书，知此书系于一七九八年出版。特为更正于此。

（适）

（第四卷第五号，一九一八年五月十五日）

易卜生主义

胡　适

"易卜生主义!"这个题目不是容易做的。我又不是专门研究易卜生的人,如何配做这篇文字? 但是我们现在出一本"易卜生号",大吹大擂的把易卜生介绍到中国来,似乎又不能不有一篇"易卜生主义"的文字。没奈何,我只好把我心目中的"易卜生主义"写出来,做一个"易卜生号"的引子。

一

易卜生最后所作的《我们死人再生时》(*When We Dead Awaken*)一本戏里面有一段话,很可表出易卜生所作文学的根本方法。这本戏的主人翁,是一个美术家,费了全副精神,雕成一副像,名为"复活日"。这位美术家自己说他这副雕像的历史道:

我那时年纪还轻,不懂得世事。我以为这"复活日"应该是一个极精致,极美的少女像,不带着一毫人世的经验,平空地醒来,自然光明庄严,没有什么过恶可除。……但是我后来那几年,懂得些世事了,才知道这"复活日"不是这样简单的,原来是很复杂的。……我眼里所见的人情世故,都到我理想中来,我不能不把这些现状包括进去。我只好把这像的座子放大了,放宽了。

我在那座子上雕了一片曲折爆裂的地面。从那地的裂缝里,钻出来无数模糊不分明,人身兽面的男男女女。这都是我在世间亲自见过的男男女女。(二幕)

这是"易卜生主义"的根本方法。那不带一毫人世罪恶的少女像,是指理想派的文学。那无数模糊不分明,人身兽面的男男女女,是指写实派的文学。易卜生的文学,易卜生的人生观,只是一个写实主义。一八八二年,他有一封信给一个朋友,信中说道:我做书的目的,要使读者人人心中都觉得他所读得全是实事。(《尺牍》第一五九号。)

人生的大病根在于不肯睁开眼睛来看世间的真实现状。明明是男盗女娼的社会,我们偏说是圣贤礼义之邦;明明是赃官污官的政治,我们偏要歌功颂德;明明是不可救药的大病,我们偏说一点病都没有!却不知道,若要病好,须先认有病;若要政治好,须先认现今的政治实在不好;若要改良社会,须先知道现今的社会实在是男盗女娼的社会!易卜生的长处,只在他肯说老实话,只在他能把社会种种腐败龌龊的实在情形写出来叫大家仔细看。他并不是爱说社会的坏处,他只是不得不说。

一八八〇年,他对一个朋友说:我无论作什么诗,编什么戏,我的目的只要我自己精神上的舒服清净。因为我们对于社会的罪恶,都脱不了干系的。(《尺牍》第一四八号。)

因为我们对于社会的罪恶都脱不了干系,故不得不说老实话。

二

我们且看易卜生写近世的社会,说的是一些什么样的老实话。第一,先说家庭。

易卜生所写的家庭,是极不堪的。家庭里面,有四种大恶德:一是自私自利。二是倚赖性,奴隶性。三是假道德,装腔做戏。四是懦怯没有胆子。做丈夫的便是自私自利的代表。他要快乐,要安逸,还要体面,所以他要娶一个妻子。正如《娜拉》戏中的郝尔茂。他觉得同他妻子有爱情是很好玩的。他叫他的妻子做"小宝贝""小鸟儿""小松鼠儿""我的最亲爱的"等等肉麻名字。他给他妻子一点钱去买糖吃,买粉搽,买好被服穿。他要他妻子穿得好看,打扮得标致。做妻子的完全是一个奴隶。她丈夫喜欢什么,她也该喜欢什么,他自己是不许有什么选择的。她的责任在于使丈夫欢喜。她自己不用有思想,她丈夫会替她思想。她自己不过是她丈夫的玩意儿,很像叫花子的猴子专替她变把戏引人开心的。(所以《娜拉》又名《玩物之家》)丈夫要妻子守节,妻子却不能要丈夫守节。正如《群鬼》(Ghosts)戏里的阿尔文夫人受不过丈夫的气,跑到一个朋友家去,那位朋友是个牧师,狠教训了她一顿,说她不守妇道。但是阿尔文夫人的丈夫专在外面偷妇人,甚至淫乱他妻子的婢女,人家都毫不介意。那位牧师朋友也觉得这是男人常有的事,不足为奇!妻子对丈夫,什么都可以牺牲;丈夫对妻子,是不犯着牺牲什么的。《娜拉》戏内的娜拉因为要救她丈夫的生命,所以冒她父亲的名字,签了借据去借钱。后来事体闹穿了,她丈夫不但不肯替娜拉分担冒名的干系,还要痛骂她带累他自己的名誉。

后来和平了结了，没有危险了，她丈夫又装出大度的样子，说不追究她的错处了。他得意扬扬的说道，"一个男人赦了他妻子的过犯是很畅快的事！"（《娜拉》三幕）

这种极不堪的情形，何以居然忍耐得住呢？第一，因为人都要顾面子，不得不装腔做戏，做假道德遮着面孔。第二，因为大多数的人都是没有胆子的懦夫。因为要顾面子，故不肯闹翻。因为没有胆子，故不敢闹翻。那《娜拉》戏里的娜拉忽然看破家庭是一座做猴子戏的戏台，她自己是台上的猴子。她有胆子，又不肯再装假面子，所以告别了掌班的，跳下了戏台，去干她自己的生活。

那《群鬼》戏里的阿尔文夫人没有娜拉的胆子，又要顾面子，所以被她的牧师朋友一劝，就劝回头了，还是回家去尽她的"天职"，守她的"妇道"。她丈夫仍旧做那种淫荡的行为，阿尔文夫人只好牺牲自己的人格，尽力把他羁縻在家。后来生下一个儿子，他母亲恐怕他在家学了他父亲的坏榜样，所以到了七岁便把他送到巴黎去。她一面要哄他丈夫在家，一面要在外边替她丈夫修名誉，一面要骗她儿子说他父亲是怎样一个正人君子。这种情形，过了十九个足年，她丈夫才死。死后，他妻子还要替他装面子，花了许多钱，造了一所孤儿院，作他亡夫的遗爱。孤儿院造成了，她把儿子唤回来参与孤儿院落成的庆典。谁知她儿子从胎里就得了他父亲的花柳病的遗毒，变成一种脑腐症，到家没几天，那孤儿院也被火烧了，她儿子的遗传病发作，脑子坏了，就成了疯人了。这是没有胆子，又要顾面子的结局。这就是腐败家庭的下场！

三

其次，且看易卜生论社会的三种大势力。那三种大势力：一是法律，二是宗教，三是道德。

第一，法律。法律的效能在于除暴去恶，禁民为非。但是法律有好处也有坏处。好处在于法律是无有偏私的。犯了什么法，就该得什么罪。坏处也在于此。法律是死板板的条文，不通人情世故。不知道一样的罪名却有几等几样的居心，有几等几样的境遇情形。同犯一罪的人却有几等几样的知识程度。法律只说某人犯了某法的某某篇、某某章、某某节，该得某某罪，全不管犯罪的人的知识不同，境遇不同，居心不同。《娜拉》戏里有两件冒名签字的事。一件是一个律师做的，一件是一个不懂法律的妇人做的。那律师犯这罪全由于自私自利，那妇人犯这罪全因为她要救她丈夫的性命。但是法律全不问这些区别。请看这两个"罪人"讨论这个问题：

　律师　　郝夫人，你好像不知道你犯了什么罪。我老实对你说，我犯的那桩使我一生声名扫地的事，和你所做的事恰恰相同，一毫也不多，一毫也不少。

　娜拉　　你！难道你居然也敢冒险去救你妻子的命吗？

　律师　　法律不管人的居心如何。

　娜拉　　如此说来，这种法律是笨极了。

　律师　　不问他笨不笨，你总要受他的裁判。

　娜拉　　我不相信。难道法律不许做女儿的想个法子免得她临死的父亲烦恼吗？难道法律不许做妻子的救她丈夫的命吗？我不大懂得法律,但是我想总该有这种法律承认这些事的。你是一个律师,你难道不知道有这样的法律吗？柯先生你真是一个不中用的律师了。(《娜拉》一幕)

最可怜的是世上真少这种人情人理的法律!

第二,宗教。易卜生眼里的宗教久已失了那种可以感化人的能力,久已变成毫无生气的仪节信条,只配口头念得烂熟,却不配使人奋发鼓舞了。《娜拉》戏里说:

郝尔茂　　你难道没有宗教吗?

娜拉　　我不很懂得究竟宗教是什么东西。我只知道我进教时那位牧师告诉我的一些话。他对我说宗教是这个,是那个,是这样,是那样。(三幕)

如今人的宗教,都是如此。你问他信什么教,他就把他的牧师或是他的先生告诉他的话背给你听。他会背耶稣的《祈祷》文,他会念阿弥陀佛,他会背一部《圣谕广训》。这就是宗教了!

宗教的本意,是为人而作的。正如耶稣说的,"礼拜是为人造的,不是人为礼拜造的"。不料后世的宗教处处与人类的天性相反,处处反乎人情。如《群鬼》戏中的牧师逼着阿尔文夫人回家去受那淫荡丈夫的待遇,去受那十九年极不堪的惨痛。那牧师说,宗教不许人求快乐,求快乐便是受了恶魔的魔力了。他说宗教不许做妻子的批评她丈夫的行为。他说宗教教人无论如何总要守妇道,总须尽责任。那牧师口口声声所说是"是"的,阿尔文夫人心中总觉得都是"不是"的。后来阿尔文夫人仔细去研究那牧师的宗教，忽然大悟原来那些教条都是假的，都是"机器造的"！（《群鬼》二幕）

但是这种机器造的宗教何以居然能这样兴旺呢？原来现在的宗教虽没有精神上的价值，却极有物质上的用场。宗教是可以利用的，是可以使人发财得意的。那《群鬼》戏里的木匠，本是一个极下流的酒鬼，卖妻卖女都肯干的。但是他见了那位道学的牧师，立刻就装出宗教家的样子，说宗教家的话，做宗教家的唱歌祈祷，把这位蠢牧师哄得滴溜溜的转。（二幕）

那《罗斯马庄》（Rosmer sholm）戏里面的主人翁罗斯马本是一个牧师，后来他的思想改变了，遂不信教了。他那时想加入本地的自由党。不料党中的领袖却不许罗斯马宣告他脱离教会的事。为什么呢？因为他们党里很少信教的人，故想借罗斯马的名誉来号召那些信教的人家。可见宗教的兴旺，并不是因为宗教真有兴旺的价值，不过是因为宗教有可以利用的好处罢了。如今的基督教青年会竟开明地用种种物质上的便利来做招揽会员的钓饵，所以有些人住青年会的洋房，洗青年会的雨浴，到了晚上仍旧去"白相堂子"，仍旧去"逛胡同"，仍旧去打麻雀扑克。这也是宗教兴旺的一种原因了！

第三，道德。法律宗教既没有裁制社会的本领，我们且看"道德"可有这种本事。据易卜生看来，社会上所谓"道德"不过是许多陈腐的旧习惯。合于社会习惯的，便是道德；不合于社会习惯的，便是不道德。我且举中国风俗为例。我们中国的老辈人看见少年男女实行自由结婚，便说是"不道德"。为什么呢？因为这事不合于"父母之命，媒妁之言"的社会习惯。但是这班老辈人自己讨许多小老婆,却以为是很平常的事,没有什么不道德。为什么呢?因为习惯如此。又如中国人死了父母,发出讣书,人人都说"泣血稽颡","苫块昏迷"。其实他们何尝泣血?又何尝"寝苫枕块"?这种自欺欺人的事,人人都以为是"道德",人人都不以为羞耻?为什么呢?因为社会的习惯如此,所以不道德的也觉得道德了。

这种不道德的道德,在社会上,造出一种诈伪不自然的伪君子。面子上都是仁义道德,骨子里都是男盗女娼。易卜生最恨这种人。他有一本戏,叫做《社会的栋梁》(Pillars of Society),戏中的主人名叫褒匿,是一个极坏的伪君子。他犯了一桩奸情,却让他兄弟受这恶名,还要诬赖他兄弟偷了钱跑脱了。不但如此,他还雇了一只烂脱的船送他兄弟出海,指望把他兄弟和一船的人都沉死在海底,可以灭口。这样一个大奸,面子上却做得十分道德,社会上都尊敬他,称他作"全市第一个公民","公民的模范","社会的栋梁"!他谋害他兄弟的那一天,本城的公民,聚了几千人,排起队来,打着旗,奏着军乐,上他的门来表示社会的敬意,高声喊道,"褒匿万岁!社会的栋梁褒匿万岁!"

这就是道德!

四

其次,我们且看易卜生写个人与社会的关系。

易卜生的戏剧中,有一条极显而易见的学说,是说社会与个人互相损害。社会最爱专制,往往用强力摧折个人的个性(Individuality),压制个人自由独立的精神。等到个人的个性都消灭了,等到自由独立的精神都完了,社会自身也没有生气了,也不会进步了。

社会里有许多陈腐的习惯，老朽的思想，极不堪的迷信。个人生在社会中，不能不受这些势力的影响。有时有一两个独立的少年，不甘心受这种陈腐规矩的束缚，于是东冲西突，想与社会作对。上文所说的褒匿，少年时代也曾想和社会反抗。但是社会的权力很大，网罗很密，个人的能力有限，如何是社会的敌手。社会对个人道："你们顺我者生，逆我者死；顺我者有赏，逆我者有罚。"那些和社会反对的少年，一个一个的都受家庭的责备，遭朋友的怨恨，受社会的侮辱驱逐。再看那些奉承社会意旨的人，一个个的都升官发财，安富尊荣了。当此境地，不是顶天立地的好汉，决不能坚持到底。所以像褒匿那般人，做了几时的维新志士，不久也渐渐的受社会同化，仍旧回到旧社会去做"社会的栋梁"了。社会如同一个大火炉，什么金银铜铁锡，进了炉子，都要熔化。易卜生有一本戏叫做《雁》(*The Wild Duck*)，写一个人捉到一只雁，把他养在楼上半阁里，每天给他一桶水，让他在水里打滚游戏。那雁本是一个海阔天空逍遥自得的飞鸟，如今在半阁里关久了，也会生活，也会长得胖胖的，后来竟完全忘记了他从前那种海阔天空来去自由的乐处了！个人在社会里，就同这雁在人家半阁上一般，起初未必满意，久而久之，也遂惯了，也渐渐的把黑暗世界当作安乐窝了。

社会对于那班服从社会命令，维持陈旧迷信，传播腐败思想的人，一个一个的都有重赏。有的发财了，有的升官了，有的享大名誉了。这些人有了钱，有了势，有了名誉，遂像老虎长了翅膀，更可横行无忌了，更可借着"公益"的名誉去骗人钱财，害人生命，做种种无法无天的行为。易卜生的《社会栋梁》和《博克曼》(*John Gabriel Borkman*)两本戏的主人翁都是这种人物。他们钱赚得够了，然后掏出几个小钱来，开一个学堂，造一所孤儿院，立一个公共游戏场,"捐二十磅金去买面包给贫人吃"(用《社会的栋梁》二幕中语),于是社会格外恭维他们,打着旗子,奏着军乐,上他们家来,大喊"社会的栋梁万岁"!

　　那些不懂事又不安本分的理想家,处处和社会的风俗习惯反对,是该受重罚的。执行这种重罚的机关,便是"舆论",便是大多数的"公论"。世间有一种最通行的迷信,叫做"服从多数的迷信",人都以为多数人的公论总是不错的。易卜生绝对的不承认这种迷信。"多数党说他总在错的一边,少数党总在不错的一边。"(《国民公敌》五幕)一切维新革命,都是少数人发起的,都是大多数人所极力反对的。大多数人总是守旧麻木不仁的,只有极少数人——有时只有一个人——不满意于社会的现状,要想维新,要想革命。这种理想家是社会所最忌的。大多数人都骂他是"捣乱分子",都恨他"扰乱治安",都说他"大逆不道"。所以他们用大多数的专制威权去压制那"捣乱"的理想志士,不许他开口,不许他行动自由,把他关在监牢里,把他赶出境去,把他杀了,把他钉在十字架上活活的钉死,把他捆在柴草上活活的烧死。过了几十年几百年,那少数人的主张渐渐的变成多数人的主张了,于是社会的多数人又把他们从前杀死钉死烧死的那些"捣乱分子"一个一个的重新推崇起来替他们修墓,替他们作传,替他们立庙,替他们铸铜像。却不知道从前那种"新"思想,到了这时候,又早已成了"陈腐的"迷信! 当他们替从前那些特立独行的人修墓铸铜像的时候,社会里早已发生了几个新派少数人,又要受他们杀死钉死烧死的刑罚了! 所以说"多数党总是错的,少数党总是不错的"。

　　易卜生有一本戏叫做《国民的公敌》里面写的就是这个道理。这本戏的主人翁斯铎曼医生从前发现本地的水可以造成几处卫生浴池。本地的人听了他的话，觉得有利可图，便集了资本，造了几处卫生浴池。后来四方的人闻了浴池之名，纷纷来这里避暑养病。来的人多了，本地的商业市面便渐渐发达兴旺。斯铎曼医生便作了浴池的官医。后来洗浴的人之中忽然发生一种流行病症，经这位医生仔细考察，知道这病症是从浴池的水里来的。他便装了一瓶水寄与大学的化学师请他化验。化验出来，才知道浴池的水管安得太低了，上流的污秽，停积在浴池里，发生一种传染病的微生物极有害于公众卫生。斯铎曼医生得了这种科学证据，便做了一篇切切实实的报告书，请浴池的董事会把浴池的水管重新改造，以免妨碍卫生。不料改造浴池须要花费许多钱，又要把浴池闭歇一两年，浴池一闭歇，本地的商务便要受许多损失。所以本地的人全体用死力反对斯铎曼医生的提议。他们宁可听那些来避暑养病的人受毒病死，不情愿受这种金钱的损失。所以他们用大多数的专制威权，压制这位说老实话的医生，不许他开口。他做了报告，本地的报馆都不肯登载。他要自己印刷，印刷局也不肯替他印。他要开会演说，全城的人都不把空屋借他做会场。后来好容易找到了一所会场，开了一个公民会议，会场上的人不但不听他的老实话，还把他赶下台去，由全体一致表决，宣告斯铎曼医生从此是国民的公敌。他逃出会场，把裤子都撕破了，还被众人赶到他家，用石头掷他，把窗户都打碎了。到了明天，本地政府革了他的官医，本地商民发了传单不许人请他看病，他的房东请他赶快搬出屋去，他的女儿在学堂教书，也被校长辞退了。这就是"特立独行"的好结果！这就是大多数惩罚少数"捣乱分子"的辣手段！

五

其次,我们且说易卜生的政治主义。易卜生的戏剧不大讨论政治问题,所以我们须要用他的《尺牍》(Letters, ed. by his son Sigurd Ibsen, English Trans. 1905)做参考的材料。

易卜生起初完全是一个主张无政府主义的人。当普法之战(一八七〇至一八七一年)时,他的无政府主义最为激烈。一八七一年,他有信与一个朋友道:

……个人绝无做国民的需要。不但如此,国家简直是个人的大害。请看普鲁士的国力,不是牺牲了个人的个性去买来的吗?国民都成了酒馆里跑堂的了,自然个个都是好兵了。

再看犹太民族,岂不是最高贵的人类吗?无论受了何种野蛮的待遇,那犹太民族还能保存本来的面目。这都因为他们没有国家的缘故。国家总得毁去。这种毁除国家的革命,我也情愿加入。毁去国家观念,单靠个人的情愿和精神上的团结做人类社会的基本——若能做到这步田地,这可算得有价值的自由起点。那些国体的变迁,换来换去,都不过是弄把戏——都不过是全无道理的胡闹。(《尺牍》第七十九)

易卜生的纯粹无政府主义,后来渐渐的改变了。他亲自看见巴黎"市民政府"(Commune)的完全失败(一八七一),便把他主张无政府主义的热心减了许多。(《尺牍》第八十一)到了一八八四年,他写信给他的朋友说,他在本国若有机会,定要把国中无权的人民联合成一个大政党,主张极力推广选举权,提高妇女的地位,改良国家教育要使脱除一切中古陋习。(《尺牍》第一七八)这就不是无政府的口气了。但是他终究不曾加入政党。他以为加入政党是很下流的事。(《尺牍》第一五八)他最恨那班政客,他以为"那班政客所力争的,全是表面上的权利,全是胡闹。最要紧的是人心的大革命"。(《尺牍》第七十七)易卜生从来不主张狭义的国家主义,从来不是狭义的爱国者。一八八八年,他写信给一个朋友说道:

知识思想略为发达的人,对于旧式的国家观念,总不满意。我们不能以为有了我们所属的政治团体便足够了。据我看来,国家观念不久就要消灭了,将来定有人种观念起来代他。即以我个人而论,我已经过这种变化。我起初觉得我是挪威国人,后来变成斯堪丁纳维亚人(挪威与瑞典总名斯堪的纳维亚),我现在已成了条顿人了。(《尺牍》第二〇六)

这是一八八八年的话。我想易卜生晚年临死的时候(一九〇六),一定已进到世界主义的地步了。

六

我开篇便说过易卜生的人生观只是一个写实主义。易卜生把家庭社会的实在情形都写了出来叫人看了动心,叫人看了觉得我们的家庭社会原来是如此黑暗腐败,叫人看了觉得家庭社会真正不得不维新革命——这就是易卜生主义。表面上看去,像是破坏的,其实完全是建设的。譬如医生诊了病,开了一个脉案,把病状详细写出,这难道是消极的破坏的手续吗?但是易卜生虽开了许多脉案,却不肯轻易开药方。他知道人类社会是极复杂的组织,有种种绝不相同的境地,有种种绝不相同的情形。社会的病,种类纷繁,决不是什么"包医百病"的药方所能治得好的。因此他只好开了脉案,说出病情,让病人各人自己去寻医病的药方。

虽然如此,但是易卜生生平却也有一种完全积极的主张。他主张个人须要充分发达自己的才性,须要充分发展自己的个性。他有一封信给他的朋友 George Brandes 说道:

> 我所最期望于你的,是一种真正纯粹的为我主义。要使你有时觉得天下只有关于我的事最要紧,其余的都算不得什么。……你要想有益于社会,最好的法子莫如把你自己这块材料铸造成器……有的时候我真觉得全世界都像海上撞沉了船,最要紧的还是救出自己(《尺牍》第八十四)

最可笑的是有些人明知世界"陆沉",却要跟着"陆沉",跟着堕落,不肯"救出自己"!却不知道社会是个人组成的,多救出一个人便是多备下一个再造新社会的分子。所以孟轲说"穷则独善其身",这便是易卜生所说"救出自己"的意思。这种"为我主义",其实是最有价值的利人主义。所以易卜生说,"你要想有益于社会,最妙的法子莫如把你自己这块材料铸造成器。"《娜拉》戏里,写娜拉抛了丈夫儿女飘然而去,也只为要"救出自己"。那戏中说:

> 郝尔茂　　……你就是这样抛弃你的最神圣的责任吗?

娜拉　　你以为我的最神圣的责任是什么？

郝　　还等我说吗？可不是你对于你的丈夫和你的儿女的责任吗？

娜　　我还有别的责任同这些一样的神圣。

郝　　没有的。你且说。那些责任是什么？

娜　　是我对于我自己的责任。

郝　　最要紧的，你是一个妻子，又是一个母亲。

娜　　这种话我现在不相信了。我相信第一我是一个人正同你一样——无论如何，我务必努力做一个人。（三幕）

一八八二年，易卜生有信给朋友道：这样生活，须使各人自己充分发展——这是人类功业顶高的一层，这是我们大家都应该做的事。（《尺牍》第一六四）

社会最大的罪恶莫过于摧折个性的个性，不使他自由发展。那本《雁》戏所写的只是一件摧残个人才性的惨剧。那戏写一个人少年时本极有高尚的志气，后来被一个恶人害得破家荡产，不能度日。那恶人又把他自己通奸有孕的下等女子配给他做妻子，从此家累日重一日，他的志气便日低一日。到了后来，他堕落深了，竟变成了一个懒人懦夫，天天受那下贱妇人和两个无赖的恭维，他洋洋得意的觉得这种生活很可以终身了。所以那本戏借一个雁做比喻：那雁在半阁上关得久了，他从前那种高飞远举的志气全都消灭了，居然把人家的半阁做他的极乐国了！

发展个人的个性，须要有两个条件。第一，须使个人有自由意志。第二，须使个人担干系，负责任。《娜拉》戏中写郝尔茂的最大错处只在他把娜拉当作"玩意儿"看待，既不许他有自由意志，又不许他担负家庭的责任,所以娜拉竟没有发展他自己个性的机会。所以娜拉一旦觉悟时,恨极她的丈夫,决意弃家远去,也正为这个缘故。易卜生又有一本戏,叫做《海上夫人》(*The Lady from the Sea*),里面写一个女子哀梨妲少年时嫁给人家做后母,她丈夫和前妻的两个女儿看她年纪轻,不让她管家务,只叫她过安闲日子。哀梨妲在家觉得做这种不自由的妻子,不负责任的后母,是极没趣的事。因此她天天想跟人到海外去过那海阔天空的生活。她丈夫越不许她自由,她偏越想自由。后来她丈夫知道留她不住,只得许她自由出去。她丈夫说道:

丈夫 ……我现在立刻和你毁约。现在你可以有完全自由拣定你自己的路子。
……现在你可以自己决定,你有完全的自由,你自己担干系。
哀梨妲 完全自由!还要自己担干系!还担干系咧!有这么一来,样样事都不同了。

哀梨妲有了自己,又自己负责任了,忽然大变了,也不想那海上的生活了,决意不跟人走了。(《海上夫人》第五幕)这是为什么呢?因为世间只有奴隶的生活是不能自由选择的,是不用担干系的。个人若没有自由权,又不负责任,便和做奴隶一样,所以无论怎样好玩,无论怎样高兴,到底没有真正乐趣,到底不能发展个人的人格。所以哀梨妲说:有了完全自由,还要自己担干系,有这么一来,样样事都不同了。家庭是如此,社会国家也是如此。自治的社会,共和的国家,只是要个人有自由选择之权,还要个人对于自己所行所为都负责任。若不如此,决不能造出自己独立的人格。社会国家没有自由独立的人格,如同酒里少了酒曲,面包里少了酵,人身上少了脑筋,那种社会国家决没有改良进步的希望。所以易卜生的一生目的只是要社会极力容忍,极力鼓励斯铎曼医生一流的人物(斯铎曼事见上文四节)。要想社会上生出无数永不知足,永不满意,敢说老实话攻击社会腐败情形的"国民公敌",要想社会上有许多人都能像斯铎曼医生那样宣言道:"世上最强有力的人就是那个最孤立的人!"

　　社会国家是时刻变迁的,所以不能指定哪一种方法是救世的良药:十年前用补药,十年后或者须用泻药了;十年前用凉药,十年后或者须用热药了。况且各地的社会国家都不相同,适用于日本的药,未必完全适用于中国;适用于德国的药,未必适用于美国。只有康有为那种"圣人",还想用他们的"戊戌政策"来救戊午的中国,只有辜鸿铭那班怪物,还想用二千年前的"尊王大义"来施行于二十世纪的中国。易卜生是聪明人,他知道世上没有"包医百病"的仙方,也没有"施诸四海而皆准,推之百世而不悖"的真理。因此他对于社会的种种罪恶污秽,只开脉案,只说病状,却不肯下药。但他虽不肯下药,却到处告诉我们一个保卫社会健康的卫生良法。他仿佛说道:"人的身体全靠血里面有无量数的白血轮时时刻刻与人身的病菌开战,把一切病菌扑灭干净,方才可使身体健全,精神充足。社会国家的健康也全靠社会中有许多永不知足,永不满意,时刻与罪恶分子龌龊分子宣战的白血轮,方才有改良进步的希望。我们若要保卫社会的健康,须要使社会里时时刻刻有斯铎曼医生一般的白血轮分子。但使社会常有这种白血轮精神,社会决没有不改良进步的道理。"

一八八三年,易卜生写信给朋友道:

十年之后,社会的多数人大概也会到了斯铎曼医生开公民大会时的见地了。

但是这十年之中,斯铎曼自己也刻刻向前进。所以到了十年之后,他的见地仍旧比社会的多数人还高十年。即以我个人而论,我觉得时时刻刻总有进境。我从前每作一本戏时的主张,如今都已渐渐变成了很多数人的主张。但是等到他们赶到那里时,我久已不在那里了。我又到别处去了。我希望我总是向前去了。(《尺牍》第一七二)

民国七年五月十六日作于北京

(第四卷第六号,一九一八年六月十五日)

偶像破坏论

陈独秀

"一声不做,二目无光,三餐不吃,四肢无力,五官不全,六亲无靠,七窍不通,八面威风,九(音同久)坐不动,十(音同实)是无用。"这几句形容偶像的话,何等有趣!

偶像何以应该破坏,这几句话可算说得淋漓尽致了。但是世界上受人尊重,其实是个无用的废物,又何止偶像一端?凡是无用而受人尊重的,都是废物,都算是偶像,都应该破坏!

世界上真实有用的东西,自然应该尊重,应该崇拜;倘若本来是件无用的东西,只因人人尊重他,崇拜他,才算得有用,这班骗人的偶像倘不破坏,岂不叫人永远上当么?

泥塑木雕的偶像,本来是件无用的东西,只因有人尊重他,崇拜他,对他烧香磕头,说他灵验,于是乡愚无知的人,迷信这人造的偶像真有赏善罚恶之权,有时便不敢作恶,似乎这偶像却很有用。但是偶像这种用处,不过是迷信的人自己骗自己,非是偶像自身真有什么能力。这种偶像倘不破坏,人间永远只有自己骗自己的迷信,没有真实合理的信仰,岂不可怜!

天地间鬼神的存在,倘不能确实证明,一切宗教,都是一种骗人的偶像：阿弥陀佛是骗人的，耶和华上帝也是骗人的，玉皇大帝也是骗人的，一切宗教家所尊重的、崇拜的神佛仙鬼都是无用的、骗人的偶像，都应该破坏！

古代草昧初开的民族，迷信君主是天的儿子，是神的替身，尊重他，崇拜他，以为他的本领与众不同，他才能居然统一国土。其实君主也是一种偶像，他本身并没有什么神圣出奇的作用，全靠众人迷信他，尊崇他，才能够号令全国，称做元首。一旦亡了国，像此时清朝皇帝溥仪，俄罗斯皇帝尼古拉斯二世，比寻常人还要可怜。这等亡国的君主，好像一座泥塑木雕的偶像抛在粪缸里，看他到底有什么神奇出众的地方呢！但是这等偶像，未经破坏以前，却很有些作怪。请看中外史书，这等偶像害人的事还算少么？事到如今，这等不但骗人而且害人的偶像，已被我们看穿，还不应该破坏么？

国家是个什么？照政治学家的解释，越解释越叫人糊涂。我老实说一句，国家也是一种偶像。一个国家，乃是一种或数种人民集合起来，占据一块土地，假定的名称；若除去人民，单剩一块土地，便不见国家在那里，便不知国家是什么。可见国家也不过是一种骗人的偶像，它本身并无什么真实能力。现在的人所以要保存这种偶像的缘故，不过是借此对内拥护贵族财主的权利、对外侵害弱国小国的权利罢了。（若说到国家自卫主义，乃不成问题。自卫主义，因侵害主义发生。若无侵害，自卫何为？侵害是因，自卫是果。）世界上有了什么国家，才有什么国际竞争。现在欧洲的战争，杀人如麻，就是这种偶像在那里作怪。我想各国的人民若是渐渐都明白世界大同的真理和真正和平的幸福，这种偶像就自然毫无用处了。但是世界上多数的人，若不明白它是一种偶像，而且明白这种偶像的害处，那大同和平的光明，恐怕不会照到我们眼里来！

世界上男子所受的一切勋位荣典，和我们中国女子的节孝牌坊，也算是一种偶像。因为功业无论大小，都有一个相当的纪念在人人心目中。节孝必出于施身主观的自动的行为，方有价值。若出于客观的被动的虚荣心，便和崇拜偶像一样了。虚荣心伪道德的坏处，较之不道德尤甚。这种虚伪的偶像倘不破坏，却是真功业真道德的大障碍！

破坏！破坏偶像！破坏虚伪的偶像！吾人信仰，当以真实的、合理的为标准；宗教上、政治上、道德上自古相传的虚荣欺人不合理的信仰，都算是偶像，都应该破坏！（此等虚伪的偶像倘不破坏，宇宙间实在的真理和吾人心坎儿里彻底的信仰永远不能合一）

（第五卷第二号，一九一八年八月十五日）

答陈独秀先生《有鬼论质疑》

易乙玄

陈独秀先生作了一篇《有鬼论质疑》,登在《新青年》第四卷第五号。我看过一遍,不觉大怪,以为陈先生如此聪明之人,对于鬼之有无,尚不能十分明解。今且举质疑八条,以问当世。乙玄不敏,然平日主有鬼论甚力。爰将陈先生的疑问别为八条,开列于后,以便逐条答复。

先生说:(一)吾人感觉所及之物,今日科学略可解释。倘云鬼之为物,玄妙非为物质所包、非感觉所及、非科学所能解,何以鬼之形使人见,鬼之声使人闻? ……

人之能见鬼形,或闻鬼声者,因富有一种之灵力。感觉不过灵力之利用品而已。所谓灵力,为先天的、常住的、自存的,Platon 谓之本体,Spinozer 则谓物灵乃本体之属性也。灵力弱者与鬼交通难,故人与鬼交通之难否,一视其灵力之强度如何以为定。夫灵力之有强弱,一如感觉之依人而异也(如两眼之视力,两耳之听力,皆不等。色盲有全色与一部色盲等类)。至感觉所及之物,不尽能为科学所解释,如幻象,光学者莫辨其由;而感觉所不及之物,亦有时能为科学所解释,如微生物,非显微镜,则终不能见之也。近世

答陈独秀先生《有鬼论质疑》　　　　　　　　　　　　　　　113

心理学者，多谓感觉应属于精神上的物质，故能与科学接近，而又能与心灵哲学接近。西洋近虽有以精密器械（如心脏悸动计、电气记录法、压力计等）证明有鬼，然究不过示人以信，止人之谤，而此超自然之理，则终非科学所能解释，亦如科学之不能诠哲学也。

又说：（二）鬼果形质俱备，唯非普通人眼所能见，则今人之于鬼，犹古人之于微生物，虽非人人所能见，而其物质的存在与活动，可以科学解释之，当然无疑。审是则物灵二元说，尚有立足之余地乎？……

鬼非普通人眼所能见，诚然。若谓今人之于鬼，犹古人之于微生物，则差矣。微生物非借显微镜不能见之，若鬼，富有灵力之人则易见，否则不易见，此盖有难见、易见之别，而微生物则直能见不能见耳。夫唯微生物可用显微镜见之，故能施以科学的解释。盖有显微镜即可见微生物，今不能谓人有灵力即可见鬼也。此界说极为明了，而犹斤斤以物灵二元为说者，是不明本体与现象之别。康德不云乎，物之自身与现象，炯然有别，不可不辨，Platon 亦分界想界与个物界。盖向来持二元论，往往不明是理，吾于陈先生何尤。

又说：（三）鬼若有质，何以不占空间之位置，而自生障碍，且为他质之障碍？……

此不必陈先生再说，二千年前王充论之详矣。充之言曰：

天地开辟，人皇以来，随寿而死。若中年夭亡，以亿万数计，今人之数，不若死者多。如人死辄为鬼，则道路之上，一步一鬼也。人且死见鬼，宜见数百千万，满堂盈庭，填塞巷路，不宜徒见一二人也。

我著有《心灵学》一书，其中有驳他此文的一段，今照录如下：——充此论更为不值，谓人死为鬼，则道路之上一步一鬼也。此所谓道路，不知何指。为显界之道路耶？为幽界之道路耶？其界说殊不明了。且鬼若盈于道路，而又为王充所见，则是非鬼乃人，以王充不信有鬼也。即使为鬼，王充见之，又不得谓为无鬼也。充不知人所居者为显界；鬼所居者尚别有一界，名幽界（幽显二字，不过吾人假以名。）。此幽界者，永非吾人生时所能见，然抑或见之，而死则必在其中。鬼之于显界也亦然。吾前既云：鬼死为人，人死鬼。今不见显界有人满之患，又安知幽界有人满之患耶？夫人之见鬼者，为富有灵媒力。病者偶感此力，则亦可见鬼。今幽界既无人满之患，则见一二鬼亦宜矣（原论"一二人"之"人"字，疑有误，应做"鬼"字，否则充尚不明人鬼之辨）。

陈先生必问道："君何以知道有幽显二界呢？"予曰：证明之方法有二：（一）理论上的证明。夫鬼之存在，已无疑义。假使有显界而无幽界，则鬼必无所栖迟，将如王充所谓"满堂盈庭""填塞巷路"。唯有幽界，故鬼安居乐业，一如吾人，不相妨害。（二）实质上的证明。即搜集种种事实，助以精密之器械，继以正确之试验，可以知除显界外，尚有一幽界（此乃最简单的说明）。夫鬼本为有形无质，故不占空间之位置，更何从自碍、碍人耶？

又说：（四）或云鬼之为物有形而无质耶？夫宇宙间有形无质者，只有二物：一为幻象，一为影像。幻为非有，影则其身亦为非有。鬼既无质，何以知其为实有耶？

此条可简明释之。陈先生谓宇宙间有形无质者，只有幻象与影像。夫幻与影，不过精神的物质上一种之现象耳。若鬼，则纯属精神的，故有形而无质。有质即非鬼矣。

又说：（五）鬼既非质，何以言鬼者每称其衣食男女之事，一如

答陈独秀先生《有鬼论质疑》　　　　　　　　　　　　　　115

物质的人间耶？……

此条又是王充说过的。陈先生是事事主张改良，何必落古人之窠臼？《论衡·订鬼篇》曰：

夫为鬼者人，谓死人之精神。如审鬼者死人之精神，则人见之宜徒见裸袒之形，无为见衣带被服也。何则？衣服无精神，人死与形体俱朽，何以得贯穿之乎？精神本以血气为主，血气常附形体，形体虽朽，精神尚在，能为鬼可也。今衣服，丝絮布帛也，生时血气不附着，而亦自无血气，败朽遂已与形体等，安能自若为衣服之形？

陈先生所说，不过范围稍广，其实不值一驳。《国故论衡》上说道："文德之论，发诸王充《论衡》，杨遵彦依用之，而章学诚窃焉。"可套之曰："鬼之衣服之论，发诸王充《论衡》，范缜依用之，而陈独秀窃焉。"话虽如此，然吾对于幽界衣食男女之事，不主张尽如人间：有相同处，有不相同处。据《鬼语》所载，鬼之衣服，可随意而得。总而言之，吾人今日最急于研究者，在证明有鬼。至幽界衣服男女之事，须待能与鬼以一定之交通后，始得明其真相。

又说：(六)鬼果是灵，与物为二，何以各仍保其物质生存时之声音笑貌乎？

请问先生，何以知鬼之声音笑貌能保其物质生存时之状态？若不之知，骤下一肯定断案，于论理上为不可。夫鬼者，其状貌虽能自现，而发音则必借他物始能闻于人世。如一八四七年美国教徒 John W. Fox 家发生怪音，初尚以为其女所设弄，后经 Crookes、Home、Oliver 诸博士证明确系鬼之敲音，而此音似出自壁间者。故 Creokes 有言曰："Raps and percussive sounds varying in loudness from a mere tick to loud sounds' which appeared to be caused by an unseen intelligent operator." 是鬼之状貌虽能使人见之，而其音则不能使人直接闻之,故不得不假他物也。由是可以知其音貌必不能如吾人。

又说:(七)若谓鬼属灵界,与物殊途,不可以物界之观念推测鬼之有无,而何以今之言鬼者,见其国籍、语言、习俗、衣冠之各别悉若人间耶?……

此与第五、第六两条皆大同小异。我平常最厌那三家村的书呆子,抱着一本书读过竟日,以至老死而百无所成;陈先生何必学那书呆子读法呢?鬼之国籍、语言、习俗、衣冠,乃是幽界之组织。欲知此等组织,今尚未达到时期,只能证明有鬼而已。然由此一步一步地进,不但可知其内部的组织,且可与彼辈交通,此可断言者。陈先生如果寿长,或者还可以享此最新最高尚的幸福,乙玄也愿执鞭其后(按:与鬼交通事,近世已形发达,如传心术、降神术、念写等)。

又说:(八)人若有鬼,一切生物皆应有鬼,而何以今之言鬼者,只见人鬼,不见犬马之鬼耶?……

先生越说越远了。刚才讲过,今日吾人所证明之鬼,乃专指吾人死后,其精神尚能存在。对于动物界,其范围已狭,矧于生物界乎?犬马是否有鬼,吾人尚无以证明之。盖人之精力有限,能与吾人化身之物(鬼)相交通,已属大幸。使犬马有鬼,或为吾人所不见,或见之而不识为何物,此乃研究鬼(广义的)之最后的问题,此时则无暇及之也。吾国古人如墨子分鬼为三种:曰天鬼,曰山水鬼神,曰人鬼。《礼记》所谓"气乃神之盛,魂乃鬼之盛",是接近于广义的鬼说。引而伸之,惜无余福,容后再讲,何如?

吾说既毕,请下一结论曰:鬼之存在,至今日已无丝毫疑义,以言学理,以言实事,以言器械,皆可用以证明之。有反对的只管发表意见,请勿稍存客气。

答陈独秀先生《有鬼论质疑》 117

最后尚有一言。我辈关于学理的辩难，只可从学理上着眼竞争，不可以感情用事。一方可以不伤人谊，一方可以阐明真理。陈先生主无鬼，而我信有鬼，彼此都无妨碍，如六朝时范缜、萧琛等，以"神不灭"与"神灭论"互相辩论，心灵学始得发展于吾国。古人言行可取法的甚多，陈先生若曰"一切古法，非从根本上推翻不可"，则乙玄将以"鬼"之问题暂置他方，与先生以正义相见。

易乙玄

余作《有鬼论质疑》言过简，读者每多误会，承易乙玄君逐条驳斥，使余有申论之机会，感甚感甚。同社友刘叔雅君，别有文难易君，鄙意有未尽者，条列于下：

（1）鄙论原意乃谓：既云鬼形、鬼声可诉诸感官，则无论真幻，均属感觉以内之事，并非科学所不能解释之玄妙也。幻为非有，即有时直接印诸感官而终为非实有，如海市空花是也。真为实有，即有时不能直接印诸感官而终为实有，如微生物等是也。无论真幻，既可直接呈诸感官，胡云非感觉所及非科学所有解耶？灵力之有无且不论，今姑假定其为有，或即以 Energy 当之，亦未有不利用感官而能见闻者（佛说自在通之一境，与基督教之"上帝"，同为未有确证之玄想耳。）。况主张有鬼者明言目见其形，耳闻其语，是所见所闻之对象，与能见能闻之感官，二者具备，则当然为感觉以内之事，科学所能解释也。科学不能解释幻象光学诚闻所未闻。以显微镜观微生物，仍属感觉以内之事，倘其物绝对不能呈诸感官，虽以显＜微＞镜不能见也。易君所举近世心理学者之说，不知出于何人何书？以心脏悸动计等，为证明有鬼之器械，此器械想为易君所发明，与心理学家所用者确非一物也。

(2)鄙论原意乃谓:二元论者谓物界之外,另有灵界。鬼倘有质,则亦物耳。何灵之有?何二元之有?此正攻击二元论者之论界观念,奈何谓我斤斤以物灵二元为说乎?倘信二元论,焉有主张无鬼之理?

(3)易君理论上幽界之证明,及以"鬼之存在,已无疑义"为前提,在论理学上可谓奇谈矣。今之问题,乃以种种方法,证明鬼之有无,若鬼之有质与否,占领空间与否,幽界有无与否,皆方法之一。不图易君竟移尚未确定之断语为前提,以为证明之证明,不知何以自解?至于实质上之证明,易君所谓事实、器械、试验,并一简单之例证而无之。如此证明,不得不叹为稀有也。易君所信之幽界,不知即在此地球,抑在他星球?鬼若有质,似未能越此适彼,来往自由。即令幽界在他星球,而鬼又能来往自由,彼来在此地球时,亦不能不占空间之位置,碍人自碍也。

(4)易君固主张鬼之有形无质者也。"有质即非鬼矣",此见极为明达。鄙论前三条,皆以难"鬼为物质"之说,此不足以难易君而易君实不必加以呵斥也。唯鬼果无质,则所谓有,所谓存在,将等诸天道思想等抽象名词耳;何得组织一幽界,且来往显界,其形其声,使人见闻,而人将与之交通耶?既非物质,又何以有衣食男女之事耶(此义尚望易君详为解答)?

(5)此条质疑,易君一字未答,唯以窃取王充之言见责。夫讨论事理,贵取众材以为归纳式之证明。古人之言,焉足取为标准,以"圣教量"不若"比量"之正确也(参看本号《随感录》)。因此,鬼之有无,《论衡》《鬼语》之言,皆不足为据。鄙人主张无鬼,重在归纳众理,决不取前言以为证也。且王充之意谓鬼若为人死后之精神,衣服无精神,应随人体朽败,不应随鬼再见也。鄙意则谓鬼既

答陈独秀先生《有鬼论质疑》

非质,自无男女衣食之必要。二者论点截然不同,更无所谓"窃取",愿易君再详细一读。

（6）鄙论原意,正以讥讽见鬼者之妄言欺世耳,乃易君反责鄙人妄下肯定断案,可谓粗心之至。易君倘于此能下一否定断案,鄙人固极端赞成,但恐自古迄今能见鬼者,均不欲引君为同调耳。

（7）（8）凡讨论一问题,范围以内之材料,自当广搜博采,期于证明,此归纳法所不拒也。易君对于鄙论之疑点,何以往往不加解答,但以一笼统语抹杀之曰:"何必学书呆子读法呢？""先生越说越远了。"夫学书呆子读法,与鬼之有无有何关系？讨论材料,不厌繁复,只要不出问题之范围,何妨越说越远？鄙论之各条疑问,倘无人完全解答,又何能证明有鬼？易君对鄙论提出疑问之材料,何以不加研究？或云"今尚未达到时期",或云"此乃研究鬼之最后的问题,此时则无暇及之也",而一方面又强谓"鬼之存在,已无疑义","只能证明有鬼而已","鬼之存在,至今日已无丝毫疑义"。乃一考其实;易君所谓有鬼,竟无丝毫之证明。易君所谓"以言学理,以言事实,以言器械,皆可用以证明之",奈何仅有此简单之空言,而不肯详实见教也。倘曰有之,原文具在,读者诸君可以复案也。

易君倘谓鬼之有无,非人间之观念、语言所可解释,"将以此问题暂置他方,与鄙人以正义相见",则立盼明教,幸勿食言。

独秀识　八月一日

（第五卷第二号,一九一八年八月十五日）

难易乙玄君

刘叔雅

陈独秀先生作《有鬼论质疑》，易乙玄君驳之。辨而无征，有乖笃喻，爰作此文，聊欲薄易子之稽疑云尔。

叔雅识

来论云："人之能见鬼形，或闻鬼声者，因富有一种之灵力。……所谓灵力，为先天的、常住的、自存的，Plato 谓之本体，Spinozer 则谓灵物乃本体之属性也。灵力强者与鬼交通易，灵力弱者与鬼交通难。"

难曰：易子之所谓灵力，当即 Intelligence。以记者所知，则 Plato 但谓此为先天的、常住的、自存的，而未尝谓此即世界之本体。且既曰本体，则为智愚长幼所同具，宜人人可以见鬼形、闻鬼声矣，何以能"活见鬼""白日见鬼"者，唯彼少数之巫觋耶？Spinozer 为何国何时人，记者浅陋，诚未之前闻。十七世纪荷兰有哲学家名 Spinosa 者，生于阿姆斯特丹，而著书于海牙，持"宇宙即神"之说，为近世哲学之巨子。然此君所著书，颇持形神一体之说，与唯物论相似，又非主张有鬼者所得假借也。至谓与鬼交通之难易，系于灵力之强弱，说亦难持。何者所谓灵力？即人心之虚灵、睿智聪明，是为圣哲,颛蒙嚚顽,谓之凡器。若如来论,圣贤当皆能见鬼,何以宣、尼谓之"未知",圣人存而不论,而彼"过阴""讨亡""捉鬼""看香头"者,反皆阛之贱丈夫,而崇信之者亦皆乡曲之俗士乎。

来论云:"西洋近虽有以精密器械(如心脏悸动计、电气记录法、压力计等),证明有鬼。……而此超自然之理,则终非科学所能解释,亦如科学之不能诠哲学也。"

难曰:以心脏悸动计、电气记录法、压力计等器械证明有鬼之说,已极虚诞。今姑认此为事实,然鬼既可用器械证明,则其为有形有质无疑。其有重量、占空间,亦必与其他物质无异。是易子之所谓鬼者,殆化学上原质之一种。是鬼之为物,当供自然科学家之研究,不得谓非科学所能解释也。至"科学不能诠哲学"一语,易子不解哲学之铁证。坊间 Introduction to philosophy 甚多,易子任意购一二种读之,自知此说之谬,记者不必徒烦翰墨也。

来论云:"……而犹斤斤以物灵二元为说者,是不明本体与现象之别。康德不云乎,物之自身与现象炯然有别,不可不辨。Platon 亦分思想界与个物界。盖向来持二元论,往往不明是理,吾于陈先生何尤。"

难曰:陈先生固非主张二元论者,易子试取《新青年》原文平心重读一遍自知。而记者细玩来论,易子则似主张一元论者,今斯真人大惑不解矣。一元论主张形即神、神即形,范缜之《神灭论》即其代表。易子既思以哲学话头装点有鬼论,不去找 Aristotle, Descartes, Leibnitz,(三子之说,虽不一致,共主张灵质分途则同。)而反似主张 Psychophysical Parallelism,又力评二元论之短,何其倒也。

来论云:我著有《心灵学》一书,其中有驳他此文(指《论衡·订鬼篇》)的一段,今照录如下:

充此论更为不值,谓人死为鬼,则道路之上一步一鬼也。此所谓道路,不知何指。为显界之道路耶?为幽界之道路耶?其界说殊不明了。且鬼若盈于道路,而又为王充所见,则是非鬼乃人,以王充不信有鬼也。即使为鬼,王充见之,又不得谓为无鬼也。充不知人所居者为显界;鬼所居者尚别有一界名幽界。(幽显二字,不过吾人假以名。)此幽界者,永非吾人生时所能见,然抑或见之,而死则必在其中。鬼之于显界也亦然。吾前既云:鬼死为人,人死为鬼。今不见显界有人满之患,又安知幽界有鬼满之患耶?夫人之见鬼者,为富有灵媒力,病者偶感此力,则亦可见鬼。今幽界既无鬼满之患,则见一二鬼亦宜矣(原论"一二人"之"人"字,疑有误,应做"鬼"字,否则充尚不明人鬼之辨)。

难曰:易子之所谓幽界者,不知究在何处?谓其即在宇宙之中耶,则吾人生时何以不能见之?谓其在宇宙之外耶,则六合之外,圣人存而不论,哲学家谓其超出吾人认识范围之外,易子又何从而知之?且道路者,因吾人为空间所限,为物质所碍,乃不得不有此耳。至鬼则超越空间、时间,何必有道路乎?又"此幽界者,永非吾人生时所能见,然抑或见之"一句,文法、论理两欠妥当,请自修正,无待记者费辞。"人死为鬼,鬼死为人"之说,则尤虚诞。若如来论,必幽显二界人口数适相符合,不增不减,乃为合理。今地球人口日增,易子虽未见有人满之患,而欧西学者已深以为忧,委务积神,以谋补救。显界人口日增,即幽界人口日减,长此不已,有鬼亦终归无鬼而已。易子上文既云人之见鬼,因富有一种之灵力,今又云人之见鬼者,为富有灵媒力。灵力与灵媒力,是一是二?此力既为人所固有,何以必病者乃能感受？呜呼,易子今日已在二十世纪科学昌明之世矣,此种病的现象,心理学、医学皆有明确之说明矣。

来论云:"证明有幽显二界之方法有二:(一)理论上的证明。夫鬼之存在,已无疑义。假使有鬼界而无幽界,则鬼必无所栖迟,将如王充所谓'满堂盈庭''填塞巷路'。唯有幽界,故鬼故居乐业,一如吾人,不相妨害。(二)实质上的证明。即搜集种种事实,助以精密之器械,继以正确之试验,可以知除显界外,尚有一幽界(此乃最单简的说明)。夫鬼本为有形无质,故不占空间之位置,更何从自碍、碍人耶。"

难曰:易子之理论上的证明,所谓"鬼之存在,已无疑义",所谓"假使无幽界,将满堂盈庭,填塞巷路",皆毫无凭据,不但不能证明幽界,其本身尚待证明。此等架空之从肌言,姑且勿论。其最有力者,为实质上的证明耳。所谓"搜集种种事实""助以精密之器械""继以正确之试验"者,可谓完全科学的研究法,使用此法而能证明鬼之存在,孰敢不信？然事实之是否真确,鬼之是否可用器械证明,试验是否确实尚属疑问。若以闾巷之传说为事实,则《聊斋志异》《子不语》《阅微草堂笔记》皆可为证。若以载籍往事为事实,则杜伯挟矢、子仪荷杖、袜子举揖、伯有被介,皆可为证。若即以易子所谓压力计、电气记录计、心脏悸动计为精密器械,则世之化学物理试验室、心理实验室等,皆成鬼试验室。自然科学家何以日用而不知？至试验之正确与否,则尤难言。记者不敏,敢以一事为易子告:有心理学名家达威氏(Davey)者,招英国硕学瓦来士(Wallace,为动物学名家,与达尔文齐名)等诸学者来会,当众演降灵术、活见鬼、扶乩等把戏。先使诸学者检验器具,加以封印。演时鬼怪毕现,警心骇目,诸学者欢喜赞叹,信为实有。演毕,达威向(诸学者)索证明书,诸学者与之。有"如斯之现象,唯超自然之方法乃能表现"之语。达威既得证书,乃从容告明此皆市上眩人所用极简单之手法,诸学者大惭。此事载在《心理学年报》(Annal esdessciences psychique),而法国硕学鲁本氏(Gustavele bon)所著《群众心理学》第二章第二节征引之。斯真确凿可信之事实也。易子之科学的研究法,恐亦徒为达威氏笑而已。

来论云:"陈先生谓宇宙间有形无质者,只有幻象与影像。夫幻与影,不过精神的物质上一种之现象耳。若鬼,则纯属精神的。故有形而无质,有质即非鬼矣。"

难曰:"精神的物质"作何解?物质的物质又如何?

来论云:"陈先生所说鬼'既非有质,何以言鬼者每称其衣食男女之事,一如物质的人间耶'。此条较之王充所说,不过范围稍广,其实不值一驳。然吾对于幽界衣食男女之事,不主张尽如人间:有相同处,有不相同处。据《鬼语》所载,鬼之衣服可随意而得。总而言之,吾人今日最急于研究者,在证明有鬼。至幽界衣服男女之事,须待能与鬼以一定之交通后,始得明其真相。"

难曰:陈先生之说与王充《订鬼篇》之文,何以不值一驳?易子又何妨试一驳之?《鬼语》也是书,《论衡》也是书。王充为东汉鸿儒,其思想学识,不特为中夏古代所稀见,即欧洲近世亦鲜其俦匹。易子因《鬼语》是如此说,以为《论衡》即可不攻自破。试问《鬼语》是否圣书?其一句一字皆绝对真理耶?昔秦之焚书也,非秦籍皆烧之。撒拉逊人之焚亚历山大埠图书馆也,非回籍皆烧之。充易子之意,凡非鬼书,皆在可焚之例。呜呼,易子思想如是,吾又何必辩哉!

来论云:"请问先生,何以知鬼之声音笑貌能保其物质生存时之状态？若不之知，骤下一肯定断案，于论理上为不可。夫鬼者，其状貌虽能自现，而发音则必借他物始能闻于人世。……其音貌必不能如吾人。"

难曰：易子虽明有鬼，而体魄不与众同，谓其音貌不同于吾人。然世之言鬼者，则多谓其能保其物质的生存时之笑貌，故陈先生有此疑问。如易子之说是，则自来说鬼之书，必皆凭空虚造无疑，易子即不能引以为据，奈何上文又引《鬼语》乎？韩非子曰："无参验而必之者，愚也。弗能必而据之者，诬也。"显学易子非愚即诬耳。

呜呼！八表同昏，天地既闭。国人对现世界绝望灰心，乃相率而逃于鬼。有鬼做鬼编而报资不收冥镪之杂志，有苟墨降灵而诗文能作近体之乩坛。害之所极，足以阻科学之进步、堕民族之精神。此士君子所不可忽视，谋国者所当深省者也。韩非子曰："用时日事鬼神，信卜筮，而好祭祀者，可亡也。"前者吾国亡征毕备，唯未有此。今既具焉，亡其无日矣。

又易子既主张有鬼，又颇欲假借西洋学者之言以文饰己说，则请勿拉扯柏拉图、斯宾挪莎诸公。英国巴敏拿姆大学校长罗的博士所著《死后之生存》及比国文豪梅特尔林克氏所著《死后若何》二书，尚可一读。斯二子皆西洋人之主张有鬼者，其言亦较有价值也。

（第五卷第二号，一九一八年八月十五日）

"作揖主义"

刘半农

有位尹先生,是我一个畏友。他与我们谈天,常说,生平服膺"红老之学","红"就是《红楼梦》;"老"就是《老子》。这"红老之学"的主旨,简便些说,就是无论什么事,都听其自然。听其自然又是怎么样呢?尹先生说:"譬如有人骂我,我们不必还骂,他一面在那里大声疾呼地骂人,一面就是他打他自己。我们在旁边看看,也很好,何必费着气力去还骂他?又如有一只狗,要咬我们,我们不必打他,只是避开了就算,将来有两只狗碰了头,他们自然会互咬起来。所以我们做事,只须抬起了头,向前直进,不必在这'抬头直进'四个字以外,再管什么闲事。这就叫做听其自然,也就是'红老之学'的精神。"

我想这一番话,很有些同 Tolstoy 的"不抵抗主义"相像,不过尹先生换了个"红老之学"的游戏名词罢了。

"不抵抗主义",我向来很赞成,不过因为他有些偏于消极,不敢实行。现在一想,这个见解实在是大谬,为什么?因为"不抵抗主义"面子上是消极,骨底是最经济的积极。我们要办事有成效,

"作揖主义"

假使不实行这主义,就免不了消费精神于无用之地。我们要保存精神,在正当的地方用,就不得不在可以不必的地方节省些,这就是以消极为积极;没有消极,就没有积极。既如此,我也要用些游戏笔墨,造出一个"作揖主义"的新名词来。

"作揖主义"是什么呢?请听我说:

譬如朝晨起来,来的第一客,是位前清遗老。他拖了辫子,弯腰曲背走进来,见了我,把眼镜一摘,拱拱手说:"你看!现在是世界不是世界了,乱臣贼子,遍于国中。欲求天下太平,非请宣统爷正位不可。"我急忙向他作了个揖说,"老先生说的话,很对很对。领教了,再会吧!"

第二客,是个孔教会会长。他穿了白洋布做的"深衣",古颜道貌地走进来,向我说,"孔子之道,如日月经天,江河行地。现在我们中国,正是四维不张,国将灭亡的时候;倘不提倡孔教,昌明孔道,就不免为印度、波兰之续。"我急忙向他作了个揖,说,"老先生说的话,很对很对。领教了,再会吧。"

第三客,是位京官老爷。他衣裳楚楚,一摆一踱地走进来,向我说:"人的根,就是丹田。要讲卫生,就要讲丹田的卫生;要讲丹田的卫生,就要讲静坐。你要晓得,这种内功,常做了,可以成仙的呢!"我急忙向他作了个揖,说,"老先生说的话,很对很对。领教了,再会吧!"

第四、五客,是一位北京的评剧家和一位上海的评剧家,手携着手同来的。没有见面,便听见一阵"梅郎""老谭"的声音。见了面,北京的评剧家:"打把子有古代战术的遗意,脸谱是画在脸孔上的图案,所以旧戏是中国文学美术的结晶体。"上海的评剧家说:"这话说得不错呀!我们中国人,何必要看外国戏,中国戏自有好处,何必去学什么外国戏?你看这篇文章,就是这一位方家所赏识的;外国戏里,也有这样的好处么?"他说到"方家"二字,翘了一个大拇指,指着北京的评剧家,随手拿出一张《公言报》,递给我看。我一看那篇文章,题目是"佳哉梦也"四个字,我急忙向两人各各作了一个揖,说,"两位老先生说的话,很对很对。领教了,再会吧!"

第六客,是个玄之又玄的鬼学家。他未进门,便觉得阴风惨惨,阴气逼人。见了面,他说:"鬼之存在,至今日已无丝毫疑义。为什么呢?因为人所居者为显界,鬼所居者,尚别有一界,名"幽界"。我们从理论上去证明他,是鬼之存在,已无疑义。从实质上去证明他,是搜集种种事实,助以精密之器械,继以正确之试验,可知除显界外,尚有一幽界。"我急忙向他作了个揖,说,"老先生说的话,很对很对。领教了,再会吧!"

末了一位客,是王敬轩先生。他的说话最多,洋洋洒洒,一连谈了一点多钟。把"中学为体,西学为用"八个字,发挥得详尽无遗,异常透彻。我屏息静气听完了,也是照例向他作了个揖说,"老先生的话,很对很对。领教了,再会吧!"

如此东也一个揖,西也一个揖,把这一班老伯、老叔、仁兄大人送完了,我仍旧做我的我。要办事,还是办我的事,要有主张,还仍旧是我的主张。这不过忙了两只手,比用尽了心思脑力唇焦舌敝的同他辩驳,不省事得许多么?

何以我要如此呢?

因为我想到前清末年,官与革党两方面:官要尊王,革党要排满;官说革党是"匪",革党说官是"奴"。这样的牛头不对马嘴,若是双方辩论起来,便到地老天荒,恐怕大家还都是个"缠夹二先生",断断不能有什么谁是谁非的分晓。所以为官计,不如少说闲话,切切实实想些方法去捉革党;为革党计,也不如少说闲话,切切实实想些方法去革命。这不是一刀两断,最经济最爽快的办法么?

我们对于我们的主张,在实行一方面,尚未能尽到相当的职务。自己想想,颇觉惭愧。不料一般社会的神经过敏,竟把我们看得像洪水猛兽一般。既是如此,我们感激之余,何妨自贬声价,处于"匪"的地位,却把一般社会的身价抬高,——这是一般社会心目中之所谓高——请他处于"官"的地位? 自此以后,你做你的官,我做我的匪。要是做官的做了文章,说什么"有一班乱骂派读书人,其狂妄乃出人意表。所垂训于后学者,曰不虚心,曰乱说,曰轻薄,曰破坏,凡此恶德,有一于此,即足为研究学问之障,而况兼备之耶?"我们看了,非但不还骂,不与他辩,而且要像我们江阴人所说的"乡下人看告示,奉送他'一片大道理'五个字。"为什么? 因为他们本来是官,这些话说,本来是"出示晓谕"以下,"右仰通知"以上应有的文章。

到将来,不幸而竟有一天,做官的诸位老爷们额手相庆曰,谢天谢天,现在是好了。洪水猛兽,已一律肃清,再没有什么后生小子,要用夷变夏,蔑污我神州四千年古国的文明了。

那时候,我们自然无话可说,只得像北京刮大风时,坐在胶皮车上一样,一壁叹气,一壁把无限的痛苦尽量咽到肚子里去;或者竟带了这种痛苦,埋入黄土,做蝼蚁们的食料。

万一的万一竟有一天变作了我们的"一千九百一十一年十月十日"了,那么,我一定是个最灵验的预言家,我说——那时的官老爷,断断不再说今天的官话,却要说"我是几十年前就提倡新文明的,从前陈独秀、胡适之、陶孟和、周启明、唐元期、钱玄同、刘半农诸先生办《新青年》时,自以为得风气之先,其实我的新思想,还远比他们发生得早咧！"到了那个时候，我又怎么样呢？我想一千九百一十一年以后，自称"老同盟"的很多，真正的"老同盟"，也没有方法拒绝这班新牌"老同盟"。所以我到那时，还是实行"作揖主义"，他们来一个我就作一个揖，说"欢迎！欢迎！欢迎新文明的先觉！"

　　半农发明这个"作揖主义"，玄同绝对的赞成；以后见了他们诸公，也要实行这个主义。因为照此办法，在我们一方面，可以把宝贵的气力和时间不浪费于无益的争辩，专门来提倡除旧布新的主义；在他们诸公一方面，少听几句逆耳之言，庶几宁神静虑，克享遐龄，可以受《褒扬条例》第九款的优待，这实在是两利的办法。至于到了"万一的万一"那一天，他们诸公自称为新文明的先觉，是一定的；我们开会欢迎新文明的先觉，是对于老前辈应尽的敬礼，那更是应该的。

玄同附记

（第五卷第五号，一九一八年十月十五日）

"恭贺新禧"

陈大齐

今天是大年初一,各处衙门的门口都扎起了一座彩牌楼,红红绿绿的很好看。大街上的店铺里,懒洋洋地挂着国旗,好像含着一种不得已的苦衷。朋友们的"恭贺新禧"帖子已经从四五日以前陆续送来了——依了一等邮政局的通告,特别标明"元旦投递"的,也在元旦的两日前递到了——我也手忙脚乱地捡那递来的贺帖,预备写帖子去回贺。我在这个时候,忽然心里起了一个疑问,又起了一个改良的念头。疑问是:我们为什么要贺新年?贺新年是有意义的事情吗?改良的念头是:何不废了贺年的礼节,改做别的有意义的礼节呢?

我对于我的疑问,细想了一回,觉得只有一个消极的回答说:贺新年是没有什么意思的。地球在太阳的周围,一刻不停地,遵了那椭圆的轨道,在那里走;并不是有一个起点非拿他当做一年的元旦不可的,也并没有一个终点非拿他当做一年的除夕不可的。不过我们任意选定一天,当它一年的第一日;等到地球下一次又走到轨道上这一点时,便拿它当做第二年的第一日。今天是民国八年的元旦,那班讲"夏正"的先生们定要说他是戊午年十一月三十日,自然是没有道理；若说他是必然的元旦，断断乎不能把他改做十二月一日、二月一日或别的日子，似乎也欠通。要晓得地球的运行，本来没有始终，所以并没有天然注定的元旦。我们拿了"六月六、狗生日"来做元旦，也未尝不可以的。我们任意选定了一天当做元旦，便互相恭贺起来，似乎也太没意义了！即使有天然注定的元旦，这也不过是一种自然的现象，对于人生毫无意义，有什么可贺的价值？假使有可贺的价值，则"野日头吃家日头"的时候，衙门的大堂上冬冬地敲起鼓来，也是极有意义、极有价值了。无论元旦是任意选定的，或是天然注定的，总而言之，没有可贺的情节。我们花了钱买帖子来"恭贺新禧"，见了面，还要拱拱手，说："恭喜恭喜"，到底我们所喜的是什么呀？"恭贺新禧"不过是社会上一种习惯，随俗贺贺，原没有什么害处，不过费了精神做这样没意义的事情，似乎也大可不必。所以我的意思：我们很可废去这贺年的礼节。但是一年之中，没有一次写帖子恭贺，见了面说"恭喜"，大家热闹热闹的机会，人生也太索然寡味了。所以我想废了那无意义的恭贺，去找一桩有意义的恭贺来代。一年之中，在我们中国人的生活上看起来，比那元旦有可贺价值的日子也有好几天，其中最该恭贺最该纪念的日子，我以为就是十月十日。

民国前一年的十月十日不是我们中华民国的国民第一天抬起头来做人的日子吗？我们几千年来的国民，虽然有了人的身体，却没有人的资格。被独夫杀了，还要说"臣罪当诛"；被独夫奸淫了，还要说"天恩高厚"；被古人闭塞了聪明，还要说"道贯古今"。做皇帝的奴隶，做家庭的奴隶，做古人的奴隶；层层的奴隶，真是暗无天日。到了民国前一年的十月十日那一天，武昌起了革命，虽没有把层层的奴隶完全摆脱了，却因此生出一种觉悟来：从此不做奴隶了，要做人了——这一天实在可以算得我们国民更生的日子，或是做人的生日。从民国建设到如今，足足地过了七年有零，虽然是积重难返，依旧做皇帝——名称自然已经换了——家庭、古人的奴隶，但是自觉的萌芽已经出了，从此培养起来，便有做人的希望了。正如一个小孩子初出娘胎，虽然还没有成人，却已有了成人的希望。我们中华民国的国民做了几千年奴隶，到了民国前一年的十月十日得了一个抬头做人的机会，从此可以希望过幸福的日子，那一天不是我们国民最可乐的一个日子吗？但是现在的国民明白这可乐日子的，能有几人？所以我们总须想法把这可乐的日子印到一般国民的脑里去，才好。况且这做人的萌芽成立才七年，整日的风吹雨打，两三次几乎没性命，现在虽然还吊住一口气，早已是奄奄一息的了。所以我们更应该把这可乐的日子印到一般国民的脑里去，使他们知道双十节是最可乐，做人的萌芽是最可宝贵，好让大家齐心努力培养这萌芽，使子孙将来得享做人的幸福，不要被风雨把这初出的萌芽蹧蹋了。我们个人遇到了生日，也要买几条面来吃吃，表表祝贺的意思；那有钱有势的人还要唱一台戏，请一天客；难道我们国民全体最该宝贵最该纪念的生日，不该大大地祝贺吗？这种祝贺，对于人生极有意义，不是贺新年那样礼节可比的。

　　现在每遇双十节的时候，衙门的门口虽也懒洋洋地扎一座牌楼，商家得了警厅的命令，虽也挂几面国旗；但是这种点缀，我以为还不能把双十节可乐的价值完全表出，并且不是一种普遍的祝贺，所以也不能把可乐的价值印到一般国民的脑里去。中国人最快乐的日子要算是新年，我想把新年的快乐移到双十节去，岂不是把无意义的快乐变成了有意义的快乐吗？所以我主张：辞岁的改在十月九日夜里辞奴隶；请年酒的改在十月十日请共和酒；小孩子买花炮放，也在这一天；店里的学徒戴了新帽子，穿了新鞋子，摇摇摆摆游市场，也在这一天；写了帖子大家恭贺，也在这一天；见了面，拱拱手，说："恭喜恭喜"，也在这一天……大大小小，男男女女，大家乐一天，使大家心里也略略想道：今天是国民第一天做人的纪念日，所以可乐。我这个意见，不知道有人赞成吗？凡事初创的时候，一定不能通行，只要有人提倡，慢慢地风行起来，未尝不可以变成一种习惯。倘然有人赞成，我们便首先实行，从今年的双十节起，写个帖子，大家恭贺共和幸福，好吗？

百年要把一月一日的祝贺新年废止，改为十月十日祝贺中国国民做"人"的纪念；这个意思，玄同甚为赞成。原来三百六十五日算一年，每年有个第一日，这不过为人事计算的便利而设；这个年初一，实在没有可以纪念、该配祝贺的理由。有人说，我们民国国民，应该和那些遗老遗少不同；现在是我们的民国八年一月一日，不是他们的夏正戊午年——或宣统十年——十一月三十日；我们遇到自己的正朔，应该特别喜欢，所以要祝贺。我以为这话似新实旧。要知道"改正朔"这件事，是那独夫民贼的野蛮礼制。民国改历，是因为阴历不便计算，不便应用，我们为改良起见，所以用世界公用的文明阳历。这阳历并非中华民国所专有，不过改历之初，只改月日，那年却用民国来纪，没有改从世界公历纪年。暂时用民国来纪年，原也没有什么妨碍，我们也大可承认；——阳历置闰之年，要用公历纪年来计算，所以公历的年月日是一贯的东西；民国将来如能改用公历纪年，那就更便利了。若从中华民国自身说，它是公历一九一一年十月十日产生的，那一日才是中华民国的真纪元。就中国而论，这日是国民做"人"的第一日；就世界而论，这日是人类全体中有四万万人脱离奴籍,独立做"人"的一个纪念日。这真是我们应该欢喜、应该祝贺的日子。

想到这里,联想及于民国历书上所谓"春节,夏节,秋节,冬节",这真是荒谬绝伦的规定。那春节就是阴历元旦,夏节是阴历端午,秋节是阴历中秋,再拉上一个和阴历全不相干的冬至,叫他冬节——如此凑成四节,真可谓不伦不类。你想,民国既然改用阳历,则阴历当然是要消灭的;民间一时仍旧沿用,政府便该劝告他、阻止他的;现在反来推波助澜,把阴历的元旦、端午、中秋定为节日,那就是自己暗中取消阳历。这种心理,和袁世凯身为民国总统,要造反做皇帝,有什么两样?至于冬至,虽是天然的节气,却就是百年所说的,"这也不过是一种自然的现象,对于人生,毫无意义,有什么可贺的价值?"所以我说规定这四个节日是荒谬绝伦。若说一年之中要有几个规定的日子快乐快乐,则除十月十日外,最有价值的就是一九一五年十二月二十五日,那日是中国国民第二次脱离奴籍,抬头做"人"的纪念;此外的一九一二年一月一日的共和政府成立,同年二月十二日的皇位推翻,也是可以纪念的;就是一九一七年七月十二日京津一带除下龙旗,再挂五色旗,也可以算做一种纪念。

以上几种纪念日,虽然大小不同,总比拿阴历的元旦、端午、中秋和自然现象的冬至来做节日,要有价值得多了。

但是退一步想:这阳历过年,挂挂国旗,写写贺年帖子,说说"恭喜恭喜",也可以使那一班现用阴历的国民知道民国改用公历已经实行;所以也不能算全无用处。但是这种用处,是一时的。再过几年之后,国民渐知阳历比阴历要便利,改用阳历的人一天多似一天;那些遗老遗少渐渐死尽,不能复为祸祟,什么"夏正""夏历"

的鬼话,没有人讲了,到那时候,这公历岁首的"恭贺新禧"帖子,真正觉得没有一点意思了。

公历一九一九年一月三日　玄同附记

（第六卷第一号,一九一九年一月十五日）

本志罪案之答辩书

陈独秀

本志经过三年，发行已满三十册；所说的都是极平常的话，社会上却大惊小怪，八面非难，那旧人物是不用说了，就是刮刮叫的青年学生，也把《新青年》看做一种邪说，怪物，离经叛道的异端，非圣无法的叛逆。本志同人，实在是惭愧得很；对于吾国革新的希望，不禁抱了无限悲观。

社会上非难本志的人，约分二种：一是爱护本志的，一是反对本志的。这第一种人对于本志的主张，原有几分赞成，唯看见本志上偶然指斥那世界公认的废物，便不必细说理由，措词又未装出绅士的腔调，恐怕本志因此在社会上减了信用。像这种反对，本志同人，是应该感谢他们的好意。

这第二种人对于本志的主张，是根本上立在反对的地位了。他们所非难本志的，无非是破坏孔教、破坏礼法、破坏国粹、破坏贞节、破坏旧伦理（忠、孝、节）、破坏旧艺术（中国戏）、破坏旧宗教（鬼神）、破坏旧文学、破坏旧政治（特权人治）这几条罪案。

这几条罪案，本社同人当然直认不讳。但是追本溯源，本志同人本来无罪，只因为拥护那德莫克拉西（Democracy）和赛因斯（Science）两位先生，才犯了这几条滔天的大罪。要拥护那德先生，便不得不反对孔教、礼法、贞节、旧伦理、旧政治。要拥护那赛先生，便不得不反对旧艺术、旧宗教。要拥护德先生又要拥护赛先生，便不得不反对国粹和旧文学。大家平心细想，本志除了拥护德赛两先生之外，还有别项罪案没有呢？若是没有，请你们不用专门非难本志，要有气力有胆量来反对德赛两先生，才算是好汉，才算是根本的办法。

　　社会上最反对的，是钱玄同先生废汉文的主张。钱先生是中国文字音韵学的专家，岂不知道语言文字自然进化的道理（我以为只有这一个理由可以反对钱先生）？他只因为自古以来汉文的书籍，几乎每本每页每行，都带着反对德、赛两先生的臭味；又碰着许多老少汉学大家，开口一个国粹，闭口一个古说，不啻声明汉学是德、赛两先生天造地设的对头；他愤极了才发出这种激切的议论。像钱先生这种用石条压驼背的医法，本志同人多半是不大赞成的。但是社会上有一班人，因此怒骂他，讥笑他，却不肯发表意思和他辩驳，这又是什么道理呢？难道你们能断定汉文是永远没有废去的日子吗？

　　西洋人因为拥护德、赛两先生，闹了多少事，流了多少血，德、赛两先生才渐渐从黑暗中把他们救出，引到光明世界。我们现在认定只有这两位先生，可以救治中国政治上、道德上、学术上、思想上一切的黑暗。若因为拥护这两位先生，一切政府的迫压，社会的攻击笑骂，就是断头流血，都不推辞。

　　此时正是我们中国用德先生的意思废了君主第八年的开始，所以我要写出本志得罪社会的原由，布告天下。

（第六卷第一号，一九一九年一月十五日）

论自杀

陶履恭

桂林梁巨川先生因为中国的"国性"已经沦丧,没有立国的根本,打定主意要用自杀的手段,唤起国民。他蓄志好几年,一直到去年十月四日才有机会实行他的志愿。他留下了许多的著作,我所读过的是《敬告世人书》①和给亲朋家族的遗书,都是说明自杀的理由。那《敬告世人书》里边已经预想到将来一定有人评论他的自杀:有大骂的,有大笑的,有百思不解的,有极口夸奖但是不知道他的心的。现在梁先生已经死了,我们不应该笑骂——笑骂是不合理的举动,平心静气说理的人没有用笑骂做辩论的——更不必夸奖,夸奖给谁听呢?但是我们要明白他自杀的理由。我仔细读了他的著作,觉着他的死是根本于两种误谬的理想。那是不可不解释清楚的。

第一样是拿清朝当做国家。梁先生之自杀自称为殉清,拿清朝当做几千年的文化。他说"我为满朝遗臣,故效忠于清",并且拿民国之人当效忠于民国做比拟。民国之人所效忠的是民国,不是民国的政府。政府不过是人民的一个政治机关,无论他是清朝或是民国的,一个人绝不能为人民的政治机关殉死的,这是政治上的常识。因为东方人习于孔孟的政治哲学，伏在专制政体下长久了，所以把政府和国家的区别都分不清。观念不清，竟至误送性命，够怎样的危险啊！本志向来对于陈旧思想不遗余力地攻击的缘故也正是深知观念不清的弊病比洪水猛兽的祸害还凶烈呢。

他的政治观念可批评之点差不多句句都是。我以为这是他受了遗传、教育、环境所限制，应该原谅，不关本题，毋庸详细讨论。前节所述已足够了。那第二种误谬思想是以为自杀可以唤醒世人。

这是一个道德问题，也是一个社会问题，我们要稍为详细讨论。讨论分为两层，第一层，自杀是否合乎道德；第二层，自杀是否有效于社会。

自杀是一种社会现象。据社会学者之研究，除了几种低文化民族（例如南美火国之耶干人 yahgans、安达曼岛人和澳洲的几种蛮族）不晓得自杀的以外，这种现象不问社会之文野大概是普遍的[②]。自杀虽然可称为普遍的现象，但是自杀之原因，在各民族里却又不同。低级文化民族自杀之原因有许多种，例如疾病、老年、嫉妒、殇儿、夫死、妻死、凌虐、刑罚、悔恨、仇恨等等都可以产出自杀来。这些种原因在每个社会里都有，因为人生是受种种自然的社会的限制，现在的社会也没有完全的；生老病死之苦痛，爱恨悲悔之情绪，是人人所不能免的。但是绝不能每个人都因为这些种感情情绪去把自己的生命断绝。这是什么缘故呢？自杀之盛否要看那社会里的制度、信仰和自杀者个人的观念如何。印度重女子侍夫，所以寡妇把自己焚化（Sati）。日本推重武士道，所以流行"腹切"（harakiri）。中国重名节，所以女子殉夫；受了污辱，更要上吊跳井；以先重忠君，所以历史上才有殉节的忠臣烈士。这都是因为社会不反对自杀,并且奖励自杀(例如建昭忠祠、烈女牌坊、旌表节烈等方法。昔印度寡妇焚化,有许多亲友协助一切)。一个人遇见了可死的条件,发了这个决心,自然要自杀的。

欧美信奉耶教的民族反对自杀、防范自杀的法律极严,但是他们的社会各级制度也不完全,每年也有许多人为饥寒所迫或为洗白名誉竟至趋于自杀的。现在所论的都假定是心理健全的人,每年自杀者有一大部分是心理有残疾的,我们且不必去论他。

自杀是否合乎道德,要视社会态度的向背为转移。社会的态度是根据著历史传来的习惯和宗教家、哲学家、道德家的教训的。古希腊、罗马对于自杀未尝反对,且认为名誉。司脱阿派(the Stoics)且以自杀为万有苦痛之解脱。反对自杀最力的是后世的基督教徒。圣僧奥格斯丁(St. Augustine)说受污辱的女子不应该自杀。因为贞洁是心理的德行,失身不是出诸本心,并不得算为失节。(这个道理用现在眼光看起来,理由甚充足。不过奥格斯丁所说是根据于耶教经典,人不该自戕其生。现在的说法是男女的道德标准应该一样。女子受男子的污辱便去寻死以保贞洁,那污辱女子的男子,毁了自己的贞洁,更妨害旁人的贞洁,又应该怎么样呢?)哲学家脱玛阿坤(Thomas Apuinas)说自杀有三不当:(1)好生恶死是人的自然倾向,自杀乃背乎这自然倾向,所以是罪孽。(2)各人都是社会里的一分子,自杀乃有害于社会。(3)生命是上帝所赐,生杀之权操诸上帝,人不该干涉。这种观念流传到近世,势力极大。欧洲后代立法如没收自杀者财产,处罚那自杀未遂的,都是受了教会的影响。所以厌恶自杀是一般的风气。后来哲学家反抗这种教会的人生观,提倡个人的自由意志,才渐渐地把旧观念打破。法国的曼泰因(Montaigne)、孟德斯鸠、福禄特尔都说政府不应该苛待自杀者。福禄特尔说假使自杀是有害于社会,那各国法律所认可的战争,屠杀生灵又怎么样呢？英国哲学家休谟(David Hum)论得最透彻：

假使我有能力可以移转尼罗河的流域不算为罪,为什么我使几磅的血脱离了他所行的自然的路会算一种罪呢？假使处置人的生命完全属于上帝,人类处置自己的生命是侵害他的权利,人要是延长上帝用自然的通则所限定的生命年限岂不也是错了么……假使我已经没有力量为社会造福,假使我或为社会之累,假使我的生命妨害旁人致力于社会,如此,则抛弃我的生命不只是无辜,并且是可以称赞的。(《休谟文集·自杀篇》)

德国的康德、费希特、黑格尔又都根据个人的哲学不赞成自杀。所以只就欧洲文化里考察关于自杀的态度,各时代已不相同,各人的主张也不全相一致。但是近来思想的倾向都是脱离教会派的羁绊,休谟的论调颇可以代表唯理派的意见。自杀纯然是个人的行为,不能下伦理的判断,褒贬这个行为的。假使一个人心中含有极端之苦痛,无限之悲愁,想要脱离尘世,解脱一切,把生命断送了；我们对于自杀者应该承认他的自由,不必评论他。从社会方面看起来自杀又是一个社会问题。

自杀的结果是损失一个生命,并且使死者之亲族限于穷困。自杀影响是及于社会的,所以是一个极重要的问题。我们对于自杀行为自身虽然不必下判断,但是就社会学者之眼光,我们要研究自杀之原因及其范围的。

按上边所说的道理推论,梁先生之自杀,本无所谓合乎道德与否。不过东方人对于自杀与西方不同,向来是容让并且奖励这个自由的。只就中国说,孔子的伦理学说是除去"匹夫、匹妇"之自杀,并没有加以指责。后世儒家一派的伦理对于殉国——实在是殉皇室——的忠臣,殉夫的节妇,殉贞洁——片面的贞洁,因为身体的一部分接触了不正当的外物,就把身体全部分的机能都毁坏,这就是妇人的贞洁——烈女,都竭力地奖励、颂扬。道德家、史学家更拿殉国、殉夫、殉贞洁三种事觇验一代之气风。历史、志书都特别记载这忠臣烈妇的事迹。积久竟把这种自杀变成一种形式的道德。形式主义之害,在文学上、在戏剧上、在美术上,已经极烈,在道德上更是一时不能容的。形式主义的道德只有因袭从俗,没有独立选择,所以是奴隶的道德。倘使一个人有一种觉悟,具彻底之人生观,觉得万事皆不如一死为道,这是个人的行为;正如我上边所说的,无道德之可言。倘使把殉节看做一种道德的型(type),那亡国大夫、寡妇和被奸污的女子都应该模仿,并且受世上的褒奖,这就是形式主义的道德,我们是绝对的反对的。倘使道德家再拿名分来做这种道德的后援——什么天经地义,什么君为臣纲、夫为妇纲,什么烈女不事二夫——那更是要极端地反对的。最摧残个人道德的就是把行为变成了一定方式,又拿古圣先贤的言语做那方式的后盾。这种合乎方式的行为并不是无道德之可言,实在是极不道德的。我读梁先生的文章,觉得他自杀是由于彻底觉悟之自杀,不是那遵循方式的自杀,所以他的行为,是无所谓合乎道德与否的。

自杀果能于社会上有益么?上边说过的,自杀既损害性命并且剩下了孤儿寡妇当然是有害的。但是梁先生自己深信自杀可以唤起国民的爱国心。我想这是一种误谬的观念,不可不辩解的。

什么是爱国心呢？所爱的国是什么呢？国是一个抽象的名词，原来没有什么可爱。我们所爱的是同在这个抽象名称里头的生灵。但是这亿万的生灵也没有什么可爱，不过因为他们与我有共同的利害关系，所以应该互相友爱。"爱国心"这个名词常用为骗人的口头禅：君主用他保护皇室，帝国主义者用他保护资本家的利益，民国的执政者用他保护他们自己的势力。所以为人民全体争幸福才可以激发真爱国心，不然，这个名词是最危险最祸害的。欧洲诸邦人民爱国心的勃发是在人民有觉悟，牺牲生命，争夺自由的时代。对于共同利害关系有了觉悟，才肯为自由牺牲自己的性命；因为这个自由一个人享受不到，要众人享受、众人奋斗的。读者诸君试研究欧洲近世史，那些新国家之成立（如十九世纪之比利时、德意志、意大利），小国民之卓越（如巴尔干半岛之希腊、塞尔比亚，最近之邻克族、波兰、久哥斯据夫族），都是国民觉悟（national consciousness）之结果。国民觉悟发表出来就是爱国心。他们的觉悟也多少是用流血的代价搏来，这话是不错。但是他们的流血是一种奋斗，是为争生命所最宝贵的部分（如自由独立都是）与强有力者反抗而流血的。东方式的自杀是消极的，不是对于政治上、经济上、宗教上有所奋斗而流血，乃是奋斗无力而流血。梁先生的自杀仿佛比这个胜一筹，但是这种自杀仍然是消极的，没有和旁人奋斗——和梁先生所反抗的东西奋斗——却专和自己的生命奋斗。中国这几年来有许多的烈士，那投海、断指、自杀的事件每年发生的不算为少，生了什么效果呢？他们的性质都不是为所争求的和反对者奋斗，却是和自己的生命奋斗，那有什么用处呢？

更深一层说，有生命才可以奋斗，没有生命就没有奋斗的。为生命去奋斗，不应该先把生命断绝的。那爱国志士因为奋斗而丧失性命的,是以求自由(生命所最宝贵的部分)为主,流血不过是偶然的附属的现象。东方式的自杀是以自杀为主,再拿自杀去鼓动人心,岂不是不明生命的真趣么？悲观的自杀[3]是厌弃生命的自杀,用不着批评。为唤醒国民的自杀,是借着断绝生命的手段做增加生命的事,岂能有效力么[4]？

(第六卷第一号,一九一九年一月十五日)

[1]梁先生文章的原文甚长,本志不能录出,读者能与原文对照最妙。[2]看威斯特马克所著《道德之起源及发达》,自杀章,本篇材料多有取诸此书者。[3]蒋观云先生曾在《新民丛报》上论自杀,论悲观与自杀甚为透彻,惜吾书斋中不存此报未能引用。[4]有爱国心的人比无爱国心的人生命强。自己努力才可以希望旁人努力,不能诚心把自己的努力终止却希望旁人努力的。

对于梁巨川先生自杀之感想

陈独秀

梁巨川先生自杀前一个月，留下《敬告世人书》一篇，说明他自杀的宗旨，现在把这书中最紧的几处录在下方：

吾今竭诚致敬以告世人曰：梁济之死，系殉清朝而死也。

吾因身值清朝之末，故云殉清。其实非以清朝为本位，而以幼年所学为本位。吾国数千年，先圣之诗礼纲常，吾家先祖先父先母之遗传与教训，幼年所闻，以对于世道有责任为主义。此主义深印于吾脑中，即以此主义为本位，故不容不殉。

今人为新说所震，丧失自己权威。自光宣之末，新说谓敬君恋王为奴性，一般吃俸禄者靡然从之，忘其自己生平主意。苟平心以思，人各有尊信持循之学说。彼新说持自治无须君治之理，推翻专制，摒斥奴性，自是一说。我旧说以忠孝节义范束全国之人心，一切法度纪纲，经数千年圣哲所创垂，岂竟毫无可贵！

今吾国人憧憧往来，虚诈惝恍，除希望侥幸便宜外，无所用心；欲求对于职事以静心真理行之者，渺不可得。此不独为道德之害，即万事可决其无效也。夫所谓万事者，即官吏军兵士农工商，凡百皆是。必万事各各有效，而后国势坚固不摇。此理最显，我愿世界人各各尊重其当行之事。我为清朝遗臣，故效忠于清，以表示有联锁巩固之情。亦犹民国之人，对于民国职事，各各有联锁巩固之情。此以国性救国势之说也。

梁先生自杀的宗旨，简单说一句，就是想用对清殉节的精神，来提倡中国的纲常名教，救济社会的堕落。他这见解和方法，陶孟和先生已有评论，况且他老先生已死，我们也不必过于辩论是非了。我现在要说的，就是在梁先生见解和方法以外的几种感想：

第一感想，就是梁先生自杀，总算是为救济社会而牺牲自己的生命，在旧历史上真是有数人物。新时代的人物，虽不必学他的自杀方法，也必须有他这样真诚、纯洁的精神，才能够救济社会上种种黑暗、堕落。

第二感想，就是梁先生主张一致。不像那班圆通派，心里相信纲常礼教，口里却赞成共和；身任民主国的职务，却开口一个纲常，闭口一个礼教。这种人比起梁先生来，在逻辑上犯了矛盾律，在道德上要发生人格问题。

第三感想，就是梁先生自杀，无论是殉清不是，总算以身殉了他的主义。比那把道德、礼教、纲纪伦常挂在口上的旧官僚，比那把共和、民权、自治、护法写在脸上的新官僚，到底真伪不同。

第四感想，就是梁先生是单纯殉了清朝，我们虽然不赞成，然而他的几根老骨头，比那班满嘴道德、暮楚朝秦、冯道式的元老，要重得几千万倍。

第五感想，就是梁先生《敬告世人书》中，预料一般人对他死后的评论，把鄙人放在大骂之列。不知道梁先生的眼中，主张革新的人,是一种什么浅薄小儿!实在是遗憾千万!

(第六卷第一号,一九一九年一月十五日

不朽

胡　适

我的宗教

不朽有种种说法，但是总括看来，只有两种说法是真有区别的。一种是把"不朽"解做灵魂不灭的意思。一种就是《春秋左传》上说的"三不朽"。

（一）神不灭论

宗教家往往说灵魂不灭，死后须受末日的裁判；做好事的享受天国天堂的快乐，做恶事的要受地狱的苦痛。这种说法，几千年来不但受了无数愚夫愚妇的迷信，居然还受了许多学者的信仰。但是古往今来也有许多学者对于灵魂是否可离形体而存在的问题，不能不发生疑问。最重要的如南北朝人范缜的《神灭论》说："形者神之质，神者形之用……神之于质，犹利之于刀；形之于用，犹刀之于利……舍利无刀，舍刀无利。未闻刀没而利存，岂容形亡而神在？"宋朝的司马光也说："形既朽灭，神亦飘散，虽有锉烧舂磨，亦无所施。"但是司马光说的"形既朽灭，神亦飘散"还不免把形与神看做两件事，不如范缜说得更透彻。范缜说人的神灵即是形体的作用，形体便是神灵的形质。正如刀子是形质，刀子的利钝是作用。有刀子方才有利钝，没有刀子便没有利钝。

　　人有形体方才有作用。这个作用，我们叫做"灵魂"。若没有形体，便没有作用了，便没有灵魂了。范缜这篇《神灭论》出来的时候，曾惹起了无数人的反对。梁武帝叫了七十几个名士作论驳他，都没有什么真有价值的议论。其中只有沈约的《难神灭论》说："利若遍施四方，则利体无处复立；利之为用正存一边毫毛处耳。神之与形，举体若合，又安得同乎？若以此譬为尽耶，则不尽；若谓本不尽耶，则不可以为譬也。"这一段是说刀是无机体，人是有机体，故不能彼此相比。这话固然有理，但终不能推翻"神者形之用"的议论。近世唯物派的学者也说人的灵魂并不是什么无形体，独立存在的物事，不过是神经作用的总名。灵魂的种种作用都即是脑部各部分的机能作用。若有某部被损伤，某种作用即时废止。人年幼时脑部不曾完全发达，神灵作用也不能完全，老年人脑部渐渐衰耗，神灵作用也渐渐衰耗。这种议论的大旨，与范缜所说"神者形之用"正相同。但是有许多人总舍不得把灵魂打消了，所以咬住说灵魂另是一种神秘玄妙的物事，并不是神经的作用。这个"神秘玄妙"的物事究竟是什么，他们也说不出来，只觉得总应该有这么一件物事。既是"神秘玄妙"，自然不能用科学试验来证明他，也不能用科学试验来驳倒他。既然如此我们只好用实验主义（Pragmatism）的方法，看这种学说的实际效果如何，以为评判的标准。依此标准看来，信神不灭论的固然也有好人，信神灭论的也未必全是坏人。即如司马光、范缜、赫胥黎一类的人，说不信灵魂不灭的话，何尝没有高尚的道德？更进一层说，有些人因为迷信天堂、天国、地狱、末日裁判,方才修德行善,这种修行全是自私自利的,也算不得真正道德。总而言之,灵魂灭不灭的问题,于人生行为上实在没有什么重大影响。既没有实际的影响,简直可说是不成问题了。

(二)三不朽说

《左传》说的三种不朽是:一是立德的不朽,二是立功的不朽,三是立言的不朽。

"德"便是个人人格的价值;像墨翟、耶稣一类的人,一生刻意孤行,精诚勇猛,使当时的人敬爱信仰,使千百年后的人想念崇拜。这便是立德的不朽。"功"便是事业;像哥伦布发现美洲,像华盛顿造成美洲共和国,替当时的人开一新天地,替历史开一新纪元,替天下后世的人种下无量幸福的种子。这便是立功的不朽。"言"便是语言著作;像那《诗经》三百篇的许多无名诗人,又像陶潜、杜甫、莎士比亚、易卜生一类的文学家,又像柏拉图、卢梭、弥儿一类的哲学家,又像牛顿、达尔文一类的科学家;或是做了几首好诗使千百年后的人欢喜感叹,或是做了几本好戏使当时的人鼓舞感动,使后世的人发愤兴起,或是创出一种新哲学,或是发明了一种新学说,或在当时发生思想的革命或在后世影响无穷。这便是立言的不朽。总而言之,这种不朽说,不问人死后灵魂能不能存在,只问他的人格,他的事业,他的著作有没有永远存在的价值。即如基督教徒说耶稣是上帝的儿子,他的神灵永远存在。我们正不用驳这种无凭据的神话,只说耶稣的人格、事业和教训都可以不朽,又何必说那些无谓的神话呢?又如孔教会的人每到了孔丘的生日,一定要举行祭孔的典礼,还有些人学那"朝山进香"的法子,要赶到曲阜孔林去对孔丘的神灵表示敬意!其实孔丘的不朽全在他的人格与教训,不在他那"在天之灵"。大总统多行两次丁祭,孔教会多走两次"朝山进香",就可以使孔丘格外不朽了吗？更进一步说,像那三百篇里的诗人,也没有姓名,也没有事实,但是他们都可说是立言的不朽。为什么呢？因为不朽全靠一个人的真价值,并不靠姓名事实的流传,也不靠灵魂的存在。试看古今来的多少大发明家,那发明火的,发明养蚕的,发明缫丝的,发明织布的,发明水车的,发明舂米的水碓的,发明规矩的,发明秤的……虽然姓名不传,事实湮没,但他们的功业永远存在,他们也就都不朽了。这种不朽比那个人的小小灵魂的存在,可不是更可宝贵,更可羡慕吗？况且那灵魂的有无还在不可知之中,这三种不朽——德、功、言——可是实在的,这三种不朽可不是比那灵魂的不灭更靠得住吗？

以上两种不朽论,依我个人看来,不消说得,那"三不朽说"是比那"神不灭说"好得多了。但是那"三不朽说"还有三层缺点,不可不知。第一,照平常的解说看来,那些真能不朽的人只不过那极少数有道德,有功业,有著述的人。还有那无量平常人难道就没有不朽的希望吗？世界上能有几个墨翟、耶稣,几个哥伦布、华盛顿,几个杜甫、陶潜,几个牛顿、达尔文呢？这岂不成了一种"寡头"的不朽论吗？第二,这种不朽论单从积极一方面着想,但没有消极的裁制。那种灵魂的不朽论既说有天国的快乐,又说有地狱的苦楚,是积极、消极两方面都顾着的。如今单说立德可以不朽,不立德又怎样呢？立功可以不朽,有罪恶又怎样呢？第三,这种不朽论所说的"德、功、言"三件,范围都很含糊。究竟怎样的人格方才可算是"德"呢？怎样的事业方才可算是"功"呢？怎样的著作方才可算是"言"呢？我且举一个例。哥伦布发现美洲固然可算得立了不朽之功,但是他船上的水手火头又怎样呢,他那只船的造船工人又怎样呢？他船上用的罗盘器械的制造工人又怎样呢？他所读的书的著作者又怎样呢？……举这一条例，已可见"三不朽"的界限含糊不清了。

因为要补足这三层缺点，所以我想提出第三种不朽论来请大家讨论。我一时想不起别的好名字，姑且称它做"社会的不朽论"。

（三）社会的不朽论

这种不朽论既名为"社会的"，不可不先讲社会的性质。社会是一种有机的组织。凡有机物的生命，全靠各部分各有特别的构造机能，同时又互相为用。一部分离开独立，那部分的生命便要大受损伤。使能勉强存在，也须受重大的变化。最平常的例子就是人的身体。人身的生命，全靠各种机能的作用，但各种机能也没有独立的生活，也都靠全体的生命。有各种机能就没有全体，没有全体也就没有各种机能。这才叫做有机的组织。社会的生命，无论是看纵剖面，是看横截面，都是有机的组织。从纵剖面看来，社会的历史是有机的：前人影响后人，后人又影响更后人。没有我们的祖宗和那无数的古人，又哪里有今日的我和你？没有今日的我和你，又哪里有将来的后人？没有那无量数的个人，便没有历史；但是没有历史，那无数的个人也绝不是那个样子的个人。总而言之，个人造成历史，历史造成个人，这是纵剖面的社会有机体。从横截面看来，社会的生活也是有机的：个人造成社会，社会造成个人，社会的生活全靠个人分工合作的生活；但个人的生活，无论如何不同，都脱不了社会的影响。若没有那样这样的社会，绝不会有这样那样的我和你；若没有无数的我和你，社会也绝不是这个样子。这是横截面的社会有机体。

来勃尼慈（Leibnitz）说得好："这个世界乃是一片大充实（Plenum，为真空 Vaouum 之对），其中一切物质都是接连着的。一个大充实里面有一点变动,全部的物质都要受影响,影响的程度与物体距离的远近成正比例。世界也是如此。每一个人不但直接受他身边亲近的人的影响,并且间接又间接地受距离很远的人的影响。所以世间的交互影响,无论距离远近,都受得着的。所以世界上的人,每人受着全世界一切动作的影响,如果他有周知万物的智慧,他可以在每人的身上看出世间一切施为,无论过去未来都可看得出,在这一个现在里面便有无穷时间、空间的影子。"(见 Monadoiogy 第六十一节)这便是有机的世界观。

从这个有机的社会观和有机的世界观上面,便生出我所说的"社会的不朽论"来。我这"社会的不朽论"的大旨是:

我这个"小我"不是独立存在的,是和无量数"小我"有直接或间接的交互关系的,是和社会的全体和世界的全体都有互为影响的关系的,是和社会世界的过去和未来都有因果关系的。种种从前的因,种种现在无数"小我"和无数他种势力所造成的因,都成了我这个"小我"的一部分。我这个"小我",加上了种种从前的因,又加上了种种现在的因,传递下去,又要造成无数将来的"小我"。这种种过去的"小我",和种种现在的"小我",和种种将来无穷的"小我",一代传一代,一点加一滴,一线相传连绵不断,一水奔流滔滔不绝——这便是一个"大我"。"小我"是会消灭的,"大我"是永远不灭的。"小我"是有死的,"大我"是永远不死,永远不朽的。"小我"虽然会死,但是每一个"小我"的一切作为,一切功德、罪恶,一切语言、行事,无论大小,无论是非,无论善恶,一一都永远留存在那个"大我"之中。那个"大我",便是古往今来一切"小我"的纪功碑、彰善祠、罪状判决书,孝子慈孙百世不能改的恶谥法。这个"大我"是永远不朽的,故一切"小我"的事业、人格,一举一动,一言一笑,一个念头,一场功劳,一桩罪过,也都永远不朽。这便是社会的不朽,"大我"的不朽。

那边"一座低低的土墙,遮着一个弹三弦的人"。那三弦的声浪,在空间起了无数波澜。那被冲动的空气质点,直接间接冲动无数旁的空气质点。这种波澜,由近而远,至于无穷空间;由现在而将来,由此刹那以至无量刹那,至于无穷时间。这已是不灭不朽了。那时间,那"低低的土墙"外边来了一位诗人,听见那三弦的声音,忽然起了一个念头。由这一个念头,就成了一首好诗。这首好诗传诵了许多。人人读了这诗,各起种种念头。由这种种念头,更发生无量数的念头,更发生无数的动作,以至于无穷。然而那"低低的土墙"里面那个弹三弦的人又如何知道他所发生的影响呢?

一个生肺病的人在路上偶然吐了一口痰。那口痰被太阳晒干了,化为微尘,被风吹起空中,东西飘散,渐吹渐远,至于无穷时间,至于无穷空间。偶然一部分的病菌被体弱的人呼吸进去,便发生肺病,由他一身传染一家,更由一家传染无数人家。如此辗转传染,至于无穷空间,至于无穷时间。然而那先前吐痰的人的骨头早已腐烂了,他又如何知道他所种的恶果呢?

一千五六百年前有一个人叫做范缜,说了几句话:"神之于形,犹利之于刀。未闻刀没而利存,岂容形亡而神在?"这几句话在当时受了无数人的攻击。到了宋朝有个司马光把这几句话记在他的《资治通鉴》里。一千五六百年之后,有一个十一岁的小孩子——就是我——看到《通鉴》里这几句话,心里受了一大感动,后来便影响了他半生的思想行事。然而那说话的范缜早已死了一千五百年了!

二千六七百年前,在印度地方有一个穷人病死了,没人收尸,尸首暴露在路上，已腐烂了。那边来了一辆车，车上坐着一个王太子，看见了这个腐烂发臭的死人，心中起了一念，由这一念，辗转发生无数念。后来那位王太子把王位也抛了，富贵也抛了，父母妻子也抛了，独自去寻思一个解脱生老病死的方法。后来这位王子便成了一个教主，创了一种哲学的宗教，感化了无数人。他的影响势力至今还在。将来即使他的宗教全灭了，他的影响势力终久还存在，以至于无穷。这可是那腐烂发臭的路毙所曾梦想到的吗？

以上不过是略举几件事，说明上文说的"社会的不朽""大我的不朽"这种不朽论。总而言之，只是说个人的一切功德罪恶，一切言语行事，无论大小好坏，一一都留下一些影响在那个"大我"之中，一一都与这永远不朽的"大我"一同永远不朽。

上文我批评那"三不朽论"的三层缺点：第一，只限于极少数的人。第二，没有消极的裁制。第三，所说"功、德、言"的范围太含糊了。如今所说"社会的不朽"，其实只是把那"三不朽论"的范围更推广了。既然不论事业功德的大小，一切都可不朽，那第一第三两层短处都没有了。冠绝古今的道德功业固可以不朽，那极平常的"庸言庸行"，油盐柴米的琐屑，愚夫愚妇的细事，一言一笑的微细，也都永远不朽。那发现美洲的哥伦布固可以不朽，那些和他同行的水手火头，造船的工人，造罗盘器械的工人，供给他粮食衣服银钱的人，他所读的书的著作家，生他的父母，生他父母的父母祖宗，以及生育训练那些工人商人的父母祖宗，以及他以前和同时的社会……都永远不朽。社会是有机的组织，那英雄伟人可以不朽，那挑水的、烧饭的，甚至于浴堂里替你擦背的，甚至于每天替你家掏粪倒马桶的，也都永远不朽。至于那第二层缺点，也可免去。如今说立德不朽，行恶也不朽；立功不朽，犯罪也不朽；"流芳百世"不朽，"遗臭万年"也不朽。功德盖世固是不朽的，善因吐一口痰也有不朽的恶果。我的朋友李守常先生说得好："稍一失脚，必致遗留层层罪恶种子于未来无量的人——即未来无量的我——永不能消除，永不能忏悔。"这就是消极的裁制了。

中国儒家的宗教提出一个父母的观念，和一个祖先的观念，来做人生一切行为的裁制力。所以说："一出言而不敢忘父母，一举足而不敢忘父母。"父母死后，又用丧礼、祭礼等等见神见鬼的方法，时刻提醒这种人生行为的裁制力。所以又说："斋明盛服，以承祭祀，洋洋乎如在其上，如在其左右。"又说："斋三日，则见其所为斋者。祭之日，入室，僾然必有见乎其位。周还出户，肃然必有闻乎其容声。出户而听，忾然必有闻乎其叹息之声。"这都是"神道设教"，见神见鬼的手段。这种宗教的手段在今日是不中用了，还有那种"默示"的宗教，神权的宗教，崇拜偶像的宗教，在我们心里也不能发生效力，不能裁制我们一生的行为，以我个人看来，这种"社会的不朽"观念很可以做我的宗教了。我的宗教的教旨是：

我这个现在的"小我"，对于那永远不朽的"大我"的无穷过去，须负重大的责任，对于那永远不朽的"大我"的无穷未来，也须负重大的责任。我须要时时想着，我应该如何努力利用现在的"小我"，方才可以不辜负了那"大我"的无穷过去，方才可以不遗害那"大我"的无穷未来？

民国八年二月十九日稿

（附注）这一篇和本志四卷二号陈独秀先生的《人生真义》，陶孟和先生的《新青年之新道德》，四卷四号李守常先生的《今》大旨都相同。这四篇差不多可算是代表《新青年》的人生观的文字。读者可以参看。

（适）

补白

种种从前都成今我，
莫更思理更莫哀。
从今后，
要那么收果，先那么栽。

（二年前旧作）

(第六卷第二号，一九一九年二月十五日)

何为科学家？

任鸿隽

这篇文字，是我才由美国回来的时候，在上海环球学生会的演说。当时曾经上海各日报记载过，但是记得不完备，我久想把它另写出来。后来《新青年》记者来要文章，一时无以应命。因趁此机会，把这个题目写出来，同大家商量。

我同了几位朋友，从美国回到上海的第二天，就看见了几家报纸，在本埠新闻栏中，大书特书地道："科学家回沪。"我看了这个题目，就非常的惶惑起来。你道为什么缘故呢？因为我离中国久了，不晓得我们国人的思想学问，到了什么程度。这"科学家"三个字，若有是认真说起来，我是不敢当的；若是照傍（旁）的意思讲起来，我是不愿意承受的；所以我今天倒得同大家讲讲。

我所说的傍（旁）的意思，大约有三种：一种是说科学这东西，是一种玩把戏、变戏法，无中可以生有，不可能的变为可能。讲起来是五花八门，但是于我们生活上面，是没有关系的。有的说，你们天天讲空气是生活上一刻不可少的，为什么我没看见什么空气，也活了这么大年纪呢？有的说，用了机械，就会起机心；我们还是抱瓮灌园,何必去用桔槔呢?有的说,用化学精制过的盐和糖,倒没有那未经精制过的咸甜得有味。有的说,"不干不净,吃了不生毛病",何必讲求什么给水工程,考验水中的微生物呢?总而言之,这种见解,看得科学既是神秘莫测,又是了无实用;所以他们也就用了一个"敬鬼神而远之"的态度,拿来当把戏看还可以,要当一件正经事体去做,就怕有点不稳当。这种人心中的科学,既是如此,他们心中的科学家,也就和上海新世界的卓柏林,北京新世界的左天胜差不多。这种科学家,我们自然是没有本领,敢冒充的。

第二种是说科学这个东西,是一个文章上的特别题目,没有什么实际作用。这话说来也有来历。诸君年长一点的,大约还记得科举时代,我们全国的读书人,一天埋头用功的,就是那"代圣贤立言"的八股,那时候我们所用的书,自然是那《四书味根录》《五经备旨》等等了。过了几年,八股废了,改为考试策论、经义。于是我们所用的书,除了四书五经之外,再添上几部《通鉴辑览》《三通考辑要》和《西学大成》《时务通考》等。那能使用《西学大成》《时务通考》中间的事实或字句的,不是叫做讲实学,通时务吗?那《西学大成》《时务通考》里面,不是也讲得有重学、力学以及声、光、电、化种种学问吗?现在科学家所讲的,还是重学、力学以及声、光、电、化这等玩意,只少了四书五经,《通鉴》《三通》等书。所以他们想想,二五还是一十,你们讲科学的,就和从前讲实学的一样,不过做起文章来,拿那化学物理中的名词公式,去代那子曰、诗云、张良、韩信等字眼罢了。这种人的意思,是把科学家仍旧当成一种文章家。只会抄袭,就不会发明。只会拿笔,就不会拿试验管。这是他们由历史传下来的一种误会,我们自然也是不能承认的。

第三种是说科学这个东西,就是物质主义,就是功利主义。所以要讲究兴实业的,不可不讲求科学。你看现在的大实业,如轮船、铁路、电车、电灯、电报、电话、机械制造、化学工业,哪一样不靠科学呢?要讲究强兵的,也不可不讲求科学。你看军事上用的大炮、毒气、潜水艇、飞行机,哪一样不是科学发明的?但是这物质主义,功利主义太发达了,也有点不好。如像我们乘用的代步,到了摩托车,可比人力车快上十倍,好上十倍了。但是"这摩托车不过供给那些总长、督军们出来,在大街上耀武扬威,横冲直撞罢了。真正能够享受他们的好处的,有几个呢?所以这物质的进步,到了现在,简直要停止一停止才是"。再说"那科学的发达和那武器的完备,如现在的德国,可谓登峰造极了,但是终不免于一败。所以那功利主义,也不可过于发达。现在德国的失败,就是科学要倒霉的朕兆"。照这种人的意思,科学既是物质功利主义,那科学家也不过是一种贪财好利,争权徇名的人物。这种见解的错处,是由于但看见科学的末流,不曾看见科学的根源,但看见科学的应用,不曾看见科学的本体。他们看见的科学既错了,自然他们意想的科学家,也是没有不错的。

现在我们要晓得科学家是个什么人物,须先晓得科学是个什么东西。

第一,我们要晓得科学是学问,不是一种艺术。这学术两个字,今人拿来混用,其实是有分别的。古人云,"不学无术",可见学是根本,术是学的应用。我们中国人,听惯了那"形而上""形而下"的话头,只说外国人晓得的,都是一点艺术。我们虽然形而下的艺术赶不上他们,这形而上的学问,是我们独有的,未尝不可抗衡西方,毫无愧色。我现在要大家看清楚的,就是我们所谓形下的艺术都是科学的应用,并非科学的本体。科学的本体,还是和那形上的学,同出一源的。这个话我不详细解释解释,诸君大约还有一点不大明白。诸君晓得哲学上有个大问题,就是我们人类的知识,是从什么地方得来的。对于这个问题,各哲学家的见解不同,所以他们的学派,就指不胜屈了。其中有两派绝对不相容的。一个是理性派,这派人说,我们的知识,全是由心中的推理力得来的,譬如那算术和几何,都是由心里生出来的条理,但是他们的公理定例,皆是真确切实,可以说是亘古不变的。至于靠耳目五官来求知识,那就有些靠不住了。例如我们看见的电影,居然是人物风景,活动如生,其实还是一张一张的像片在那里递换。又如在山前放一个炮仗,我们就听得一阵雷声,其实还是那个炮仗的回响。所以要靠耳目五官去求真知识,就每每被他们骗了。还有一个是实验派。这派人的主张说天地间有两种学问:一种是推理得出的,一种是推理不出的。譬如上面所说算术和几何,是推理得出的。假如我们要晓得水热到了一百度,是个什么情形;冷到了零度,又是个什么情形;那就凭你什么天纵之圣,也推理不出来了。要得这种知识,只有一个法子:就是把水拿来实实在在地热到一百度,或冷到零度,举眼一看,就立见分晓。所以这实验派的人的主张,要讲求自然界的道理,非从实验入手不行。这种从实验入手的办法,就是科学起点。(算术几何也是科学的一部分,但是若无实验学派,断无现今的科学。)我现在讲的是科学,却把哲学的派别叙了一大篇。意思是要大家晓得这理性派的主张,就成了现今的玄学,或形上学(玄学也是哲学的一部分);实验派的主张,就成了现今的科学。他们两个正如两兄弟,虽然形象不同,却是同出一父。现在硬要把大哥叫做"形而上的",把小弟叫做"形而下的",意存轻重,显生分别;在一家里,就要起阋墙之争,在学术上,就不免偏枯之虑。所以我要大家注意这一点，不要把科学看得太轻太易了。

　　第二，我们要晓得科学的本质，是事实不是文字。这个话看似平常，实在非常重要。有人说，近世文明的特点就是这事实之学，战胜文字之学。据我看来，我们东方的文化，所以不及西方的所在，也是因为一个在文字上做工夫，一个在事实上做工夫的缘故。诸君想想，我们旧时的学者，从少至老，哪一天不是在故纸堆中讨生活呢？小的时候读那四书、五经、子史、古文等书，不消说了。就是到了那学有心得，闭户著书的时候，也不过把古人的书来重新解释一遍，或把古人的解释来重新解释一遍；倒过去一桶水倒过来一桶水，倒过去倒过来，终是那一桶水，何尝有一点新物质加进去呢？既没有新物质加进去，请问这学术的进步从何处得来？这科学所研究的，既是自然界的现象，它们就有两个大前提：第一，它们以为自然界的现象，是无穷的；天地间的真理，也是无穷的；所以只管拼命地向前去钻研，发明那未发明的事实与秘藏。第二，它们所注意的是未发明的事实，自然不仅仅读古人书，知道古人的发明，便以为满足。所以它们的工夫，都由研究文字，移到研究事实上去了。唯其要研究事实，所以科学家要讲究观察和实验。要成年累月的，在那天文台上，农田里边，轰声震耳的机械工场和那奇臭扑鼻的化学试验室里面做工夫。那惊天动地，使现今的世界非复三百年前的世界的各样大发明，也是由研究事实这几个字生出来的。就是我们现在办学校的，也得设几个试验室，买点物理化学的仪器，才算得一个近世的学校。要是专靠文字，就可以算科学，我们只要买几本书就够了，又何必费许多事呢？

　　讲了这两层，我们可以晓得科学大概是个什么东西了。晓得科学是个什么东西，我们可以晓得科学家是个什么人物。照上面的话讲起来，我们可以说，科学家是个讲事实学问，以发明未知之理为目的的人。有了这个定义，那前面所说的三种误会，可以不烦言而解了。但是对于第三种说科学就是实业的，我还有几句话说。科学与实业，虽然不是一物，却实在有相倚的关系。如像法勒第、发明电磁关系的道理，爱迭生就用电来点灯。瓦特完成蒸汽机关，史荻芬生就用来作火车头。我们现在承认法勒第、瓦特是科学家，也一样承认爱迭生、史荻芬生是科学家。但是没有法勒第、瓦特两个科学家，能有爱迭生、史荻芬生这两个科学家与否，还是一个问题。而且要是人人都从应用上去着想，科学就不会有发达的希望。所以我们不要买椟还珠，因为崇拜实业，就把科学搁在脑后了。

现在大家可以明白科学家是个什么样的人物了，但是这科学家如何养成的？这个问题也很重要，不可不向大家说说。我们晓得学文学的，未做文章以前，须要先学文字和文法。因为文字和文法，是表示思想的一种器具。学科学的亦何莫不然。他们还未研究科学以前，就要先学观察、试验和那记录、计算、判论的种种方法。因为这几种方法，也是研究科学的器具。又因现今各科科学，造诣愈加高深，分科愈加细密，一个初入门的学生，要走到那登峰造极地方，却已不大容易，除非有特别教授。照美国大学的办法，要造成一个科学家，至少也得十来年。等我把这十年分配的大概说来大家听听。才进大学的两三年，所学者无非是刚才所说的研究科学的器具和关于某科的普通学理。至第四年、第五年，可以择定一科，专门研究，尽到前人所已到的境界，并当尽阅他人关于某科已发表的著作。（大概在杂志里面）。如由研究的结果知道某科中间尚有未解决的问题，或未尽发的底蕴，就可以同自己的先生商量，用第六、第七两年，想一个解决的方法来研究它。如其这层工夫成了功,在美国大学,就可以得博士学位了。但是得了博士的,未必就是科学家。如其人立意做一个学者,他大约仍旧在大学里做一个助学,一面仍然研究他的学问。等他随后的结果,果然是发前人所未发,于世界人类的知识上有了的确的贡献,我们方可把这科学家的徽号奉送与他。这最后一层,因为是独立研究,很难定其所须的日月,我们暂且说一个三年、五年,也不过举其最短限罢了。这样的科学家,虽然不就是牛顿、法勒第、兑维阜娄、达尔文、沃力斯,也有做牛顿、法勒第、兑维阜娄、达尔文、沃力斯的。这样的科学家,我们虽然不敢当,却是不敢不勉的。

(第六卷第三号,一九一九年三月十五日)

日本的新村

周作人

　　近年日本的新村运动，是世界上一件很可注意的事。从来梦想 Utopia 的人，虽然不少，但未尝着手实行。英国诗人 Coleridge 等所发起的"大同社会"（Pantisocracy）也因为没有资本，无形中消灭了。俄国 Tolstoy 的躬耕，是实行汎劳动主义了；但他专重"手的工作"排斥"脑的工作"；又提倡极端的利他，抹杀了对于自己的责任，所以不能说是十分圆满。新村运动，却更进一步，主张汎劳动提倡协力的共同生活，一方面尽了对于人类的义务，一方面也尽各人对于个人自己的义务；赞美协力，又赞美个性；发展共同的精神，又发展自由的精神。实在是一种切实可行的理想、中正、普遍的人生的福音。

　　一九一〇年，武者小路实笃（一八八五年生）纠合了一班同志，在东京发刊《白桦》杂志。那时文学上自然主义盛行，他们的理想主义的思想，一时无人理会。到了近三四年，影响渐渐盛大，造成一种新思潮。新村的计划，便是这理想的一种实现。去年冬初，先发队十几个人，已在日向选定地方，立起新村（Atarashiki Mura），实行"人的生活"。关于这运动的意义与事实，我极愿略为介绍，但恐自己的批判力不足，容易发生误会，所以勉力多引原文，可以比较的更易看出真相。

新村的运动，虽然由武者小路氏发起，但如他所说，却实是人类共同的意志，不过由他说出罢了。

"我的无学，或要招识者嘲笑；但我的精神，可是并无错误。我的精神，不是我一人的精神；与万人的精神有共通的地方。我所望的事，也正是万人所望的事。……我决不希望什么新奇的事，不过是已经有多人希望过了的，又有多人正希望着的事罢了。"（武者小路实笃著《新村的生活》序）

"我极相信人类，又觉得现在制度存立的根基，非常的浅。只要大家都真望着这样社会出现，人类的运命便自然转变。"（《新村的生活》第三三页）

"只要万人真希真望这样的世界，这世界便能实现。"（第二一页）

因为人类的运命，能够因万人的希望而转变。现在万人的希望，又正是人类的最正当、最自然的意志；所以这样的社会，将来必能实现，必要实现。

"我所说的事，即使现在不能实现，不久总要实现的；这是我的信仰。但这样社会的造成，是将用暴力得来呢？还不用暴力呢？那须看那时个人进步的程度如何了。现在的人还有许多恶德，与这样的社会不相适合。但与其说恶，或不如说'不明'更为切当。他们怕这样的社会，仿佛土拨鼠怕见日光。他们不知道这样的社会来了，人类才能得到幸福。"（第一八页）

"新时代应该来了，无论迟早，世界的革命总要发生。这便因为要使世间更为合理的缘故，使世间更为自由，更为'个人的'，又

更为'人类的'的缘故。"(第二五二页)

"对于这将来的时代,不先预备,必然要起革命。怕惧革命的人,除了努力使人渐渐实行人的生活以外,别无方法。"(第一四页)

新村的运动,便在提倡实行这人的生活,顺了必然的潮流,建立新社会的基础,以免将来的革命,省去一回无用的破坏损失。

"人的生活是怎样呢?是说各人先尽了人生必要的劳动的义务,再将其余的时间,做个人自己的事。"(第一百二页)

"我们生在现世,总感着不安,觉得照现在情形不会长久支持下去。现在世间不公平不合理的事真多:因此不能实行人的生活的人,也便极多。"(《新村的说明》第一页)

"非人的生活,便是说不能顾得健康、自由、寿命的生活。因为想得衣、食、住,苦了一生的生活。明知要成肺病,为求食计,不能不劳动;已经成了肺病,为求食计,还不能不劳动;听人家的指挥,从早晨直做得晚,没有自己的余暇;……这等人,我们不能说他们所过的是人的生活。"(第二页)

"我想人类不能享人的生活,是大错的。这错误从何而生,大约有种种缘由。简单说,便是因为他们不明白人类应该互助生活;反迷信自己不取得便宜,即要受损失的缘故。所以心想别人的不幸应该永远忍受,只要自己幸福便好。"(第二页)

"我们想改正别人不正不合理的生活,使大家都能幸福地过人的生活。但第一须先使自己能实行这种生活,使人晓得虽在现今世间,也有这样幸福的生活可以随意加入。"(第四页)

"这便只是互助的生活。不使别人不幸,自己也可以幸福。不但如此,别人如不幸,自己也不能幸福。别人如损失了,自己也不能利益地生活。"(第五页)

"我们想造一个社会,在这中间,同伴的益便是我的益;同伴的损,便是我的损;同伴的喜,便是我的喜;同伴的悲,也便是我的悲。现今世上,都以为别人的损失,便是自己的利益;外国的损失,便是本国的利益。我们对于这宗思想的错误,想将我们的实生活,来证明它。……世上以为若非富归少数者所有,其余都是贫民,社会便不能保存。对于这宗思想的错误,我们也想就用事实来推翻它。"(《新村的生活》第一百四页)

"各人应该互相帮助,实行人的生活。现在文明进步,可以做到使一切的人都不必有衣、食、住的忧虑。但实际上,现在为了衣、食、住在那里辛苦的人,还那么多,很是不好的事情。病人也不可不休息。应该利用以人类智力得来的方法,使他们早得恢复健康。但在现在不能如此,世上因为没有钱,不能保全天命的人,不知可有多少。这都是普通的事实。但这事实却可以用人力消灭的,所以我们应该设法消灭它。据我想这最好的方法,只有各人各尽了劳动的义务,无代价地能得健康生活上必要的衣、食、住这一法。……这样我们才能享幸福的人的生活。"(第二二至二三页)

"凡是人类,因使别人过人的生活,自己才能实行人的生活。又因自己实行人的生活,才能使别人过人的生活。这个确信,因了这回的战争,愈加明显了。……人在错误的路上走,不能得到平和。在归到正路以前,血腥的事件总将接连而起。世人不能像以前地享受平和了,这正像将一个球从坡上滚下,却等候它中途止住一样。少数的人,在多数人的不幸上,筑起自己的幸福,想享太平的福,也不可能了。一切都非用人力变成平等不可。这并不是说,叫一切的人都变成现今的劳动者,也不是都变成现今的绅士。只说一切的人都是一样的人,是健全独立的,尽了对于人类的义务,却又完全发展自己个性的人。……一切的人只覆尽了一定的劳动义务，便不要忧虑衣、食、住。凡是不能将健全的生活所必需的衣、食、住给予人民的国，不能乐享太平。"（第一六至一七页）

这新社会中第一重要的人生的义务，便是劳动。但与现在劳动者所做的事，内容与意义上又颇有不同。因为这劳动并非只是兑换口粮的工作；一方面是对于人类应尽的义务，一方面是在自己发展上必要的手段。

"我想世上如还有一个为食而劳动的人存在，那便是世界还未完全的证据。'额上滴了汗，去得你的口粮'的时代，此刻已应该过去了。……若在现代，不但如此，简直可说，为了你的口粮，卖去你的一生！这样境遇的人，不知有多少。但这正因社会制度还未长成完全的缘故。我并不诅咒劳动，但为了口粮，不得不勉强去做的劳动，应得诅咒。在人类成长上必要的劳动，应得赞美！"（第五至六页）

"我尊敬现在的劳动者。看他们虽然过度的劳动，却仍然颇高兴地度日。但我不能说，现在他们的劳动是正当，是健全。"（第十页）

"劳动也有几种：有我们生存上必不可缺的劳动，与不必要的劳动。现在将这必不可缺的劳动，专叫一部分的人负担，其余的人都悠游度日，虽说在现今是不得已的事情，决不是正当的事。"（第十一页）

"食是各人共通的事。所以如为食而劳动，各人应该共同出力，才是正当，才是合宜。各人协力工作，使得负担减少结果增多，心力体力资本都是必要。"（第八页）

"人类为求生存，必要一定的食物。譬如人类常食，一定要多少五谷；这若干分量的五谷，应该有人种作。但现在世上，已没有奴隶存在的理由。所以我们都有种作这食物的义务。……其他关于矿业、渔业等等，我们也一样应该分担工作。这是人类为了人类的要求而劳动，极是正当的事。"（第二五二页）

"工场是共有的东西。各人不要愁他的衣食，可以安心劳动。男人做男的事，女人做女的事。"（第十二页）

"体弱的人如任什么工都不能做，便不劳动也可以的。……对于病人，医生与药物都无代价。凡有在健全的人的生活上必要的东西，都无代价可以取得。各人有这样权利，便只因各人在劳动上，已经尽了义务。而各人又都替不幸的邻人，代为劳动了。所以无代价地给与，毫不奇怪。"（第十三页）

"一切的人都是平等。没有特别才能的人，在一定期间，都要劳动。这是为自己，也兼为不幸的邻人而劳动。因了劳动的难易，又有区别。工作愈难，义务年限愈短。劳动的分配，由第一流的政治家、经济家公平办理。个人的意志，仍然十分尊重。"（第二三页）

"在合理的社会里，雇用使女和工人的事，不能行了。各人都是仆役，又都是主人。劳动者这一个特别阶级，也没有了。无论什么人，都非劳动不可。只是有特别才能的人，或衰弱的人，可以免去，但这只是一种例外。"（第二五七页）

"那时候奴仆使女这类人，已没有了。但同胞的人类互相帮助，也可以简易地得到衣、食、住。不必各自煮饭，那是不经济的事。只有一处煮了饭，用自动车分到各处。屋里的扫除等，也可用机械来做，可以简单了事。随后各人利用闲暇的工夫，可以随意再加整理。"（第一九页）

"劳动者便是绅士，绅士也即是劳动者。平民便是贵族，贵族也即是平民。各人虽不能任意动作，却可以没有衣、食、住的忧虑。大家各自独立，却有同一的精神贯通其间。协力的喜悦与独立的喜悦，同时并尝。劳动与健康，互相调和。机械供人使用，不使人被机械使用。不必要的劳动，竭力省节，留出工夫，使各人可以做自己的事。"（第四六页）

"贫富平等，并非使富人变成穷人。不过富人穷人同是一样的'人'，便同是一样的过人的生活罢了。现在的富人，不能算得在那里过人的生活。略略明白的富人，见这理想的时代到来，怕还要喜欢不迭。"（第二十页）

这新社会原是人类本位的组织，但在现今社会中，不能不暂受一点拘束。所以对于国家的关系，只能如此。

"古人说：'该撒（按罗马皇帝的称号）的东西，还了该撒。'我们也便将国家的东西，还了国家。在国家一面，可以相信这新社会的设立，于他并无损害。税也拿出，征兵也不敢抗拒。要说的话尽说，意见也尽发表，可以非难的事，也要非难。但我们不想用暴力来抵抗暴力。"（第四一页）

这解决暴力问题，实在可是难说。但他们因为"相信人类"。又如《一个青年的梦》序中所说："我望平和地合理地又自然地生出这新秩序。血腥的事，能避去时，最好是避去。这并不尽因我胆小的缘故，实因我愿做平和的人民。"（见本志四卷五号介绍）所以新村的运动，是重在建设模范的人的生活，信托人间的理性，等他觉醒，回到合理的自然的路上来。

"我是建设者，是新的萌芽。我们建造新的房屋。能够多造，便想在各处尽量建造。有人愿意进去住的，十分欢迎。我们的工作，是在建造比旧的还要适于人的生活的新屋。但一半也因我们

自己想在这屋里生活的缘故。"(第一百六页)

"这样的时代来了,人生问题未必便能解决,但这时代未来以前,人间总不能的不被良心责难的生活。"(第十五页)

关于男女道德问题,一时未能定出规约,大约是这样:

"新社会的里面,当然没有妓女。实行一夫一妇制度,也绝没有横暴的事。其间的制裁法,让大家自己去想就好了。知耻的人比不知耻的,自然更可尊敬。……这宗问题,非实际遇见,不能预先解决。但总之金钱的力,在这些事上,决不能再作威福,这是确实的了。"(第五六页)

新社会中虽不戒杀生,但纯为口腹的残害也所不取。

"肉食在所不禁,但菜食的人,将来总逐渐增多。也想养猪养鸡,倘大家说不必杀了来吃,不杀也好。如有人要杀,也不必严禁。可是残酷的杀法,也不应该。……关于这宗问题,我还没有十分仔细想过;但人如有了爱,那便是猪,或鸡,可也杀不下手罢。暂时或向别村买来也好,但也不能说是好事,这总凭大家的意见。我还没有感到这样深广的爱,竭力地来反对肉食。"(第五七至五八页)

新村的计划,现在虽只限于一地,又只有第一个村,但精神上原含有人类的意义;所以希望很远,将来逐渐推广,造成大同社会。那时候,新村的计划,才算完成。

"这样的制度,先是分国的行了,我还梦想将来有全人类实行的一日。一切的人在自己国语之外,都能说世界语。无论到了何处,只要劳动,或是执有劳动义务期满的证据,便不要金钱,可以生活;可以随意旅行,随意游览,随意学习。这样世界,只要人类再进一步,没有不能办到的事。一个人到了无论哪里,都有同一的义务,同一的权利。先是以人类的资格而生活,更以个人的资格而生活；先在世上为了生存而劳动,更为发展自己天赋的才能而生存。……我望将来有这一个时代,各人须尽对于人类的义务,又能享个人的自由。"(第二四页)

以上是新村的理想,以协力与自由、互助与独立为生活的根本。在生物现象上虽然承认生存竞争的事实,但在人类的生活上却不必要。

"甲:这样说,是人类应该协力的生活；又是这样才能安心喜悦幸福地过日子。你们根据了这信仰,所以立起新村来的?

乙:是的。

甲:这样,生存竞争岂不可以没有了么?

乙:在我们同伴中间,当然可以没有。

甲:照你们的主义上说来,生存竞争是错的了?

乙:我想在人间同类中,总是不应有的。"(《新村的说明》第八页)

至于实行上,现在正是发端,去年十一月才在日向的儿汤郡石河内买了一块地,建立第一新村,着手耕种。又在东京发行一种月刊《新村》发表意见,记载情形。下面这几节,便从这月刊中抄出,可以晓得大概。

"看大家在那里劳动,真是快事。从山冈上叫他们时,大家一齐答应。最有腕力的横井立刻撑小船来迎,渡过河到了大家劳动的地方。前回下种的芜菁和瓢儿菜,都已长出可爱的芽。二亩的荒地现在已很整齐的耕好,都播了种子。我到明日也可拿着锄头,同众人一起劳动,想起来很是愉快。

大家停了工作,在河中洗净了锄镰等农具,乘船回来。吃麦四米六的饭,很觉甘美。地炉中生了火,同大家闲谈,随后到楼上,拟定先发队的规则,今年年内便照着做事。每日值饭的人五时先起,其余的六时起来;吃过饭,七时到田里去,至五时止。十一时是午饭,下午二时半吃点心,都是值饭的人送去。劳动倦了的时候,可做轻便的工作。到五时,洗了农具归家。晚上可以自由,只要不妨碍别人的读书;十时以后息灯,这是日常的生活。雨天,上午十一时以前,各人自由,以后搓绳或编草鞋,及此外屋内可做的工作。每月五日作为休息日,各人自由。又有村里的祭日,是释迦、耶稣的生日。一月一日,新村土地决定的那一天 August Rodin 的生日。又因为这样是四月直跳到十一月,所以 Toltoy 的生日也加进去,定为祭日。就是一月一日、四月八日、八月二十八日、十一月十四日、十二月二十五日这五天,定为新村的祭日。到那时节,当想方法举行游戏。"(《十一月七日武者小路实笃通信》见《新村》第二卷一号)

"早上七时大家拿了锄或斧,穿上工作的衣服,乘船出去。从清早起,只穿一件小衫劳动,毫不寒冷。横井等有时赤了膊,元气旺盛地做事。今日麦已播种了。近处的农夫同来参观的人见了我们的工作,都很惊服。午后四时起,我们动手砍丛莽,烧草原,直到太阳下山才回去。昨日照了六张照相,……其中一张,在河中大岩石上,大家都坐着;这真是美丽的地方。这大岩石,现在已由新村的人,替它定了名字,叫做 Rodin 岩(Rodin‐iwa)。因为土地决定的日子,正在 Rodin 生日十一月十四日,所以作为纪念。这是一个形状很奇妙,看了很愉快的岩石。倘来参观新村我愿意引导。"(同日今田谨吾通信)

对于这平和的运动,可是也有加害中伤的人,武者小路氏通信中又说:

"据从高锅来的人说,今日《日洲新闻》上对于新村的生活,颇有微词;说很为石河内的村人所嫌恶。又有东京的匿名信,寄与高锅近处的村长,教他不许卖土地给新村的人。我想稍过几时,他们就会明白了。世间无论怎样地讲坏话,可请不必忧虑。我们不久必将渐为村人所爱,村人看见我们到了许多人,难免觉得奇怪。听说还疑心我们到这里来养狸子,将皮去卖钱呢。"(《新村》第二卷一号)

原来人生的福音,虽然为万人幸福设法,但因为他们不明白,所以免不了有许多谬见。那些村人的误会,只要晓得了真相,自然可以消除。只有执着谬误思想的政治家、道德家、文人、主笔一流人物,难得有觉悟的时候。武者小路氏说:"太阳虽然一样的照临,但众人未必能够一样地容受它的恩惠。"又说:"土拨鼠不能爱日光。这在土拨鼠是不幸,但在太阳不是不名誉。"这正是极确的话。

(第六卷第三号,一九一九年三月十五日)

工作与人生

王光祈

　　自从俄国的布尔扎维克（Bolsheviki）直接行动（Direct Action）以来，这布尔扎维克主义（Bolshevism）也就成了中国新闻记者、政治家、教育家所注意的一个问题。不爱读书如我这样的人，也觉得都市中，乡村里，所见所闻的，都含有许多危机，仿佛有布尔扎维克紧跟着似的。我常常自己问我自己道：你莫非中了魔术么？为什么对于世界、国家、社会、家庭，都仿佛有一种不满意的样子！又像立刻就有大祸临头的恐惧！

　　列位须知这布尔扎维克虽是一个极新鲜的东西，却喜欢光顾这最腐败的地方，我们中国自然是布尔扎维克必游之地。不过是它光临的时候，一定要带许多恐怖的礼物；我们欲减少这种恐怖的程度，只有一个方法，就是不要把自己看作劳动界以外的一个人。换一句话说，就是大家工作起来。

　　于是有两个问题，随之而起；

　　（一）什么是工作？

　　（二）为什么要工作？

　　工作的定义就是：

　　以自己的劳力作成有益于人的事业

劳力二字，是包含用体力的，或是用脑力的；用体力的，如像农夫木匠等等，用脑力的如像教育家著作家，等等。

要用自己的劳力，如利用他人的劳力，那不算工作，如资本家是。

有益的事业，包含必需、普遍诸意义，凡可以使人类物质上、精神上，得满足的快慰者，都叫做有益的事业；如农夫劳动结果所得的米面，著作家劳动结果所得的出版物是。其余非人类必需的，或是不能普遍的，便不得叫做"有益。"

有益于人的"人"字，含包他人及自己。自己为人群里头一份子，人群既得了利益，自己也包含在内。不过是现在的劳动家，大半不是为自己而劳动，因为他们劳动的结果，尽被资本家掳夺去了。

关于工作的意义，有两句极不合理的解释："劳心者治人，劳力者治于人。"

我们不管他的工作，是劳心或是劳力，只先问他这种工作，对于人有无利益？

"治人"二字是本于权力思想，"治于人"三字是本于奴隶性根。

"治人"是承认"人"以上，还有一种较高的权力，来管辖人类。从前叫做神 God，后来变成皇帝，现代又变成大总统，都是"人"以上的一种东西。什么《圣经》，Bible，纲常，法律，都是他们使用权力的护符，所以世界上就有了"强权"这个名词了！

"治于人"是承认有一部分人类，是"人"以下的一种动物，生杀予夺之权，都在他人手中，所以世界上就有"服从"这个名词了！

最新学说是，承认世界所有人类都在一水平线上，谁也管不了谁；所以有"自治""平等""自由"诸名词。此后的人类，不应在"人治人"上用功夫,是应该共同努力,向自然界中,开辟一新世界。换一句话说,就是这个"治"字,只应放在"事物"上,不应放在"人"字上;我们努力向自然界,增加人类的幸福,减少人类的苦恼。人与人不是对抗的,是共向一个方向前进的,所以有"互助""进化""礼圣劳动"诸名词。

照这样看来,"劳心者治人"这句话,简直不能成立。换一句话说,就是因治人而劳心的,都不叫做工作;所以官吏军警,都是一种分利而不生利的废物。

大家既知道,什么是工作?什么不是工作?我们就可以讨论第二个问题"为什么要工作?"了。

这个问题,据我所知道的有三种学说:

(一)报恩主义,我们人类所以必要工作的缘故,就是因为我们所消费的,都是别人所给与的;既是别人有恩于我,我们自然是应该报答。从前奴隶对于主人,与现在无识的劳动者对于资本家皆是此种感想。

(二)偿债主义,我们所以必要从事工作的缘故,因为我们所消费的,都是与别人交易得来的;非如报恩主义,专凭良心上道义上,应该报答的问题;乃是实际上有相通,公平交易的问题。《安那其主义》Anarchism 的《集产派》,Collectivism 主张各得其所值,即本于此种观念。"集产派主张生产机关(如土地机械等物)归公有,需要(如衣食房屋等)归私有;各人所得之报酬,当视其工作之多寡。以为比例,此派说,谬误甚多,为《共产派》Communism 所攻击。"

以上两种主义,其立论根据,虽然不同,而根本上的错误,则是一样。因为他都承认世界上有"施恩者""债权者"之存在,所以才生出这"报""偿"的关系这种"施恩者""债权者"观念发生的原因,是错把一种"该做或不该做的"事情,当做"可以做可以不做的"的事情。譬如父母对于儿女是应该扶养教育的,在报恩主义则以为这种扶养教育的行为,是"可以做可以不做的";如父母尽了他的分内该做的责任,便视为一种大恩,如父母不尽他的分内该做的责任,亦觉得无大过错。又如生产机关、生产物本应属之公有,而不应随意独占,在偿债主义则以所有权为前提而谓借贷关系,是一种任意行为,"可以贷可以不贷的"。总之以上两个主义都错把别人分内应该做的事情,视为恩,视为债。我以为父子之间各做所当做,爱其所爱,无所谓报恩。社会之中,各尽所能,各取所需,无所谓偿债。将来大同世界,老病残废,皆由社会扶养;若责以报恩偿债,我恐怕这些人永无"报""偿"的日子了!

以上两个主义,既不能解决"为什么要工作?"这个问题,遂产生第三个主义。

(三)共同生活主义,吾人不能脱离社会而生存,一衣一食,一坐一卧,所有一生的需要,皆取自社会;社会之所以能存在,能进步,又全赖人类继续不断的劳动。古语说的"一夫不耕,或受之饥;一女不织,或受之寒",故吾人最大之职分即是:

为共同生活而工作以创造未来之世界!

(第六卷第四号,一九一九年四月十五日)

我对于丧礼的改革

胡 适

去年北京通俗讲演所请我讲演"丧礼改良",讲演日期定在十一月二十七日。不料到了十一月二十四日,我接到家里的电报,说我的母亲死了。我的讲演还没有开讲,就轮着我自己实行"丧礼改良"了!我们于二十五日赶回南。将动身的时候,有两个学生来见我,他们说:"我们今天过来,一则是送先生起身;二则呢,适之先生向来提倡改良礼俗,现在不幸遭大丧,我们很盼望先生能把旧礼大大的改革一番。"我谢了他们的好意,就上车走了。

我出京之先,想到家乡印刷不便,故先把讣帖付印。讣帖如下式:

> 先母冯太夫人于中华民国七年十一月二十三日病疫于安徽绩溪上川本宅。
> 敬此讣闻。
> 　　　　　　　　　　　　　　胡适觉谨告。

这个讣帖革除了三种陋俗:一是"不孝□□等罪孽深重,不自殒灭,祸延显妣",一派的鬼话。这种鬼话含有儿子有罪连带父母的报应观念,在今日已不能成立;况且现在的人心里本不信这种野蛮的功罪见解，不过因为习惯如此，不能不用，那就是无意识的行为。二是"孤哀子□□等泣血稽颡"的套语。我们在民国礼制之下，已不"稽颡"更不"泣血"，又何必自欺欺人呢？三是"孤哀子"后面排着那一大群的"降服子""齐衰期服孙""期""大功""小功"等等亲族，和"抆泪稽首""拭泪顿首"等等有"谱"的虚文。这一大群人为什么要在讣闻上占一个位置呢？因为这是古代宗法社会遗传下来的风俗如此。现在我们既然不承认大家族的恶风俗，自然用不着列入这许多名字了。还有那从"泣血稽颡"到"拭泪顿首"一大串的阶级，又是因为什么呢？这是儒家"亲亲之杀"的流毒。因为亲疏有等级，故在纸上写一个"哭"字也要依着分等级的"谱"。我们绝对不承认哭丧是有"谱"的，故把这些有谱的虚文一概删去了。

我在京时，家里电报问"应否先殓"，我覆电说"先殓"。

我们到家时，已殓了七日了，衣衾棺材都已办好，不能有什么更动。我们徽州的风俗，人家有丧事，家族亲眷都要送锡箔、白纸、香烛，讲究的人家还要送"盘缎"，纸衣帽、纸箱担等件。锡箔和白纸是家家送的，太多了，烧也烧不完；往往等丧事完了，由丧家打折扣卖给店家。这种糜费，真是无理道。我到家之后，先发一个通告给各处有往来交谊的人家。通告上说：

本宅丧事，拟于旧日陋俗略有所改良。倘蒙赐吊，只领香一炷或挽联之类。此外如锡箔，素纸，冥器，盘缎等物，概不敢领，请勿见赐。伏乞鉴原。

这个通告随着讣帖送去，果然发生效力，竟没有一家送那些东西来的。

和尚,道士,自然是不用的了。他们怨我,自不必说。还有几个投机的人,预算我家亲眷很多,定做冥器、盘缎的一定不少,故他们在我们村上新开一个纸扎铺,专做我家的生意。不料我把这东西都废除了,这个新纸扎铺只好关门。

我到家之后,从各位长辈亲戚处访问事实,——因为我去国日久,事实很模糊了,——作了一篇《先母行述》。我们既不"寝苫"又不"枕块",自然不用"苫块昏迷,语无伦次"等等诳语了。"棘人"两字,本来不通(《诗·桧风·素冠》一篇本不是指三年之丧的,乃是怀人的诗,故有"聊与子同归","聊与子如一"的话;素冠素衣也不过是与《曹风》"麻衣如雪"同类的话,未必专指丧服;"棘人"两字,棘训急,训瘠,也不过是"劳人"的意思。这一首很好的相思诗,被几个腐儒解作一篇丧礼论,真是可恨!),故也不用了。我作这篇《行述》,抱定一个说老实话的宗旨,故不免得罪了许多人。但是得罪了许多人,便是我说老实话的证据。文人作死人的传记,既怕得罪死人,又怕得罪活人,故不能不说谎,说谎便是大不敬。

讣闻出去之后,便是受吊。吊时平常的规矩是:外面击鼓,里面启灵帏,主人男妇举哀,吊客去了,哀便止了。这是作伪的丑态。古人"哀至则哭",哭岂是为吊客哭的吗?因为人家要用哭来假装"孝",故有大户人家吊客多了,不能不出钱雇人来代哭,我是一个穷书生,哪有钱来雇人代我们哭?所以我受吊的时候,灵帏是开着的,主人在帏里答谢吊客,外面有子侄辈招待客人;哀至即哭,哭不必做出种种假声音,不能哭时,便不哭了,决不为吊客做出举哀的假样子。

再说祭礼。我们徽州是朱子、江慎修、戴东原、胡培翚的故乡,代代有礼学专家,故祭礼最讲究。我做小孩的时候,也不知看了多少次的大祭小祭。祭礼很繁,每一个祭,总得要两三个钟头;祠堂里春分、冬至的大祭,要四五点钟。我少时听见秀才先生们说,他们半夜祭春分、冬至,跪着读祖宗谱,一个人一本,读"某某府君,某某孺人,"烛光又不明,天气又冷,石板的地又冰又硬,足足要跪两点钟!他们为了祭包和胙肉,不能不来鬼混念一遍。这还算是宗法社会上一种很有意味的仪节。最怪的是人家死了人,一定要请一班秀才先生来做"礼生",代主人做祭。祭完了,每个礼生可得几尺白布,一条白腰带,还可吃一桌"九碗"或"八大八小"。大户人家,停灵日子长,天天总要热闹,故天天须有一个祭;或是自己家祭,或是亲戚家"送祭"。家祭是今天长子祭,明天少子祭,后天长孙祭……送祭是那些有钱的亲眷,远道不能来,故送钱来托主人代办祭菜,代请礼生。总而言之,哪里是祭?不过是做热闹,装面子,摆架子!——哪里是祭!

我起初想把祭礼一概废了,全改为"奠"。我的外婆七十多岁了,她眼见一个儿子两个女儿死在她生前,心里实在悲恸,所以她听见我要把祭全废了,便叫人来说,"什么事都可依你,两三个祭是不可少的。"我仔细一想,只好依她,但是祭礼是不能不改的。我改的祭礼有两种:

(1)本族公祭仪节:(族人亲自做礼生)序立。就位。参灵,三鞠躬。三献。读祭文。(祭文中列来祭的人名,故不可少。)辞灵。礼成。

(2)亲戚公祭。我不要亲戚"送祭"。我把要来祭的亲戚邀在一块,公推主祭者一人,赞礼二人,余人陪祭;一概不请外人作礼生。同时一奠、不用"三献礼"。向来可分七八天的祭,改了新礼,十五分钟就完了。仪节如下：序立。主祭者就位。陪祭者分列就位。参灵，三鞠躬。读祭文。辞灵。礼成。谢奠。

我以为我这第二种祭礼，很可以供一般人的采用。祭礼的根据在于深信死人的"灵"还能受享。我们既不信死者能受享，便应该把古代供献死者饮食的祭礼，改为生人对死者表示敬意的祭礼。死者有知无知，另是一个问题。但生人对死者表示敬意，是在情理之中的行为，正不必问死者能不能领会我们的敬意。有人说，"古礼供献酒食，也是表示敬意，也不必问死者能不能饮食。"这却有个区别。古人深信死者之灵真能享用饮食，故先有"降神"，后有"三献"，后有"侑食"，还有"望燎"，还有"举哀"，都是见神见鬼的做作，便带着古宗教的迷信，不单是表示生人的敬意了。

再论出殡。出殡的时候，"铭旌"先行，表示谁家的丧事；次是灵柩，次是主人随柩行，次是送殡者。送殡者之外，没有别样排场执事。主人不必举哀，哀至则哭，哭不必出声。主人穿麻衣，不戴帽，不执哭丧杖，不用草索束腰，但用白布腰带。为什么要穿麻衣呢？我本来想用民国服制，用乙种礼服，袖上蒙黑纱。后来因为来送殡的男人女人都穿白衣，主人不能独穿黑，只好用麻衣，束白腰带。为什么不戴帽呢？因为既不用那种俗礼的高粱孝子冠，一时寻不出相当的帽子，故不如用表示敬意的脱帽法。为什么不用杖呢？因为古人居父母的丧要自己哀毁，要做到"扶而后能起，杖而后能行"的半死样子，故不能不用杖。我们既不能做到那种半死样子，又何必拿那根杖来装门面呢？

我们是聚族而居的，人死了，该送神主入祠。俗礼先有"题主"或"点主"之法。把"神主牌"先请人写好，留着"主"字上的一点，再去请一位阔人来，求他用朱笔蘸了鸡冠血，把"主"字上一点点上。这就是"点主"。点主是丧事里一件最重要的事,因为它是一件最可装面子摆架子的事。你们回想当年袁世凯死后,他的儿子孙子们请徐世昌点主的故事,就可晓得这事的重要了。

那时家里人来问我要请谁点主。我说,用不着点主了。为什么呢?因为古礼但有"请善书者书主"(《朱子家礼》与《温公书仪》同)。这是恐怕自己不会写好字,故请一位写好字的写牌,是郑重其事的意思。后来的人,要借死人来摆架子,故请顶阔的人来题主。但是阔人未必会写字。也许请的是一位督军连字都不认得。所以主人家先把牌上的字写好,单留"主"字上的一点,请"大宾"的大笔一点。如此办法,就是不识字的大帅,也会题主了!我不配借我母亲来替我摆架子,不如行古礼罢。所以我请我的老友近仁把牌位连那"主"字上的一点一齐写好。出殡之后把神主送进宗祠,就完了事。

未出殡之前,有人来说,他有一穴好地,葬下去可以包我做到总长。我说,我也看过一些堪舆书,但不曾见哪部书上有"总长"二字,还是请他留下那块好地自己用罢。我自己出去,寻了一块坟地,就在先父铁花先生的坟的附近。乡下的人以为我这个"外国翰林"看的风水,一定是极好的地;所以我的母亲葬下之后,不到十天,就有人抬了一口棺材,摆在我母亲坟下的田里。(有)人来对我说,前面的棺材挡住了后面的"气"。我说,气是四方八面都可进来的,没有东西可挡得住,由他挡去罢。

以上记丧事完了。

再论我的丧服。我在北京接到凶电的时候,哪有仔细思想的心情?故糊糊涂涂地依着习惯做去;把缎子的皮袍脱了,换上布棉袍,布帽,帽上还换了白结子;又买了一双白鞋。时表上的练子是金的——镀金的——故留在北京。眼镜脚也是金的,但是来不及换了,我又不能离开眼镜,只好戴了走。里面的棉袄是绸的,但是来不及改做布的,只好穿了走,好在穿在里面人看不见!我的马褂袖上还加了一条黑纱。这都是我临走的一天,糊糊涂涂的时候,依着习惯做的事。到了路上,我自己回想,很觉惭愧。何以愧惭呢?因为我这时候用的丧服制度,乃是一种没有道理的大杂凑。白帽结,布袍,布帽,白鞋,是中国从前的旧礼,袖上蒙黑纱是民国元年定的新制。既蒙了黑纱,何必又穿白呢?我为什么不穿皮袍呢?为什么不敢穿绸缎呢?为什么不敢戴金色的东西呢?绸缎的衣服上蒙上黑纱,不仍旧是民国的丧服吗?金的不用了,难道用了银的就更"孝"了吗?

我问了几个"为什么?"自己竟不能回答。我心里自然想着孔子"食夫稻,衣夫锦,于汝安乎"的话,但是我又问:我为什么要听孔子的话?为什么我们现在"食稻"(吃饭)心已安了?为什么"衣锦"便不安呢?仔细想来,我还是脱不了旧风俗的无形的势力——我还是怕人说话!

但是那时我在路上,赶路要紧,也没有心思去想这些"细事小节"。到家之后,更忙了,我也不曾想到服制上去;丧事里的丧服,上文已说过了。丧事完了之后,我仍旧是布袍,布帽,白帽结,白棉鞋,袖上蒙一块黑纱。穿惯了,我更不觉得这种不中不西半新半旧的丧服有什么可怪的了。习惯的势力真可怕!

今年四月底,我到上海欢迎杜威先生,过了几天,便是五月七日的上海国民大会。那一天的天气非常的热,诸位大概总还有人记得。我到公共体育场去时,身上穿着布的夹袍,布的夹裤还是绒布里子的,上面套着线缎的马褂。我要听听上海一班演说家,故挤到台前，身上已是汗流遍体。我脱下马褂，听完演说，跟着大队去游街，从西门一直走到大东门，走得我一身衣服从里衣湿透到夹袍子。我回到一家同乡店家，邀了一位同乡带我去买衣服更换。因为我从北京来，不预备久住，故不曾带得单衣服。习惯的势力还在，我自然到石路上小衣店里去寻布衫子，羽纱马褂，布套裤之类。我们寻来寻去，寻不出合用的衣裤。因为我一身湿汗，急于要换衣服，但是布衣服不曾下水是不能穿的。我们走完一条石路，仍旧是空手。我忽然问我自己道："我为什么一定要买布的衣服？因为我有服在身，穿了绸衣，人家要说话。我为什么怕人家说我的闲话？"我问到这里，自己不能回答。我打定主意，去买绸衣服，买了一件原当的府绸长衫，一件实地纱马褂，一条纱套裤，再借了一身衬衣裤，方才把衣服换了。初换的时候，我心里还想在袖上蒙上一条黑纱。后来我又想：我为什么一定要蒙黑纱呢？因为我丧期没有完。我又想：我为什么一定要守这三年的服制呢？我既不是孔教徒，又向来不赞成儒家的丧制，为什么不敢实行短丧呢？我问到这里，又不能回答了，所以决定主意，实行短丧，袖上就不蒙黑纱了。

　　我从五月七日起，已不穿丧服了。前后共穿了五个月零十几天的丧服。人家问我行的是什么礼？我说是古礼。人家又问，哪一代的古礼？我说是《易传》说的太古时代"丧期无数"的古礼。我以为"丧期无数"最为有理。人情各不相同，父母的善恶各不相同，儿子的哀情和敬意也不相同。《檀弓》上说：

　　　　子夏既除丧而见，予之琴，和之不和，弹之而不成声，作而曰："哀未忘也，先王制礼而弗敢过也。"子张既除丧而见，予之琴，和之而和，弹之而成声，作而曰："先王制礼，不敢不至焉。"

这可见人对父母的哀情各不相同。子张、宰我嫌三年之丧太长了，子夏、闵子骞又嫌三年太短了。最好的办法是"丧期无数"。长的可以几年，短的可以三月，或三日，或竟无服；不但时期无定，还应该打破古代一定等差的丧服制度。我以为服制不必限于自己的属亲；亲属值得纪念的，不妨为他纪念成服；朋友可以纪念的，也不妨为他穿服；不值得纪念的，无论在几服之内，尽可不必为他穿服。

我的母亲是我生平最敬爱的一个人，我对她的纪念，自然不止五六个月，何以我一定要实行短丧的制度呢？我的理由不止一端。第一，我觉得三年的丧服在今日没有保存的理由。顾亭林说，"三代圣王教化之事，其仅存于今日者，惟服制而已。"（《日知录》卷十五）这话说得真正可怜！现在居丧的人，可以饮酒食肉，可以干政筹边，可以嫖赌纳妾，可以作种种"不孝"的事，却偏要苦苦保存这三年穿素的"服制"！不能真行三年之"丧"，却偏要保存三年的"丧服"！这真是孟子说的"放饭流歠而问无齿决，是之谓不知务"了！第二，真正的纪念父母，方法很多，何必单单保存这三年服制？现行的服制，乃是古丧礼的皮毛，乃是今人装门面自欺欺人的形式。我因为不愿意用这种自欺欺人的服制来做纪念我母亲的方法，所以我决意实行短丧。我因为不承认"穿孝"就算"孝"，不承认"孝"是拿来穿在身上的，所以我决意实行短丧。第三，现在的人居父母之丧，自称为"守制"，写自己的名字要加上一个小"制"字，请问这种制是谁人定的制？是古人遗传下来的制呢？还是现在国家法律规定的制呢？民国法律并不曾规定丧期。若说是古代遗制，则从斩衰三年到小功缌，都是"制"，何以三年之丧单称为"制"呢？况且古代的遗制到了今日，应该经过一番评判地研究，看那种遗制是否可以存在；不应该因为它是古制就糊糊涂涂地服从它。我因为尊重良心的自由，不愿意盲从无意识的古制，故决意实行短丧。第四，现行的服制实际上有许多行不通的地方。若说素色是丧服，现在的风尚喜欢素色衣裳，素色久已不成为丧服的记号了。若说布衣是丧服，绸缎不是丧服，那么，除了丝织的材料之外，许多外国的有光的织料是否算是布衣？有光的洋货织料可以穿得，何以本国的丝织物独不可穿？蚕丝织的绸缎既不能穿，何以羊毛织的呢货又可以穿得？还有羊皮既可以穿得，何以狐皮便穿不得？银器既可以戴得，金器和镀金器何以又戴不得？——诸如此类，可以证明现在的服制全凭社会的习惯随意乱定，没有理由可说，没有标准可寻；颠倒杂乱，一无是处。经济上的困难且丢开不说，就说这心理上的麻烦不安，也很够受了。我也曾想采用一种近人情，有道理，有一贯标准的丧服，竟寻不出来，空弄得精神上受无数困难惭愧。因此，我索性主张把服丧的期限缩短，在这短期内，无论穿何种织料的衣服，——无论布的，绸缎的，呢的，绒的，纱的，——只要蒙上黑纱，依民国的新礼制，便算是丧服了。

以上记我实行短丧的原委和理由。

我把我自己经过的丧礼改革，详细记了出来，并不是说我所改的都是不错的，也并不敢劝国内的人都依着我这样做。我的意思，不过是想表示我个人从一次生平最痛苦的经验里面得来的一些见解，一些感想；不过想指点出现在丧礼的种种应改革的地方和将来改革的大概趋势。我现在且把我对于丧礼的一点普通见解总括写出来，做一个结论。

结论

人类社会的进化，大概分两条路子：一边是由简单的变为复杂的，如文字的增添之类；一边是由繁复的变为简易的，如礼仪的变简之类。近来的人，听得一个"由简而繁，由浑而画"的公式，以为进化的秘诀全在于此了。却不道由简而繁固然是进化的一种，由繁而简也是进化的一条大路。即如文字固是逐渐增多，但文法却逐渐变简。拿英文和希腊拉丁文比较，便是文法变简的进化。汉文也有逐渐变简的痕迹。古代的代名词，"吾""我"有别，"尔""汝"有别，"彼""之"有别。现代变为"我""你""他""我们""你们""他们"，使主次宾次变为一律，使多数单数的变化也归一律，这不是一大进化吗？古代的字如马两岁叫做"驹"，三岁叫做"駣"，八岁叫做"𩢸"；又马高六尺为"骄"，七尺为"騋"。这都是很不规则的变化，现在都变简易了。

我举这几个例，来证明由繁而简也是进化。再举礼仪的变迁，更可以证明这个道理。我们试请一位孔教会的信徒，叫他把一部《仪礼》来实行，他做得到吗？何以做不到呢？因为古人生活简单，那些一半祭司一半贵族的士大夫，很可以玩那"一献之礼宾主百拜"的把戏儿。后来生活复杂了，谁也没有工夫来干这揖让周旋的无谓繁文。因此，自古以来，礼仪一天简单一天，虽有极顽固的复古家，势不能恢复那"礼仪三百，威仪三千"的盛世规模。故社会生活变复杂了，是一进化。同时礼仪变简单了，也是一进化。由我们现在的生活，要想回到茹毛饮血，穴居野处的生活，固是不可能。但是由我们现在简单礼节，要想回到那揖让周旋宾主百拜的礼节，也是不可能。

懂得这个道理，方才可以谈礼俗改良，方才可以谈丧礼改良。

简单说来，对于对丧礼问题的意见是：

（1）现在的丧礼比古礼简单多了，这是自然的趋势，不能说是退化。将来社会的生活更复杂，丧礼应该变得更简单。

（2）现在丧礼的坏处，并不在不行古礼，乃在不曾把古代遗留下来的许多虚伪仪式删除干净。例如不行"寝苫枕块"的礼，并不是坏处；但自称"苫块昏迷"，便是虚伪的坏处。又如古礼，儿子居丧，用种种自己刻苦的仪式，"水浆不入于口者三日，杖而后能起"。所以必须用杖。现在的人不行这种野蛮的风俗，本是一大进步，并不是一种坏处；但做"孝子"的仍旧拿着哭丧棒，这便是作伪了。

（3）现在的丧礼还有一种大坏处，就是一方面虽然废去古代的繁重礼节，一方面又添上了许多迷信的虚伪的野蛮风俗。例如地狱天堂，轮回果报，等等迷信，在丧礼上便发生了和尚念经超度亡人，棺材头点"随身灯"，做法事"破地狱""破血盆湖"等等迷信的风俗。

（4）现在我们讲改良丧礼，当从两方面下手。一方面应该把古丧礼遗下的种种虚伪仪式删除干净，一方面应该把后世加入的种种野蛮迷信的仪式删除干净。这两方面的破坏工夫做到了，方才可以有一种近于人情适合于现代生活状况的丧礼。

（5）我们若要实行这两层破坏的工夫，应该用什么做去取的标准呢？我仔细想来，没有绝对的标准，只有一个活动的标准，就是"为什么"三个字。我们每做一件事，每行一种礼，总得问自己：我为什么要做这件事？为什么要行那种礼？（例如我上文所举"点主"一件事）能够每事要寻一个"为什么"，自然不肯行那些说不出为什么要行的种种陋俗了。凡事不问为什么要这样做,便是无意识的习惯行为。那是下等动物的行为,是可耻的行为!

(第六卷第六号,一九一九年十一月一日)

本志宣言

本志具体的主张,从来未曾完全发表。社员各人持论,也往往不能尽同。读者诸君或不免怀疑,社会上颇因此发生误会。现当第七卷开始,敢将全体社员的共同意见明白宣布。就是后来加入的社员,也共同担负此次宣言的责任。但"读者言论"一栏,乃为容纳社外异议而设,不在此例。

我们相信世界上的军国主义和金力主义已经造了无穷罪恶,现在是应该抛弃的了。

我们相信世界各国政治上、道德上、经济上因袭的旧观念中,有许多阻碍进化而且不合情理的部分。我们想求社会进化,不得不打破"天经地义""自古如斯"的成见,决计一面抛弃此等旧观念,一面综合前代贤哲、当代贤哲和我们自己所想的,创造政治上、道德上、经济上的新观念,树立新时代的精神,适应新社会的环境。

我们理想的新时代、新社会,是诚实的、进步的、积极的、自由的、平等的、创造的、美的、善的、和平的、相爱互助的、劳动而愉快的、全社会幸福的。希望那虚伪的、保守的、消极的、束缚的、阶级的、因袭的、丑的、恶的、战争的、轧轹不安的、懒惰而烦闷的、少数幸福的现象,渐渐减少,至于消灭。

我们新社会的新青年,当然尊重劳动,但应该随个人的才能兴趣,把劳动放在自由愉快、艺术美化的地位,不应该把一件神圣的东西当做维持衣食的条件。

我们相信人类道德的进步,应该扩张到本能(即侵略性及占有心)以上的生活,所以对于世界上各种民族,都应该表示友爱互助的情谊。但是对于侵略主义、占有主义的军阀、财阀,不得不以敌意相待。

我们主张的是民众运动、社会改造,和过去及现在各派政党,绝对断绝关系。

我们虽不迷信政治万能,但承认政治是一种重要的公共生活,而且相信真的民主政治,必会把政权分配到人民全体,就是有限制,也是拿有无职业做标准,不拿有无财产做标准。这种政治,确是造成新时代一种必经的过程,发展新社会一种有用的工具。至于政党,我们也承认它是运用政治应有的方法,但对于一切拥护少数人私利或一阶级利益,眼中没有全社会幸福的政党,永远不忍加入。

我们相信政治、道德、科学、艺术、宗教、教育,都应该以现在及将来社会生活进步的实际需要为中心。

我们因为要创造新时代、新社会生活进步所需要的文学、道德,便不得不抛弃因袭的文学、道德中不适用的部分。

我们相信尊重自然科学、实验哲学,破除迷信妄想,是我们现在社会进化的必要条件。

我们相信尊重女子的人格和权利,已经是现在社会生活进步的实际需要,并且希望她们个人自己对于社会责任有彻底的觉悟。

我们因为要实验我们的主张,森严我们的壁垒,宁欢迎有意识、有信仰的反对,不欢迎无意识、无信仰的随声附和。但反对的方面没有充分理由说服我们以前,我们理当大胆宣传我们的主张,出于决断的态度。不取乡愿的、紊乱是非的、助长惰性的、阻碍进化的、没有自己立脚地的调和论调;不取虚无的、不着边际的、没有信仰的、没有主张的、超实际的、无结果的绝对怀疑主义。

(第七卷第一号,一九一九年十二月一日)

"新思潮"的意义

胡　适

研究问题，输入学理，整理国故，再造文明。

（一）

近来报纸上发表过几篇解释"新思潮"的文章。我读了这几篇文章，觉得他们所举出的新思潮的性质，或太琐碎，或太笼统，不能算作新思潮运动的真确解释，也不能指出新思潮的将来趋势，即如包世杰先生的《新思潮是什么》一篇长文，列举新思潮的内容，何尝不详细？但是他究竟不曾使我们明白那种种新思潮的共同意义是什么。比较最简单的解释，要算我的朋友陈独秀先生所举出的《新青年》两大罪案——其实就是新思潮的两大罪案——一是拥护德莫克拉西先生（民治主义），一是拥护赛因斯先生（科学）。陈先生说：

要拥护那德先生，便不得不反对孔教、礼法、贞节、旧伦理、旧政治。要拥护那赛先生，便不得不反对旧艺术、旧宗教。要拥护德先生又要拥护赛先生，便不得不反对国粹和旧文学。(《新青年》六

卷一号,页一〇)

这话虽然很简明,但是还嫌太笼统了一点。假使有人问:"何以要拥护德先生和赛先生,便不能不反对国粹和旧文学呢?"答案自然是:"因为国粹和旧文学是同德、赛两位先生反对的。"又问:"何以凡同德、赛两位先生反对的东西都该反对呢?"这个问题可就不是几句笼统简单的话所能回答的了。

据我个人的观察,新思潮的根本意义只是一种新态度。这种新态度可叫做"评判的态度"。

评判的态度,简单说来,只是凡事要重新分别一个好与不好。仔细说来,评判的态度含有几种特别的要求:

(1)对于习俗相传下来的制度风俗,要问:"这种制度现在还有存在的价值吗?"

(2)对于古代遗传下来的圣贤教训,要问:"这句话在今日还是不错吗?"

(3)对于社会上糊涂公认的行为与信仰,都要问:"大家公认的,就不会错了吗?人家这样做,我也该这样做吗?难道没有别样做法比这个更好、更有理、更有益的吗?"

尼采说现今时代是一个"重新估定一切价值"(Transvaluation of all values)的时代。"重新估定一切价值"八个字便是评判的态度的最好解释。从前的人说妇女的脚越小越美,现在我们不但不认小脚是"美",简直说这是"惨无人道"了。十年前,人家和店家都用鸦片烟敬客。现在鸦片烟变成犯禁品了。二十年前,康有为是洪水猛兽一般的维新党,现在康有为变成老古董了。康有为并不曾变换,估价的人变了,故他的价值也跟着变了。这叫做"重新估定一切价值"。

我以为现在所谓"新思潮",无论怎样不一致,根本上同有这公共的一点——评判的态度。孔教的讨论只是要重新估定孔教的价值。文学的评论只是要重新估定旧文学的价值。贞操的讨论只是要重新估定贞操的道德在现代社会的价值。旧戏的评论只是要重新估定旧戏在今日文学上的价值。礼教的讨论只是要重新估定古代的纲常礼教在今日还有什么价值。女子的问题只是要重新估定女子在社会上的价值。政府与无政府的讨论,财产私有与公有的讨论,也只是要重新估定政府与财产等等制度在今日社会的价值。……我也不必往下数了,这些例很够证明:这种评判的态度是新思潮运动的共同精神。

（二）

这种评判的态度,在实际上表现时,有两种趋势:一方面是讨论社会上、政治上、宗教上、文学上种种问题;一方面是介绍西洋的新思想、(新)学术、新文学、新信仰。前者是"研究问题",后者是"输入学理"。这两项是新思潮的手段。

我们随便翻开这两三年以来的新杂志,便可以看出这两种的趋势。在研究问题一方面,我们可以指出:(1)孔教问题;(2)文学改革问题;(3)国语统一问题;(4)女子解放问题;(5)贞操问题;(6)礼教问题;(7)教育改良问题;(8)婚姻问题;(9)父子问题;(10)戏剧改良问题……在输入学理一方面,我们可以指出《新青年》的"易卜生号""马克思号",《民铎》的"现代思潮号",《新教育》的"杜威号",《建设》的"全民政治"的学理和北京《晨报》《国民公报》《每周评论》，上海《星期评论》《时事新报》《解放与改造》，广州《民风周刊》等等杂志所介绍的种种西洋新学说。

　　为什么要研究问题呢？因为我们的社会现在正当根本动摇的时候，有许多风俗制度，向来不发生问题的，现在因为不能适应时势的需要，不能使人满意，都渐渐地变成困难的问题，不能不彻底研究，不能不考问旧日的解决法是否错误。如果错了，错在什么地方。错误寻出了，可有什么更好的解决方法。有什么方法可以适应现时的要求。例如孔教的问题，向来不成什么问题。后来东方文化与西方文化接近，孔教的势力渐渐衰微，于是有一班信仰孔教的人妄想要用政府法令的势力来恢复孔教的尊严，却不知道这种高压的手段恰好挑起一种怀疑的反动。因此，民国四五年的时候，孔教会的活动最大，（反）对孔教的人也最多。孔教成为问题就在这个时候。现在大多数明白事理的人，已打破了孔教的迷梦，这个问题又渐渐地不成问题了，故安福部的议员通过孔教为修身大本的议案时，国内竟没有人睬他们了！

　　又如文学革命的问题。向来教育是少数"读书人"的特别权利，于大多数人是无关系的，故文字的艰深不成问题。近来教育成为全国人的公共权利，人人知道普及教育是不可少的，故渐渐地有人知道文言在教育上实在不适用，于是文言白话就成为问题了。后来有人觉得单用白话做教科书是不中用的，因为世间决没有人情愿学一种除了教科书以外便没有用处的文字。这些人主张：古文不但不配做教育的工具，并且不配做文学的利器；若要提倡国语的教育，先须提倡国语的文学。文学革命的问题就是这样发生的。现在全国教育联合会已全体一致通过小学教科书改用国语的议案，况且用国语做文章的人也渐渐地多了，这个问题又渐渐地不成问题了。

　　为什么要输入学理呢？这个大概有几层解释：一来呢，有些人深信中国不但缺乏炮弹、兵船、电报、铁路，还缺乏新思想与新学术，故他们尽量地输入西洋近世的学说。二来呢，有些人自己深信某种学说，要想他传播发展，故尽力提倡。三来呢，有些人自己不能做具体的研究工夫，觉得翻译现成的学说比较容易些，故乐得做这种稗贩事业。四来呢，研究具体的社会问题或政治问题，一方面做那破坏事业，一方面做对症下药的工夫，不但不容易，并且很遭犯忌讳，很容易惹祸，故不如做介绍学说的事业，借"学理研究"的美名，既可以避"过激派"的罪名，又还可以种下一点革命的种子。五来呢，研究问题的人，势不能专就问题本身讨论，不能不从那问题的意义上着想；但是问题引申到意义上去，便不能不靠许多学理做参考比较的材料。故学理的输入往往可以帮助问题的研究。

　　这五种动机虽然不同，但是多少总含有一种"评判的态度"，总表示对于旧有学术思想的一种不满意，和对于西方的精神文明的一种新觉悟。

　　但是这两三年新思潮运动的历史应该给我们一种很有益的教训。什么教训呢？就是：这两三年来新思潮运动的最大成绩差不多全是研究问题的结果。新文学的运动便是一个最明白的例。这个道理很容易解释。凡社会上成为问题的问题，一定是与许多人有密切关系的。这许多人虽然不能提出什么新解决，但是他们平时对于这个问题自然不能不注意。若有人能把这个问题的各方面都细细分析出来，加上评判的研究，指出不满意的所在，提出新鲜的救济方法，自然容易引起许多人的注意。起初自然有许多人反对，但是反对便是注意的证据，便是兴趣的表示。试看近日报纸上登的马克思的《赢余价值论》,可有反对的吗?可有讨论的吗?没有人讨论,没有人反对,便是不能引起人注意的证据。研究问题的文章所以能发生效果,正为所研究的问题一定是社会人生最切要的问题,最能使人注意,也最能使人觉悟。悬空介绍一种专家学说,如《赢余价值论》之类,除了少数专门学者之外,决不会发生什么影响。但是我们可以在研究问题里面做点输入学理的事业,或用学理来解释问题的意义,或从学理上寻求解决问题的方法。用这种方法来输入学理,能使人于不知不觉之中感受学理的影响。不但如此,研究问题最能使读者渐渐地养成一种批评的态度,研究的兴趣,独立思想的习惯。十部《纯粹理性的评判》,不如一点评判的态度;十篇《赢余价值论》,不如一点研究的兴趣;十种《全民政治论》,不如一点独立思想的习惯。

总起来说:研究问题所以能于短时期中发生很大的效力,正因为研究问题有这几种好处:(1)研究社会人生切要的问题最容易引起大家的注意;(2)因为问题关切人生,故最容易引起反对。但反对是该欢迎的,因为反对便是兴趣的表示,况且反对的讨论不但给我们许多不要钱的广告,还可使我们得讨论的益处,使真理格外分明;(3)因为问题是逼人的活问题,故容易使人觉悟,容易得人信从;(4)因为从研究问题里面输入的学理,最容易消除平常人对于学理的抗拒力,最容易使人于不知不觉之中受学理的影响;(5)因为研究问题可以不知不觉地养成一班研究的、评判的、独立思想的革新人才。

这是这几年新思潮运动的大教训!我希望新思潮的领袖人物以后能了解这个教训,能把全副精力贯注到研究问题上去;能把一切学理不看做天经地义,但看做研究问题的参考材料;能把一切学理应用到我们自己的种种切要问题上去;能在研究问题上面做输入学理的工夫;能用研究问题的工夫来提倡研究问题的态度,来养成研究问题的人才。

这是我对于新思潮运动的解释。这也是我对于新思潮将来的趋向的希望。

(注)参看《每周评论》(31)《多研究些问题,少谈些主义》,又(33)《问题与主义》,又(35)《再论问题与主义》,又(36)《三论问题与主义》。

(三)

以上说新思潮的"评判的精神"在实际上的两种表现。现在要问"新思潮的运动对于中国旧有的学术思想,持什么态度呢"?

我的答案是:"也是评判的态度。"

分开来说,我们对于旧有的学术思想有三种态度。第一,反对盲从;第二,反对调和;第三,主张整理国故。

盲从是评判的反面,我们既主张"重新估定一切价值",自然要反对盲从。这是不消说的了。

为什么要反对调和呢?因为评判的态度只认得一个是与不是,一个好与不好,一个适与不适,——不认得什么古今中外的调和。调和是社会的一种天然趋势。人类社会有一种守旧的惰性,少数人只管趋向极端的革新,大多数人至多只能跟你走半程路。这就是调和。调和是人类懒病的天然趋势,用不着我们来提倡。我们走了一百里路,大多数人也许勉强走三四十里。我们若先讲调和,只走五十里,他们就一步都不走了。所以革新家的责任只是认定"是"的一个方向走去，不要回头讲调和，社会上自然有无数懒人、懦夫出来调和。

我们对于旧有的学术思想，积极的只有一个主张：就是"整理国故"。整理就是从乱七八糟里面寻出一个条理脉络来；从无头无脑里面寻出一个前因后果来；从胡说谬解里面寻出一个真意义来；从武断迷信里面寻出一个真价值来。为什么要整理呢？因为古代的学术思想向来没有条理，没有头绪，没有系统，故第一步是条理系统地整理。因为前人研究古书，很少有历史进化的眼光的，故从来不讲究一种学术的渊源，一种思想的前因后果。所以第二步是要寻出每种学术思想怎样发生，发生之后有什么影响效果。因为前人读古书，除极少数学者以外，大都是以讹传讹的谬说，——如太极图、爻辰、先天图、卦气之类，——故第三步是要用科学的方法作精确的考证，把古人的意义弄得明白清楚。因为前人对于古代的学术思想，有种种武断的成见，有种种可笑的迷信，——如骂杨朱、墨翟为禽兽，却尊孔丘为德配天地，道冠古今！——故第四步是综合前三步的研究，各家都还他一个本来真面目，各家都还他一个真价值。

这叫做"整理国故"。现在有许多人自己不懂得国粹是什么东西，却偏要高谈"保存国粹"。林琴南先生做文章论古文之不当废，他说，"吾知其理而不能言其所以然"！现在许多国粹党，有几个不是这样糊涂懵懂的？这种人如何配谈国粹？若要知道什么是国粹，什么是国渣，先须要用评判的态度，科学的精神，去做一番整理国故的工夫。

（四）

新思潮的精神是一种评判的态度。

新思潮的手段是研究问题与输入学理。

新思潮的将来趋势，依我个人的私见看来，应该是注重研究人生、社会的切要问题，应该于研究问题之中做绍介学理的事业。

新思潮对于旧文化的态度，在消极一方面是反对盲从，是反对调和；在积极一方面，是用科学的方法来做整理的工夫。

新思潮的唯一目的是什么呢？是再造文明！

文明不是笼统造成的，是一点一滴地造成的。进化不是一晚上笼统进化的，是一点一滴地进化的。现今的人爱谈"解放与改造"，须知解放不是笼统解放，改造也不是笼统改造。解放是这个、那个制度的解放，这种、那种思想的解放，这个、那个人的解放，是一点一滴的解放。改造是这个、那个制度的改造，这种、那种思想的改造，这个、那个人的改造，是一点一滴的改造。

再造文明的下手工夫，是这个、那个问题的研究。再造文明的进行，是这个、那个问题的解决。

中华民国八年十一月一日晨三时

（第七卷第一号，一九一九年十二月一日）

科学的起源和效果

王星拱

我们现在讨论的问题,中间有许多地方,都牵涉到心理学。我并不是心理学家,为何敢做这篇文章呢?因为这篇中间所记载的,有些是我自己原来的意见,后来在书上找出来,不约而同的;有些是书上的理论,我把它推论出来,我自己觉得没有违背逻辑的。所以我相信这篇所记载的,至少总有一定的真实的元素。况且这篇所讨论的,是很有兴趣的问题,无论这篇的价值如何,我并不持抱歉的态度。

一、科学的起源

科学的起源,不是偶然发现的,因为人类是有理性的动物,有种种心理的根据可以发生科学。我们现在把这些心理数出如下:

(一)惊奇　人类都有惊奇的心理,我们看见一物,必讶问这是什么东西?遇见一桩事,必问这是什么道理?这种种惊奇的心理,就是科学的起源。最初的人类,看见天然界中日月、山川、草木、鸟兽各种不同的现象,首先要辨识这些现象的不同,然后要解释这些现象的道理。把这个心理往前发展,就是科学的进步。但是有一班哲学家说:惊奇的心理,只能创造宗教,不能创造科学,因为人类到惊奇不能解释的时候,就把神来解释,那心上就圆满了。我觉得人类有惊奇的心理的时候,总想得个理性的解释。如果想了多少法子,还不能解释,方才皈依宗教。所以惊奇的心理,对于科学的起源,总有一部分的潜力。

（二）求真　　无论何人,总想明白万事万物的真理,人类的心理,总是信真实而不信假伪的。就是迷信糊涂的人相信假伪的,他的心上是把假伪当作真实。如果有人叫他明明白白地知道他所信的是假伪的,另外还有个真实的,绝没有不"舍其所信而信之"的。亚拉伯成语曰:"不知其不知,才叫做愚。"若是能叫他知其不知,他便不是愚了。就是有心作伪的人的心中,仍然有个求真的趋向。罗司金(Ruskin)说:"求真的渴望,仍然存在于有心作伪的人的心中。"这话深有意思。例如点金化学家说铜钱可变为金,这个学说盛行一千年,但是自十七世纪,有人证明它是假的,也就没有人相信了。又如星卜、命相之流,他的心上何曾不知道他所说的都是骗人的,不过因衣食、名声,不得不说诳话罢了。但是有一派悲观的哲学家,以为"人爱欺骗"(就是假伪 Man loves deceit)。这话我还未敢深信,因为人所以爱欺骗的缘故,还是由于"外铄"的,不是由于天性的自然。

（三）美感　　美感,无论是物质的,是精神的,都是人类所共有的。物质的美,是外界的可以感触器官的美;精神的美,是心理上的异中求同综合的判断(Synthetic judgement)。然而精神的美,常常隐在物质的美的后头。科学家以为天然界是美的,因为天然界各部分的秩序(Order of its Parts)是恰恰支配得得当,不是紊乱冲突的,这是物质的美。我们把异中的同点综合起来,成了理论定律,用它去推论,审度,判断,也是不紊乱的、不冲突的,这就是精神的美。这物质的美感和精神的美感,最初的人类也有的。考古学家查得冰川时代的洞居人类乘(?)(原文如此)在灰石上所刻的毯象的图像,有写实的意思。试问那样野蛮人类,为什么要图像呢?是因为他们有物质的美感的缘故。最初人类,解释现象界的繁复,也想用一种综合的方法成一种有系统的理论,(参观以下说简约节)是因为他们有精神的美感的缘故。科学家何以尽心竭力研究科学呢?因为科学中间有和一(不紊乱,不冲突,参观以下说美节)的美。所以科学的起源和它的进步,美感也是一个主使的原因。

(四)致用　　这个科学的起源,要分两层的说法。在太古的时候,这个想致用的心理,对于科学的发生,或者有很大的潜力。因为那个时候的人类,穴居野处,茹毛饮血,渐渐觉得天然界中所有天然的器具,实在是不够用的,总想拿这些天然的材料制造一番,来供给他们饮食起居的日用。但是我们现在的科学,是在文艺复兴的时候重行出世的。当这十五六七世纪的时候,那些科学家,像加里里约、牛敦并不是为致用而研究科学的。一直到了近来五六十年间,才有许多科学家,特意地为致用来研究科学。所以致用这一层,在中古期的科学降生,没有什么力量。不过近来的科学的进步,致用也是一个很重要的主动(Motive)。

(五)好善　　人有好善恶恶的本能。卢骚说"我们不知道什么是绝对的善恶",这话不错,但是我们心里总有个比较的善恶。这个比较,是从辨别得来。科学是辨别的武器,不是糊里糊涂地把前人所说的善恶就当作善恶,必定要明明白白地研究出一个道理来。如果要能辨别善恶,来做行为的标准,必定要发达科学。

(六)求简　　宇宙万象,繁复不同。古时人类,已经想提出一个纲领来,研究宇宙的真理。因为对于繁复的东西,若是没有简约的方法,简直是对付不了,理不出一个头绪来。所以科学之唯一的方法,就是简约。至于星卜、命相各种邪说,都是故作繁难,不要使人家懂得清楚的。

因为如果人家懂得清楚,它的本身就不能存在了。古代点金化学家,也是如此。他教人家点金的方法,故意用颠倒错乱的数目,来蒙蔽人家。人家学过,仍然不懂。倘人来问他,他便答道:"你下次就可以稍为清楚些了。"所以这些邪说,是科学的仇敌。科学是从繁复之中,用简约的方法,理出头绪出来,刚刚合我们心坎儿上所要懂得的。譬如我们有书一架,各色不同,若有人把它编成目录,叫我们可以随时取阅,不费时力,我们必定感激他。科学就是替我们在天然界这个大书架上,用简约的方法,理出一个目录来,我们怎得不感激科学呢!

二、科学的效果

我们人类依据以上种种的心理,来研究科学。科学的发达,就是这几项心理往前发展。现在我们要问:科学既是依这几项心理而发展,还是每项心理,有一个特别的效果呢?还是他们的发展,都趋向同一的途径呢?我们的答案是:"一定趋向同一的途径。"第一,因为奇和真实是递相发现的;第二,因为真实和美、和功用、和善,原是分不开的东西;第三,因为真实是由简约得来的。怎么讲奇和真实是递相发现的呢?不懂得的就是奇,既懂得以后,拿来应用,不得生谬误的,就是真实。我们因为惊奇、求真两种心理来研究科学,期望能懂得这个奇,又渐渐地逼近于真实。如算学的得数,先得万位,再得千位,再得百、十单位,再得小数,一层一层地逼近。然而当每层前进的时候,层层里面有现象发现,这就是奇。再从这个奇又往前研究,我们的知识更增加,我们又得一层真实。凡是研究科学的人,没有不知道这个道理的。例如鲍以耳研究气体的行为,看见气体的体积,因压力而变迁,这是个奇。因此研究,就得了"气体之压力与其体积成反比之定律",这是个真实。但是这个真实,仍不是绝对的。从此再往前研究,知道在一定的情境之中,有新现象发现,就是"气体可变为液体",这又是个奇。因此研究,就得了气体变液体之理论和分子的物理之知识,这又是一层真实。从此再往前研究,又有进步,知道"液体变为气体之时,必收吸热若干",这又是个奇。因此研究,就得了热和形体变迁的关系,这又是一层真实。因惊奇求真,于是研究科学,得和真实相逼近。奇是无穷的,真实也是无穷的。知识增加,层层不绝,我们所以有许多的乐趣在这里。罗司金说:"知之不全,而又知之不已,人生之乐,莫大于此。"唐姆司(Thomas)说:"我们所得之真实,可以逐渐进步,并且可以随时增加确切。"科学家对于绝对的真实,自然不能断定它是已得的,然而就此逼近的真实,叫我们有预测的能力,也不妨就把它叫做真实,至少也可以把它叫做"实用的真实"了。

怎么讲真实的就是美的呢? 美有两个不可缺乏的元素:一是秩序,一是谐和。譬如一室之内,桌椅图画,东倒西歪,毫无秩序,决没有美之可言。又如一队音乐,嘈杂无章,各乐器所发之音不相谐和,也决没有美之可言。这两种性质,在科学里边发展得最完备。因为各科学都以算学为基础,算学是最真实的。所以算学秩序整齐,丝毫不可紊乱。必先得第一层的张本(Data),然后能得第二层的得数(Result)。不能无凭借而妄行,也不能桎梏而迁就。又算学的理论，彼此谐和，绝没有自相冲突的地方。例如一个问题，用数学算之，其得如此；用代数算之，其得数也是如此；用方格图算之，其得数也是如此。因为这些得数，都是真实的，就是气体之定律，如鲍以耳之定律、格罗撒克之定律、达尔敦之定律，都是左右逢源，无一点背谬的地方。因为这些定律，都是真实的。就是生物学、社会学里边各种理论，有貌似不相调和的，然而自然科学的精神（科学的精神，指算学确切的精神，并不是说种种学说都要拿算学公式来表明它）输入生物的社会的学问之后，这些学问里边的定律理论，都是逼近于真实的，并没有不相谐和的地方。就拿达尔文和克尔泡得金的学说来说，外貌好像两相矛盾，其实并不是不谐和的。达氏的学说是强的存，弱的灭；克氏的学说是互助的存，独孤的灭。但是我们要记得达氏的原文是："最适宜的就能生存。"（The fittest survive）和克氏的学说并不冲突。况且强、弱两个字，不是专指体大力强说的，因为地质历史上、人类历史上，有许多体大力强的东西，反来都灭了，是因为不适于环境的缘故。互助是发达人为同情，是合于大家的心理的，那才真正是强。这样看来，克氏的学说是比达氏的学说更加精密，更逼近于真实，并不是不谐和的。科学是以求真实为目的，真实的才能有秩序，才能谐和。有秩序而谐和，就是美。

再从心理的一方面看来。我们观察外界，有千千万万的影子和我们的器官相接触。当这个时候，如果我们的智慧，不能看出他们的同点出来，一把握在掌中，我们遇着无限的接触。只好见一个菩萨磕一个头，那就不堪其苦了——那就没有美感（就是愉快）之可言了。幸而我们的智慧，有这个综合———一把握在掌中——的能力。不但在不同的接触之中，寻出同点来，并且把未曾接触的将来都可以综合在一处来预测它，没有紊乱，没有冲突。这个综合，就是知识的脊椎，就是思想的经济（是有用的），就是精神的美，因为它是有秩序的，它是谐和的，所以安德雷（Andre）说："无论美是什么东西，它的根本总是秩序，它的精神总是和一（Unity）。""和一"就是不冲突，就是谐和。朋加烈（Boincare）说求美和求有用的心理，都趋向同一的途径（有用的就是真实的，见后节），因为凡是我们觉得美的东西，都是和我们的智慧相适宜的，所以我们可以懂得怎样可以利用它的。

怎么讲真实的就是有用的呢？科学对于物质文明，贡献得如此之多，这是很便易看得出的方面。物质文明，替人类增加许多幸福，把人类的生活，从不美变成美的。茫特因（Montagne）曾经说："科学是一个最大的装饰品（美的），又是一个最良的应用品（有用的）。"但是这个物质文明，可是真有益于人类，我们可以应该享受它，还有些别致朋友（像托尔司泰一般人。"别致朋友"这四个字是吴稚晖先生给这一般人的徽号），都说不是！不是！在这篇里面，不能作详细的辨明，我只能截取科学的断案，说：科学的本身，是有益于人类的，我们大家都应该享受物质文明。这是功利（Utilitarianism）的方面，现在撇开不谈。我们再谈理论的一方面。我们的科学知识，都从物质的经验得来，真实不虚，无可辩驳的。科学战胜所得的地方，永远不会再被仇敌抢得去的。因为依科学的方法，层层论断，是确切而不可移，最适宜于应用，决不至受它欺骗的。例如我们试验多次，水到摄氏百度即沸腾，因此事实构成定律，就可以预测无论何时何处的水（须非溶液），都是到百度就沸腾。又如几何学中的种种原理，把它量地是准的，把它造机器是准的，把它测算热、光、电动之分量也是准的，就是拿他来研究社会学中人口、货品增减各问题也是准的。况且依这些定律、原理推去，并可知道情境变迁之时，应有如何变迁的现象。例如水中加盐，沸腾点必加高；水上减压力，沸腾点必减低。因为这些定律、原理论等等，都是真实的，所以无论用于何处，恰恰适宜，永不欺骗我们的。这不是科学的大功用吗？所以哥脱（Goethe）说："凡是适宜的，就是对的。"赫耳姆毫斯（Helmholtz）说："我们对于外界之表释（Representation）何时算得真的呢？依这个表释，可以推出在一定的情境之中，必有一定的事实发生，且若变其情境，并可推出结果之同变；那么，这个解释，可以算得真的了。"换言之，凡适宜的，可使我们预测将来的，就是真实的，因为它是真正有用的。

怎么讲真实的就是善的呢？科学的致用如此的大，在上节里面，我们已经截取科学家的断案说，科学的本身，是有益于人类的。若是我们拿野心家、资本家的罪恶加在科学身上，那就是不怪刽子手而怪刀了。科学既是有益于人类，那不就是善的吗？这是物质的一方面。再从精神的一方面说，科学所贡献于精神界的，分析起来，有两个新观念。第一，宇宙间的因果的关系。我们从试验里得了物质能力总数不灭的大理论，就是实实在在的证明有因必定有果。我们要得好果，须得我去做。我和物是分不开的，我是物的一分子，物是我的环境。所以科学的人生观，就是要求真实于生活之中。第二，是道德的真意义。从前人把盲信当作道德，科学家把怀疑当做道德：因为怀疑才研究，因为研究才有真是非，有了真是非（就是真实和错误），我们的行为，才有标准。所以科学的道德观，要能辨别是非（就是善恶），这是知的方面，就是以上所说的第二个贡献。又要能取是舍非，这是行的方面，就是以上所说的第一个贡献。苏格拉底说："知识就是道德。"同科学的"真实的就是善的"的意思很相同。

怎么讲真实是由简约得来的呢？我们要在宇宙不同的万象之中，求出真实，必用简约的方法。否则茫无头绪。所以科学家权量现象之分量，必减少其外来掺杂的情境，然后可以权量我们所要权量的。例如我们要量灯光之分量，必用一黑房，不让太阳光来掺杂它；我们要量空气传声之速率，必选择恬静的天气，不让风来掺杂它（量声之速率尚有他种精密的方法，现在犯不着细讲它），这就是用简约之原理。凡是科学之方法，都是以算学为根据，确切而不模棱。赫切耳（Herschel）说："数目的确切，是科学唯一的灵魂。"因为算学是简约的，纵是高深的算学原理公式，终是有层次，有秩序，可以寻绎，绝不是紊乱无章，这就是比较的简约。因其简约，所以有用，所以是真实。这种思想，古代人类亦已有之。试看古代神异学说，以神鬼为操纵宇宙之主，然终承认天然界中，有一种天然力，虽神鬼亦须服从——中国人说是数定的——这就是承认天然一致之定律，这就是简约之方法。不过他们所用的材料，不是真实的，没有实验可以证明，所以闹到神异莫测的地位。科学是平民的学问，就是普通的智慧，都可得其门而入。因为它是简约而可解的，都是真实不虚的。不是神怪莫测，把我们送到莫名其妙的地位的。试看科学中最普遍的、最真实的定律，莫过于牛敦的吸力定律：$G = \frac{M \times m}{D^2}$。我们要知道这个定律，当先是他把两个球做试验而得来的。若是把三个球做试验，这三个球吸力的互相的关系，已经很复杂，不能拿这样的简单公式可以表明得了的。若是用四个球、五个球——百个球、千个球，那就更复杂，不能驾驭了。我们在前头说的异中求同的综合，也是简约方法。我们总要拿我们的智慧去驾驭现象,不能拿我们的智慧去跟随现象。怎么驾驭呢?就是简约的方法。用简约的方法,虽不能把真实完完全全地表托出来(这是不可能的),然而可以和真实相逼近,叫我们在较稳而有限制的地盘上去进行,不至于生出空疏、笼统、紊乱、冲突的弊病来。波耳哈夫说:简约是真实的封锁。就是用简约求真实的意思。这样看来,真实和美、和功用、和善,是不能分开的东西。我们用简约的方法,可以渐渐和它逼近。但是什么时候可以能得着这个东西呢?拉耳默(Larmer)说:"真实住在深井里边,我们永远不得到井底。"然而我们要问:如果我们果然到了井底,那还有什么生活的乐趣吗?进一层说,那还有什么生活的存在吗?

(第七卷第一号,一九一九年十二月一日)

游欧之感想

陶履恭

(一)

我在三月里头动身,正是巴黎平和大会议极繁忙的时候。五月到了巴黎,劈头就遇着一个大棒击。就是那三大否决我们关于山东的抗议的消息。当时回想我们自从欧战开始以来,在国内时常读到海外传来的新闻,那欧美有名的政治当局的口〈口〉声声地讲什么人道、正义、自决、和平那些好名词,使我们常受欺侮、要在和议席上诉冤的小生灵,听了那慈仁公直的声音,不觉得精神鼓舞起来,以为此次会议真是我们人类的大关键,世上受人凌辱的民族有无限的希望都寄托在这会议里头。会议虽然未必就如爱平和者的理想上所期望的,但是议和席上的衮衮诸公既然再三拿永久平和与公道做那和议的标帜,他们的行为总不能与他们的言语太支离。要求平和当然要讲公道,没有公道的媾和必然是将来扰乱之端。世界所以不能永远太平就是因为向来国际间不讲公道,只讲势力。万不料这次会议又是一番失望。多少理想家的好梦,一下都惊破了。多少爱平和者之希望,一下都变成泡影了。几百万条高贵的性命——这些条性命里包含着无量的希望，假使这些条性命可以尽量地完满发达，可以为人类贡献多少幸福，可以使他们自己的生命增加多少荣耀——都空空地废掉了。于死者，于生者，都没有一点好处。不特没有好处，反留下一个不可收拾的残局，使他们的子孙担忧。还有几万万的生灵，在这四年多的长期间里，牺牲了多少宝贵的东西，受冻挨饿，并且受种种精神上的苦痛，终结也是丝毫的好处没有得到，只承受了许多不公平的遗产。后来处分这遗产，还要发生无数的轇轕。这是我从法国卜伦海口登岸后乘火车赴巴黎的路上看见双米盎战迹的一种觉悟。

但是现在的欧洲，仍然是战争状态的欧洲。我到欧洲的时候，停战的条约虽然是已经签过了六个月，但是各方面仍然维持着战争的状态。战场上的铁丝、铁网、枪炮、子弹、人骨、兽骨，还没有收拾清楚。莱因河畔所驻屯的联军都在那里严装待发。东欧若俄国、波兰，各区域的军事依旧积极进行。战时所发布一切拘束个人自由的法令，仍然是继续有效。在这个恐怖的环境里，如何能希望发生天国的福音，如何能希望那平和会议席上的一班人物会有高尚理想的判决呢？此次战争的发端，就是会议里的人所造出来的。就算不是他们造出来的，也是因为他们因循、糊涂，才酝酿出来的。（就算不是他们酝酿出来的，这班人只能做战争时的英雄，不配做和议席上的公正人，只能作战的，不能议和的，不能谋世界和平的。）我们希望那些贻误大局的会可以在几个月里——并且是在巴黎——整顿全世界纷争的局面，那真是痴想。

我在英、法两国住了三个月，所见的明白人都是怀着这种感想。悲观的人说世界黑暗的程度不能比现在再加厉害了。

以上所说的是此次大战争之后国际平和的局面。因为会议的人都是一班旧人物，没有了解世界的真状态，没有怀着高尚的理想，所以又造出一个强权跋扈的世界，与战争前原无什么区别。他们所做的不过是把地图上的颜色改变改变；把德意志逐去强权之列，换了一个东方崛起的日本；把有名无实的海牙平和会，换了一个五大专制的国际联盟；把"战败"国家的富源地，瓜分给各大强国，更把此次战争所损失的大部分的负担，都加在"战败"国民的身上。因为俄国人的思想与他们不相合，更派了许多军队，费了许多金钱（英国今年自一月至六月征俄的军费共五千万磅。法、美两国征俄的军费还不在此数之内），攻倒他们的政府，封锁他们的交通，困死他们的男女老幼。扶持几个小民族成为独立的国家，但是把他们当做自己的屏风（两个大国的疆土相接连，若是起了冲突太觉危险，所以最好是在两国之间造出一个小国做屏风Buffer保持他们的安宁。例如鲁森堡一边是比、法两国，一边是德国，就是最好的一个屏风。这是旧政治思想和旧日国际政治的产生物，假使国际联盟是一个有效的机关，国际上有真正的秩序，这个屏风是用不着的），或认为附庸。（美国《新共和周报》五月三号英人勃雷斯佛论波兰的一篇文，他说强国用新发生的小国家另有作用的，说得极为透彻。）此次巴黎和会里所办的重要事端用以上数语足可以简单包括。欧洲经了这次空前的大战争，破烂已经不堪，以后总得要群策群力，还需几十年的工夫，才可以恢复旧日的文化。现在只由几个强权国家的代表定了一个最不公道的条约（公道必是各国都承认的。一方面以为公道而他方面不承认的，哪里算得公道！），真是人类的大不幸。

这次平和会议虽然是一番大失败，把千载一时的好机会，空空放过，做成了一桩大错事。希望平和、爱惜公理的人没有不失望的，但是我们也不要轻易陷于悲观。我们人类进化的历史，都是由失败与试验造出来的。只是有时候失败与试验的价值太大，牺牲太重，已是不幸之事。有时候失败与试验之后，还要蹈失败之覆辙，那不特不幸，实是可怜，可怜我们人类的弩钝，可怜我们人类的怠惰。此次战争所损失的生命财产，价值之巨，可称空前无比。我们固然没收成效，没得到积极的教训，都可以说获有消极的教训。那个消极的教训就是使我们觉悟，为什么那理想的国际组织不能实现，为什么人道、正义，都归于失败呢？

我们受了这番教训，当然就联想到现在的国家了。此次国际公平的组织不能成立，固然是因为会议的人员没有眼光，没有能力。但是现在世界上国家的程度也太参差不齐了。国家的组织不是一时就能完备，世上的国家也不是一时即可达到同等程度之完备，国际组织也不是必须等所有的国家都发达完备才可以成立的。那国际联盟在消极的方面是维持平和，在积极的方面就是本互助的精神，增进人类公共的幸福，所以已进化的国家就有掖进辅助那未进化的国家的义务，不必一定要所有的国家都要有同等的程度才可以有国际的共同组织。但是我们这次的失败就是因为我们认为"先进国"的、我们所信赖可以主持公道为人类造幸福的国家，竟不能尽他们的天职。这样看来，所谓"先进国"不配戴那个名称了。我们现在且看一看他们国家的现状是什么样。

（二）

我这次出游虽然把"五大"的国土都到过了，但是为时极暂，只有四个月，所经过的地方观察的机会极少。没有就着各国实地的切实调查，不敢为过于概括的论断。我在英国住的时期较长，所游的地方较多，就英国的情形推论起来当没有什么大差误的。

西欧的国家四年以来都在战争里头，所受战争的影响非常地厉害，那是不待言明的。在战争开始之先，西欧的国家已经发生了许多切要的问题，急待解决。例如劳动者为争工资、减工时，与雇主时起冲突，各国只有敷衍弥缝，没有一种贯彻的办法。又如他们的政治组织因为时代变迁，向来所采用的选举法、立法手续也不能不因时制宜要有大部分的改革，各国也没有定一个大计划，使他们的政治机关合乎现代社会的状况。此外如社会上、教育上种种问题，须解决者仍多。一旦大战争来了，这是国家危急存亡的时候，所以一时全国民的精神、能力，全国的富源、产业、科学，都合并起来，全用在战事上。国内所有的问题，无论是若何迫切，总不能比国家存亡的问题再迫切，暂时都摆在一旁，停顿住了。非但国内诸般问题一时停顿，并且因为在战争的时候，政权要集中，政府的权力要大，所以又施行了许多种战时紧急法律，扩张政府的威力，把人民以先所享受的权利又剥夺了许多。因此国内的问题比战争以前更加增了。现在战争已经停止，但是战争状态依旧保存，战争所遗下之影响，依旧困累人民。总之此次战争使五年前所未能解决之问题加增，加倍地厉害，加倍地难解决。（战争的坏处已经由平和论者解释得明白详细，不待我说了。此次有一个美国人同我讲，战争的时候，人民牺牲和互助的精神如何发达，真是向来没有看见过的。我以为这种好处，也只是暂时的，不能耐久。以先牺牲互助的精神，只因为有共同的外患，于身家性命有大危险。现在危险去了，那牺牲和互助的精神，在一个不公道的政府之下，也就不能发了。看近来欧美劳动界的扰乱就可以明白的。）这些"创痍未复，百废待举"急待改造的国家,由他们的代表造出此次平和的条约,当然不能使我们的希望满足的。

现在西欧的国家正是一个大危机。这个危机远出我们想象之外。我只就政治、经济两方面所观察的稍为说说,就可以明白他们时局的危险了。西欧的政治采用那代议制度,自从十三世纪以来已行了几百年,经世界各国的模仿,因在不同状态之下,所以不免改变了许多。但是那政治制度的改变,还不及社会生活变迁得那样快,所以那政治制度,现在已不能与社会情状相适合,因此把它固有的功用失去。欧洲自从工业革新以来,资本制度发达,社会已渐变成个工业社会,社会上大部分的都是劳动者。向来的代议固然是代表人民,但只可以代表消费者的利益,不能代表生产者的利益。现在那许多劳动者一生专从事制造,要想保护扩张他们生产者的权利,在现在的国会是不能办的,现在的政府自然也是不能办的。这个问题在战争以前已经发生了,但是为了战争的缘故,一时大家都迫于爱国心,一致对外,当战争迫急的时候,要生产多才可以得胜利,所以生产者就停止他们的要求,暂把平时保工的法律停止有效(言明平和时恢复原状),为得可以增加生产。但是在战争危急的时代才可以这样办法。

现在劳动者又要起首要求,所要求的不是恢战争前状态,是为生产者——实在也就是为全国——的利益,出一种彻底的计划(如英国矿山国有、美国铁道国有之运动。英国劳动者想参预工场之组织管理等事,都是劳动者的新觉悟所产出来的计划,这种计划较马克斯的阶级战争更进一步。不是拿劳动与资本家相对抗,是本乎现在社会状态造一个工业的民治国家)。在战争的时候,那国有制度和公有的社会主义(Collectivism)曾在食物、军需制造、铁路、船舶诸项事业上实行过。英、法、美的国民,虽然受个人主义的毒最深、最重,但是有了这一番大经验,也可以看出旧有产业制度不可以不改革了。虽是极顽固的人,视固有制度为神圣的,从此也可以明白制度不是万古不变的了。但是现在的国会,现在的政府不是可以动手改造的人。"改造"两个字在今日有极重要的意思,不像一般人所说"改造"的那样简单容易。改造不是支节的、部分的改造,是按着现在社会上经济、政治、教育诸种状况,造出各种新制度来,便利国民共同的生活。不过现在的政府仍然是战时产出来的政府,只知巩固权利,促进战事,哪晓得全局的改造计划。(这并不是过激之论。英法的报纸现在攻击政府最厉害之点就是因为政府对于事务没有办法,或没有彻底的办法。在百政待举的时候,这种政府是极危险的。)国会也是战时的国会,只能做政府的爪牙,没有建设主张的能力,已失去向来的尊严。(这种西欧政治最危险征象,理想上国会应该代表人民,与人民的生命相接触,做映照人民意思的一种镜子。但是如今国会渐渐地失去功用。那报纸、工联大会、小册子直接行动,一齐都是映照民意的利器。人民与国会有机的关系渐渐疏了。一位英国朋友告诉我现在他们国会里没有一个大人物。国会制度最发达的英国尚且如此,此深可注意。)我现在不必再举多例去说明政府和国会的失势无能。总括现在情形,就是现在正是试验旧有政治制度最紧要的时期。假使固有的政治制度可以应乎时代的变迁,应乎各种新势力的要求(各种新势力指劳动者、女子、殖民地有色种人诸势力),自动地改造使各种新旧的势力调和完满(harmonize)。章秋桐君所谓"调和",英文为Compromise 与此义不同。共同谋良善的生活,才可以证明固有政治制度的优美,它的生命也就可以延长了(有一种制度能时时改造的才

游欧之感想

是最稳固的制度，不能自动的改造的，是最危险的，早晚总要推翻）。假使固有的制度不能适应社会的新情势，只可以代表一部分固有的势力，那一定要被淘汰的。革命、直接行动、劳兵农会当然都要发生的。我们中国方在这为民治主义奋斗的初期，对于他们工业的民治主义的运动，应该要大加注意的。

现代的政治与经济问题关系最密切，看以上所举的例可以明白了。但是现在战后的经济问题的急迫，有不能等政治制度改造的。美国食物监督 Hoover（此人最初为比国救济委员会长，运食粮救济比利时的饥民，措置得当，得了一时的盛名。后当美国加入战国，方任命他监察美国的食料。）在七月里报告欧洲各国政府说：欧洲全体的生产太低。欧洲战后人口连俄国在内共四万五千万人，他们的生产能力，在历史上看来可以算最低的了。欧洲人民领失业的津贴的共一千五百万家，这失业的津贴费都是由政府发给，由政府发印无限的钞票才可以偿出的。假使欧洲没有从旁的地方输入物品，可以使一千万人没有饭吃，没有衣服穿。现在欧洲的生产额比停战条约签字的时候并没有减少，但是假使不倚赖他洲的输入，欧洲的人民就不能维持相当的生活程度的。美洲的生产额固然是可以暂时供给欧洲、接济他们战后燃眉之急，但是欧洲不能永久专倚赖美洲的输入过生活的。因为国际间的贸易是物品与物品相交换，金钱不过是一种媒介物。欧洲自己不能增加生产额与美洲产出的物品相交换，一定变成美洲的债务者，从此就变成经济上的奴隶了。据 Hoover 说，这种经济的奴隶制度将来定要惹起战争，所以这经济的大问题真是危急得很。我在欧洲只觉得生活难，物价昂贵，罢工频繁，影响到我个人身上。但是这不过是战后生产率低的一种表象。它的关系影响人民，真是出我们想象之外。这生产率低减的结果，就是失业、工商业停滞、资本消耗、贫穷、饥寒、革命、劳兵农会、Soviet 相继而至。劳兵农会办得好就像现在的俄国，办得不好就像今年九月的匈加利。总而言之，假使现在的经济状态，不快快地整顿、改造，眼前就是扰乱。这个不只是经济界的扰乱，也就惹起政治的、道德的、社会的大扰乱，这扰乱虽然是战争的结果，但是它的势力比战争还伟大，它的影响比战争还厉害、还苦楚。

我这次看了各国战后的情状，觉得西欧的国家正遇着一个大难关，好像他们进行的路程到了山穷水尽的时候，战前、战后所积累的政治、经济、社会诸问题，一时都如潮地涌出来，要所有的人民一齐努力去解决。他们国家社会的安危、贫富都系在他们身上。我们弱小的民族，自己不努力，反向他们去诉冤，求他们的帮助，他们并不是纯然自利的，不过自顾都忙迫得不了，又哪有机会去替人代抱不平呢？我们现在也是在山穷水尽的时候了，让我们大家一齐结合起来，去解决我们自己最迫切的政治、经济、社会问题罢！新青年！你忘了你的责任吗？

（第七卷第一号，一九一九年十二月一日）

论新旧

潘力山

现在年少的人，多爱讲"新"，有人很觉得危险，欲矫其弊，根本上不承认有什么新，除了"旧"就没有"新"。我从前也讲过几天"旧"的，现在因知识上的变迁，觉得旧的是有些不对，所以我把我对于新旧的感想，略略写点出来，同大家讨论，并不是有意同人捣乱。这一点意思，要请人原谅的。

有人说"新、旧相待者也，舍旧不能言新"。这话不错。不过还要补一句，"舍新不能言旧"。"新旧"两个字，是从时间上发生出来的。要是没有时间，新、旧两个字，就无从发生。有了时间，那么从后者而言前者，前者就是旧的；从前者而言后者，后者就是新的。也有那里已经旧了的东西，这里现在才晓得，就这里的人说，也算新的。这里已经旧了的东西，那里现在才晓得，就那里的人说，也算新的。譬如民权自由的话，在欧洲十八世纪的时候，算是新的。我们东亚，那时正在睡觉，不晓得有这回事（此就一般言，若指个人言，黄梨洲早就晓得，孟子晓得更早）。到了五十年前，这民权自由的话，在欧洲（除俄罗斯等数国）早经旧了的东西，在日本又新起来了。二十年前，这民权自由的话，在日本已经是半新半旧的东西，在中国又新起来了。现在共产主义、集产主义那些话头，在美欧已经说了几十年，不是很新的东西，现在那个潮流，才绕到东亚，又新起来了。不能说民权自由的话，在欧洲十八世纪的时候，才算是新，到了五十年前的日本，二十年前的中国，就不算新了。集产、共产的话头，也是一样。总之，新旧是依时间而起，也有因空间的关系，对于同一事物，在同一时间内，或认为新，或认为旧。这类的例，是很多的，然而无碍其一为新、一为旧。何以无碍呢？因为新、旧两字，本非绝对，因旧立新，因新立旧。你若说世间上没有新的哪，我就要说世间上没有旧的。我的理由，恐怕比你的理由还长。为什么呢？因为天下的事物，本来并非常住，是生灭不息，时时变化的。从这个道理说起来，只有新的东西，断不会有旧的东西。不过我们要说话的时候，没有法子，不能不从便宜上分一个新旧来。不但新旧两个字是如此，其他分别的字，都是如此。譬如说"我"，为的是有"你"、有"他"。若是无"你"、无"他"，这个"我"字，也用不着了。严格说起来，我们只好"言语道断，心心相印"罢了。不然，要一开口就落了边际，还能说别的道理么。所以新旧本是假立，然而实在有假立之必要。

　　有人说："舍旧而言新，则历史文字，一概抹杀，所谓新者，必且回复上古原人之状况而后可。"殊不知言新的人，还是有一个理想，并不是把旧的东西，无意识地一概抹杀。世间上也难免有无意识的人，把旧的东西，一概抹杀的，但不可以概一般讲新的人，所以万不会有"回复上古原人之状况"那种事体出现。我倒担心，若是全不讲"新"的时候，倒恐怕要回复"原人之状况"喏。因为原人没有理想，多半被支配于本能的生活，后来不知不觉地有了些意识，慢慢进步，又有了些理想，才到了现在。我敢说我们那些未开化的原人始祖，所以有我们现在这样开化的贤明子孙，就是好在那些始祖,守旧虽然守旧,还不是完全守旧。若是完全守旧,一点没有变化,一点也不会有新的思想,新的事物出来,那就永远成一个原人,还能有我们这样开化的贤明子孙么?我们这样开化的贤明子孙,食了"新"的赐,倒反说新的危险。哼,讲新旧调和的人,倒决不至于此哟。那些无意识完全讲复古的人,总想由民国复到前清,由前清复到前明,层累而上,复到三代,复到唐虞,再复上去,就恐怕真正有"回复上古原人之状况"那一天,你看危险不危险?所以我说新派倒不是危险思想,旧派才真是危险思想啊!

有人说:"今所谓新之最显著者,莫若新文学。夷考其实,不过欲以白话为一切文而已。"白话文是新文学属性之一种,且属于形式的方面,不能说凡白话文都是新文学。我以为新、旧文学之分,在实质不在形式。韩退之的文章,与六朝人的文章,同是文言,然而可以算是一种新文学。归熙甫的文章,与前、后七子的文章,同是文言,然而也可以算是一种新文学。现在的新旧文学之分,虽难下一个确切的断语,大概旧文学重外表,新文学重内容(不是说旧文学全不讲内容,是说他重内容不如他重外表;不是说新文学全不讲外表,是说他重外表不如他重内容。);旧文学重传奇,新文学重写真(不是说旧文学全不写真,是说他重写真不如他重传奇;不是说新文学全不传奇,是说他重传奇不如他重写真。)。所以那些"摇头摆尾"的桐城调子,"妃黄俪白"的文选话头,在新文学里都用不着了。旧文学本来也有外表、内容两者兼备,所谓"文质彬彬"的著作,那非有真学问的人做不到。坏就坏在一派专门以词章名家、古文名家的先生们,并没有人家文章上的道理,只把人家文章上的字眼、句调揣摩得个烂熟,并且立成法式,来注入后人的脑筋,硬要你合他那一样的模形,才算好文章。若是有点不合,就说你于义法没闹清楚,不合古法,害得全国的聪明子弟,勾腰驼背地在那里揣摩,也有头白齿落,还在揣摩的,也有一辈子都没有揣摩得到的。这并不是笑话,古文大家的曾涤生,他就自己说过:他老了还在高声朗诵地读古文。并且说姚惜抱老了,不能高声朗诵,也须得把调子放低些来读一读,这就可以见得他们一天所做的工夫了。曾涤生又说过:古文万事都宜,只不宜于说理。因为古文要做出些抑扬顿挫来,篇法、句法、字法,大概都有规矩的,说得理来,规矩就要破坏,抑扬顿挫的样子,就会显不出来了,所以只好割爱,把那有碍于文势的道理,削减一些,或变更一些,来将就文势。文势倒好,他为什么做这一篇文章的意思,却就抛在九霄云外去了。以上是古文家的通病:文选派不能说理,更在古文家以上(像《文心雕龙》那样的文章,以偶语来说理的,有几个呢),不用说了。不特说理,就是抒情叙事,大概都很少实际,只是空说华辞。其中纵有极少数讲究修辞立诚的人,也不免在外表上费了些工夫。何不索性把我们全副精神多多地用在内容上呢？说到这里,白话文虽不能说就是新文学,总也算是新文学的一种属性,因为我们说话,是想达我们的意思；我们作文,是想达我们的说话。说话能把我们的意思完全达出,可谓善说话了；作文能把我们的说话完全达出,可谓善作文了。文言能代表古人的说话,白话能代表今人的说话。不能用古人的说话,来代表今人的说话,犹之不能用今人的说话,去代表古人的说话。假如有人硬要用现在的白话去代替《尚书》所载的那些"都""俞""吁"的字眼,我想人人都必定以为是笑话。反过来说,硬要把古代的"之""乎""也""者""矣""焉""哉"来代替现在的助词,仔细想一想,不是笑话是什么呢？不过白话虽足以代表今人的说话,其中也有个巧拙。反对白话的人,避开巧的不说,专举拙的来作新文学的榜样，又何足以服讲新文学的心呢？

有人说，"某君所解释新生活的意义，'新生活者，有意思之生活也'。其义为宋儒所已言、已行者，不得为新。"据我所见：宋儒虽然事事体验，不是糊糊涂涂地过日子，但是他终有个孔子的偶像在那里。这"生活中之何故"，恐怕为那偶像所遮蔽，未能完全经过自己合理的考虑罢。况且现在这种政治的、经济的状况，是我们十年或二十年前所未经过的。现在的生活，对于我们十年或二十年前的生活而言，就可以说是新生活了。何况对于宋儒的时候呢？以政治论：宋儒时候的人，是专制君主国的臣仆；现在的人，是民主立宪国的主人。以经济论：宋儒是锁国自给时代，现在是世界大通时代。因政治及经济的影响，道德文艺之事，家庭社会之间，其他各方面的生活，都有变动。怎么能说与宋儒的生活一样呢？怎么能说不是新生活呢？纵令某君的话，只能道破"生活"的意义，没有道破"新生活"的意义，又何能因此就否认新生活之存在呢？

我以为生活的内容，因时代和地域的关系有文野、繁简不同，分别新旧，这是一件事。某君把有意思、无意思分别生活的新旧，这又是一件事。前一件事，由时间上、空间上比较新旧，是就生活内容上说。后一件事，是假定的绝对新旧，没有时间上、空间上程度不同的分别，是就生活意义上说。譬如：一个人的生活，若是有意思，觉得"为什么""何故"要这样，不问他生活的内容是周代、是宋朝、是现代，那内容的繁简、新旧虽说不同，在生活意义上都算是内部的、自动的、有意思的新式生活。若是糊糊涂涂地过日子，一言一动都跟着环境走，不觉得"为什么""何故"要这样，就日夜生活在极新式、极文明的社会。极而言之，就是坐在科学研究室试验物理、化学，站在演说台上鼓吹社会共产主义，他生活的内容虽说比古代新些，在生活意义上，却仍旧是外部的、被动的、无意思的旧式生活。有人误会了某君的意思，潘先生所辩护的，专注意前一件事，恐怕也和某君的意思有点不同。我所以把某君的意思引申一下，不知道对不对？

独秀附识

　　反对新文学、新生活的人，应该把新文学、新生活的意义弄得十分明确，然后再加批评。若单举某篇白话文不好，就是新文学不好；某文不足以表明新生活的意义，就说没有新生活，这恐怕不是学者的态度罢。

　　总之，新旧虽非绝对。一个时代是有一个时代精神，那个时代精神现于社会事物的各方面，与从前的精神既不相同，形式也觉改观。从便宜上说起来，就不能不谓之为新了。或者那件事体，古人已经说过、做过，而没有成一种时代精神，我们现在才成一种时代精神的时候，当然也可以谓之为新。就是古时已经成过时代精神的事物，中间又经过多少其他时代精神的间隔，我们再把他翻过来作成现代的时代精神，也不妨给他一个"新"的名字。各位，凡"名"都是由便宜而起啊，要是认它真有"自性"，那就请你还读两天佛书来再说。

（第七卷第一号，一九一九年十二月一日）

自杀论

陈独秀

思想变动与青年自杀

一九一九年,十一月,十七日,上午,北京大学学生林德扬君在三贝子花园投水自杀了。他自杀的原因,大概是厌世。

林君的同学罗志希君做了一篇文章,叫做《是青年自杀还是社会杀青年?》说林君不是因病想免除痛苦而死,乃是万恶社会迫他自杀的。他并说出三个救济的方法:(一)美术的生活。(二)男女朋友交际的生活。(三)新的人生观。

北大教授蒋梦麟先生也做了一篇文章,他不把青年自杀的罪恶都加在社会身上,他说:"社会本来不能自己改良,要我们个人去改良它。"他主张"奋斗到极点还要奋斗""用大刀阔斧斩一条路,为后人造幸福""从地狱里造天堂"。他以为"自杀是自示其弱""自杀是一个大罪恶"。他以为自杀算是杀了社会上一个人,而且是杀了社会上一有用的好人。

北京《晨报》上登了一首《读"自杀论"有感》的诗:

凡物皆有死。死了仍再生。死死生生何劳苦!不若永死了不复生。

我昔曾绝望。自杀,岂粗鲁。当我自杀时,万象皆空,情志自由,乐难数。

神魂即与体魄离,茫然如睡,无知无识,更何怵?

谁谓自杀是懦夫?懦夫岂能自杀,甘为虏。

利己利他两不亏。何罪,求死不自主?

今且追恨援救我的人,把我解了;死乃生之祖。

茫茫宇宙何时停?我怎能够永久死了不复生?我怎能够永久死了不复生?

有一个外国人,听见蒋梦麟先生谈学潮后青年的三种心理:(一)事事要问做什么,就是对于事事怀疑。(二)思想自由。(三)改变人生观。他便说:好危险!将来恐怕有许多青年要自杀。

我的朋友李守常无生也要做一篇论青年自杀的文章,他这篇文章虽然还没有做出来,他的意思大概是:能自杀的人固然比偷生苟活的人好,但是再转一个念头,能用自杀的精神去改造世界,比消极的自杀更好。

杜威夫人说:"我不自杀。若是我自杀,必须先用手枪打死两个该死的人。"

以上都是对于林君自杀的各种感想:我以为林君自杀,是青年自杀中的一件,青年自杀,是全般自杀中的一件,要评论林君自杀的问题,不得不从全般自杀问题说起。

自杀是一种重大的社会现象,在社会学上是一个重大的问题,因为自杀若成了一种普遍的信仰,社会便自然破灭,哪里还有别的现象、别的问题发生呢?这样重大的问题,不是简单的感想可以解答的。我现在从各种方面分别讨论如下。

自杀论

一、自杀的趋势
二、自杀的时期
三、自杀的原因
四、自杀的批评
五、自杀的救济

一、自杀的趋势　　据社会学者说,自杀的人数,有随着文明程度(我以为是思想发达和经济压迫的程度)加增的趋势,因此各国目杀的人数多寡不同。从一八八七年到一八九一年,五年间平均计算,欧洲各国的人口一百万里,自杀的人数如下表:

丹麦	二五三	巴威利亚	一一八
法兰西	二一八	英格兰	八〇
瑞士	二一六	那威	六六
普鲁士	一九七	荷兰	五八
奥地利	一五九	苏格兰	五六
比利时	一二二	意大利	五二
瑞典	一一九	爱尔兰	二四

有一位意大利的社会学者也说,自杀的事多发生在智识阶级。曾统计意大利和法兰西百万人中,自杀的人职业如下:

意大利		法兰西	
科学家、文学家	六一四	自由职业	五一〇
军人	四〇四	工业家	一五九

续表

意大利		法兰西	
教育家	三五五	原料制造者	一一一
行政官	三二四	商人、运送业	九八
商人	二七七	仆婢	八三
司法官	二一八		
医生	二〇一		
工业家	八〇		
原料制造者	二五		

二、自杀的时期　　欧洲自杀的时期，每年从一月起，渐渐增加；自七月起，渐渐减少。日本人的自杀期，每年七八月间最盛。

三、自杀的原因　　据统计学者的话：自杀事件，文明人比蛮族多，教育程度高的比程度低的人多，青年、老年比少年人多，妇女比男子多，未婚的人比已婚的多，都会比乡村多，穷人比富人多。照统计学上自杀的人数看起来，可以发现自杀的三个原因：

（一）知识信仰发达

文明人

有教育的人

青年老年人

（二）情绪压迫

妇女

未婚的人

(三)经济压迫

都会里的人

穷人

这三个自杀的原因,详细地追本求源,社会压迫自然是这三个原因的总原因。但分别说起来,前两个是偏于主观的,后一个是偏于客观的。偏于主观的自杀,虽然受了社会压迫或暗示的影响,而自杀者的意志在主观上多少总与压迫或暗示的意志相结合;偏于客观的自杀,大部分是因为社会的压迫。

再就自杀事件的各种直接的原因,除精神病之外,可以类别如下:

(1)厌世及解脱

(2)烈女殉夫

(3)忠臣殉君及奴仆殉主人

(4)义士殉国家及朋友

(5)教徒殉教及志士殉主义

第一类关于知识信仰。

(6)失恋

(7)羞惭

(8)忏悔

(9)名誉被污

(10)考试落第

(11)刑罚的痛苦

(12)虐待的痛苦

(13)疾病的痛苦

(14)愤恨

第二类关于情绪压迫。

(15)饥寒所迫

(16)债务所迫

第三类关于经济压迫。

第一类的男子殉忠，女子殉节，都是中国、日本重要的道德、最大的荣誉，印度还有寡妇自焚的事。像这类的自杀，完全是被社会上道德习惯压迫久了，成了一种盲目的信仰。因为社会上不但设立许多陷阱似的制度，像昭忠祠、烈士墓、旌表节烈、节孝牌坊等奖励品，引诱一班男女自杀，而且拿天经地义的忠节大义，做他们甘心自杀的暗示，这种压迫和暗示受久了，便变成一种良知，觉得殉忠、殉节，真是最高的道德，不如此便问心不过。殉教、殉主义、厌世、求解脱这几种自杀，一方面固然是因为客观上社会直接的压迫，一方面也因为主观上受了一种新信仰、新思潮的暗示，暗示也算一种间接的压迫。Wundt 把暗示(Suggestion)叫做"醒的催眠"(Wachhypncse)，因为他也有催眠作用。受了暗示的人，便入了"意识逼窄"(Narrowing of consciousness)的状态，暗示的力量压迫着他的思路向一定的方向进行，他自己的意志完全失去效力。Christensen (略用 Christensen 的意思，见 *Politic and crowd – morality* p. 12.)分暗示为二大类：一是别人的暗示(Foreign suggestion)，一是自己的暗示(Autosuggestion)。别人的暗示又分两种：一种是人身的暗示(Personality suggestion)，一种是社会的暗示(Social suggestion)。人当恐怖、猜疑、冥想、迷信的时候，多起自己暗示的作用。中国人怕鬼，就是这种作用。人身的暗示，最有力量的是两亲、业师、宗教家、医生、演说家、音乐家、演剧家、大思想家、社会改革运动者、大文豪、爱国者，不但同地同时，就是在远方古代，他们也都有暗示的力量，社会的暗示就是历史、传说、习惯、舆论、道德、时代精神、社会风尚、思想潮流，这几样暗示的力量强大而且久远。个人的行为或者不能说全没有意志自由的时候，但是造成他的意志以前，他的意志自由去选择信仰行为以后，都完全受环境暗示的支配，决没有自由的余地。自杀也是一种行为，所以不能说不是受环境的压迫和暗示。压迫和暗示紧紧地逼窄了他的意识，意识失了觉性，意志失了效力，好像鬼迷了一般，压迫在后面追赶，暗示在前面指引，所以不知不觉地只看见自杀是唯一的道路，不容他看见第二条道路，而且暗示占领了他的知识界域，成了信仰，也不愿意走别的道路，所以平常人看做极悲惨、可恐怖的事，自杀的人看做平常，绝不回顾。这一类自杀的人所以多是文明、有教育的青年，因为知识信仰发达的结果，比蛮族、无教育的人、少年容易接受这种暗示。

第二类的(6)(7)(8)(9)四种自杀，都是因为情绪上受了道德习惯和舆论的压迫；(10)(11)(12)(13)(14)五种自杀，都是因为情绪上受了社会制度的压迫。人是社交的动物，一旦受了压迫，社会上无立足之地，断绝社交又是人生最大的痛苦，像这种人自然毫无生趣。但是他们倘不受厌世思想、解脱主义的暗示，恐怕还没有自杀的决心。因为自杀多兼两种原因：一是社会的压迫，一是思想的暗示。蛮族、无教育的人、少年，比较自杀的少，都是思想不发达，缺少第二种原因。倘若二种原因俱全，无论怎样勇于奋斗的人，一方面为社会的道德、制度所驱逐，一方面为厌世思想所引诱，还有不自杀的道理吗？妇女的情绪易于感动，未婚的人情绪容易失调，所以自杀的人数比男子、比已婚的人多。

第三类的自杀，纯粹是因为经济的压迫，受思想暗示的影响很小。都会里的人生活更艰难，所以自杀的比乡村多。物质文明越发达,富人兼并的力量越大,穷人所受经济压迫的痛苦越深,所以文明人自杀的比蛮族多。这是社会组织、经济制度不良的结果,不能说是文明本身的弊害。至于学说、思想随着别的文明发达,而且传播加快,厌世主义的暗示,也随着效力加大,所以各国自杀的人数,有随着文明程度加增的趋势,这只可以说是厌世主义的弊害,不能归罪文明本身。这种受了思想暗示的自杀,应该归到第一类,和第三类的自杀关系很浅。因为受经济压迫而自杀的人,大半教育知识的程度很低,未必有学说、思想上的信仰,所以有许多困苦不堪老年残废的乞丐,还要贪生怕死,有为的青年却往往自杀,就是这个缘故了。少年人自杀的少,也因为他感觉痛苦和暗示的力量薄弱。有几种蛮族不但他们自己不自杀,并不相信人类真有自杀的事,正因为他们一方面思想不发达,一方面经济的压迫也不甚厉害。

以上三类十六种自杀的原因,综合起来,不外两大总原因:

(一)社会的压迫(精神的、物质的两方面)。

(二)思想的暗示(个人的、社会的两方面)。

四、自杀的批评　　古来对于自杀的批评,有反对、非反对两派:

(甲)反对派

(一)佛教反对一切杀,自杀也包含在内,而且他们相信轮回,杀这世的肉身,无济于事。

(二)基督教极端反对自杀,以为犯了自杀罪的人不能够到天堂。罗马圣奥古斯丁(St. Augustine)主张就是受污的女子也不应该自杀。

(三)意大利神学者阿夹纳斯(Thomas Aquinas)说自杀有三样

罪：一是违背了好生恶死的自然性，二是减少了社会的分子，三是侵犯了上帝的生杀权。

（四）费希特（Fichte）说为人生存时有义务，自杀是想免除义务，所以不道德。

（五）叔本华（Schopenhauer）说自杀不是应该非难的行为，乃是糊涂的行为，因为自杀只能够灭绝肉体，不能够灭绝本体（即意志）。他又以为自杀的真正目的，在求得精神的平安，否定意志是达此目的的唯一方法。否定意志是什么？就是无我主义。

（乙）非反对派

（一）希腊禁欲派（the Stoics）说自杀可以解脱一切痛苦。

（二）英国哲学家休谟说："人类处置自己的生命，若算是侵犯上帝的权利，那么人要延长上帝用自然法限定的生命，岂非也不应该吗？"又说："我若是没有力量为社会造福，或是为社会的累赘，或是因为我的生命妨碍别人为社会尽力，那么我若是自杀了，不但无罪而且有功。"

（三）法国孟德斯鸠（Montesquieu）反对国家设立没收自杀者的财产，和处罚自杀未成的等法律。

（四）福录特尔（Voltaire）说："若说自杀有害于社会，那么屠杀生命的战争，何以各国的法律都认可？"

我们对于这些评论，可以看出两种趋势：一是古代宗教家大半反对自杀，一是后来自由思想的哲学家大半不反对自杀。希腊古代的风气，本和自由思想的近代相仿佛，所以有 Stoics 一派的主张，完全与基督教相反。自由思想的希腊人，事事与基督教相反，不止自杀一端。

五、自杀的救济　　讨论自杀的救济，第一个先决问题，就是究竟有没有救济的必要？

我们为什么要救济自杀？因为自杀若成了一种普遍的信仰，社会便自然破灭。各国政府所深恶痛绝的是共产主义和无政府主义，说他们是破灭社会的危险思想，倒是真有两个可以破灭社会的危险思想，他们却不曾看见。这两个思想是什么呢？一个是独身主义（我以为不婚主义和独身主义是两样），一个就是自杀。

更进一步讨论，我们为什么要维持这社会不让它破灭呢？这种疑问是很难解答的疑问，是哲学上的疑问。厌世自杀的人，正是这种疑问达到他心境最深的处所，感得人生没有什么价值，所以才发生一种彻底的觉悟、最后的决心。这种自杀是最高等的自杀，是哲学的自杀，是各种自杀的源泉、模范，各种自杀多少都受了它暗示的影响。这种对于人生根本上怀疑的自杀，绝非单是改良社会制度减轻压迫所可救济，他心境深处的疑问倘没有圆满的解答，对他说什么生活好，什么生活不好，什么社会制度好，什么社会制度不好；对他说自杀道德不道德，犯罪不犯罪，于社会有害无害；对他说什么死得值不值，什么徒死不能收改良社会的效果，什么为人类造幸福应该奋斗到底，什么自杀是女性、是示弱、是懦夫。像这一类的话，都是隔靴搔痒，在他的眼里都没有一看的价值。只有能解答他心坎里面深处所藏人生哲学的疑问，才能够改变他的人生观，才能够做他不去自杀的暗示。

我以为这种疑问，是两种心理造成的：一是苟且心，一是偏见。苟且心出于宗教上"空观"的暗示，以为人生百年，终久是死，死后的社会更和我没有关系，为什么要维持他不让他破灭呢？偏见出于哲学上"性恶"的暗示，以为人类生来性恶，救济、希望，终久是绝对的不可能，像这种黑暗万恶的社会，为什么要维持他不让他破灭呢？

这两种心理都可以造成厌世自杀，懦弱的人就是不自杀，也要变成顺世堕落一派。顺世堕落原来就是厌世自杀的变相，都是极危险的人生观。这两种人生观，对于人生的价值都是根本地怀疑：一切皆空，人生的意义是什么，价值在哪里？黑暗万恶，人生的价值又在哪里？人生既然无意义，无价值，活着徒受痛苦，不自杀便是无意识的苟活。

人生果然完全是空？人性果然完全是黑暗？人生果然无意义，无价值？

相信"空观"的人，未必都相信灵魂转生（果然灵魂转生，不但现世界空而不空，并且死后的社会还和我关系不断），就是我也不相信灵魂转生。但是"种性不灭""物质不灭"，我们是相信的。一切现象是转变不是断灭，一切空间、时间都无实在性，都是这永续无间的转变现象上便于说明的一种假定，我们也可以相信的。我们个体的生命，乃是无空间、时间区别的全体生命大流中的一滴。自性和非自性，我相和非我相，在这永续转变不断的大流中，本来是合成一片，永远同时存在，只有转变，未尝生死，永不断灭。如其说人生是空是幻，不如说分别人我是空是幻；如其说一切皆空，不如说一切皆有；如其说"无我"，不如说"自我扩大"。物质的自我扩大是子孙、民族、人类，精神的自我扩大是历史。各种历史都是全体生命大流的记录，我与非我一切有生命的现象、痕迹，都包含在这些记录里面。我们个体生命和全体生命的现象、痕迹，无论是善或恶，是光明或黑暗，总算是"有"不是"空"。

复次讨论人性问题。"性恶说"本是一种偏见，人性本有善、恶两方面。如下表：

善的方面	恶的方面
创造的冲动	占有的冲动
利他心	利己心
互助的本能	掠夺的本能
同情心（即恻隐心）	残忍心
爱慕心	嫉妒心
哀哭的本能	嗔忿的本能

在生物进化上看起来，人类也是一种动物，他本性上恶的方面，也和别的动物一样。不过恶的方面越减少，善的方面越发达，他的品格越进化到高等地位，并不是一成不变的。人虽是最高等动物，"下等动物的祖先"所遗传的恶性固然存在，他们所遗传的善性也未尝不存在。况且现在正在进化途中，恶性有减少的可能，善性有发展的倾向，何以见得绝对没有救济的希望呢？受厌世主义暗示的人，只看见人性上恶的方面，没有留心那善的方面，岂不是偏见吗？

"空观"是世俗囿于现世主义的一种反动，"性恶的悲观"是过于把人类看得高明的一种反动。反动不合真理的本来面目。我们现在要了解人生不完全是空，而且要了解这不空的人生不完全是恶，我们要了解人生有相当的意义与价值。了解得人生的意义与价值是什么，他心境最深处所怀的疑问，便自然有了解答，自然会抛弃那危险的人生观。

危险的人生观,厌世的自杀,乃是各种自杀的母亲。这种自杀的救济,也就是各种自杀的根本救济。因为自杀的原因虽各不相同,多少都受点厌世思想的暗示,这种暗示可以算是各种自杀的共性。解除了暗示,抛弃了危险的人生观,对于人生根本的怀疑有了解释,方才可以和他说什么改良生活状况,反抗社会压迫,由个人改造社会,奋斗到底一类的话。这种自杀有了救济,其余自杀的救济才有路可寻。

厌世观以外,其余的自杀:像上文所列的(2)(3)(4)(7)(8)(9)六种,都是为了社会道德习惯上积极的压迫;(5)(6)两种,都是为了宗风、名教、学说、道德上消极的压迫;(10)是因为社会制度上积极的压迫;(11)(12)都是因为社会制度上消极的压迫;(13)(14)都是因为社会制度上积极的或消极的压迫。

社会成了固定性的时候,他的道德的组织和制度的组织,往往发挥一种极有势力的集合力,压迫、驱逐那和他组织不同的分子,那被他积极的(就是奖励)或消极的(就是禁止)压迫,而没有集合力和他反抗的分子,往往出于自杀。这种被压迫、驱逐而自杀的分子倘然多了,绝不是全社会中的好现象。救济的方法分两方面:一方面是压迫的社会要觉察自己的组织的缺点,要有度量容纳和自己组织不同的新生分子,要晓得这种分子将来也会有集合力,也会有一种新组织,取自己的地位而代之;一方面是被压迫的分子倘然发现了社会的罪恶,不要消极地自杀,要有单人匹马奋勇直前的精神,要积极的造成新集合力和压迫的社会反抗。反抗是好现象不是坏现象,反抗与结合,是相反相成的作用,是社会进化所必经的现象。社会上倘永远没有反抗的现象,便永远没有进步。

经济压迫的自杀,自然也是社会制度不良的结果。世界上对于这种自杀的积极的救济，正闹得天翻地覆，现在不用多说了。我相信社会经济制度果然能够改变，生产机关、工具和生产物，都归到生产者自己手里，不被一班好吃懒做的人抢去，那时便真能达到孔子"均无贫"的理想。因为贫富是比较的现象，缺乏乃是对于不缺乏相形见绌的情况，分配果然平均，哪里会有贫的现象？生产物果然按劳力分配平均，无论生活如何困难，哪里会有心怀不平愤而自杀的人呢？

据以上讨论，自杀的救济，仍用因果法则，照着自杀的总原因分为两事：

（一）解除思想的暗示（改造人生观）。

（二）解除社会的压迫（改造道德的、制度的组织）。

现代青年的自杀，大多数是（1）（6）两种原因。林君自杀自然是厌世不是失恋。这班现代的青年，心中充满了理想，这些理想无一样不和现社会的道德、信条、制度、习惯冲突，无一样不受社会的压迫，他们的知识又足以介绍他们和思想潮流中的危险的人生观结识。若是客观上受社会的压迫，他们还可以仗着信仰鼓起勇气和社会奋斗，不幸生在思潮剧变的时代，以前的一切信仰都失了威权，主观上自然会受悲观怀疑思想的暗示，心境深处起了人生价值上的根本疑问，转眼一看，四方八面都本来空虚、黑暗，本来没有奋斗、救济的价值，所以才自杀。像这种自杀，固然是有意义、有价值的自杀，但是我们要注意的，这不算是社会杀了他，算是思想杀了他呵！忠节大义的思想固然能够杀人，空观、悲观、怀疑的思想也能够杀人呵！主张新思潮运动的人要注意呵！要把新思潮洗刷社会的黑暗，别把新思潮杀光明的个人加增黑暗呵！

近代思潮中有这种黑暗的、杀人的部分吗？有的,有的,但是最近代、最新的思潮不是这样。思潮的趋势如下表：

古代思潮	近代思潮	最近代思潮
理想主义	唯实主义	新理想主义人(?)、新唯实主义
纯理性的	本能的	情感的
超自然的	自然的	以自然为基础的
天上的	地上的	人生的
神的	物的	人的
全善的	全恶的	恶中有善的
全美的	全丑的	丑中有美的
未来的	现世的	现世的未来
人性超越万物	人性与兽性同恶	人性比兽性进化
理想万能	科学万能	科学的理想万能
玄想	现实	现实扩大
无我	唯我	自我扩大
主观的想象	客观的实验	主观的经验
个人的非国家的	国家的	社会的非国家的

古代的思潮过去了,现在不去论它。所谓近代思潮是古代思潮的反动,是欧洲文艺复兴的时候发生的。十九世纪后半期算是它的全盛时代,现在也还势力很大,在我们中国的思想界自然还算

是新思潮。这种新思潮，从它扫荡古代思潮的虚伪、空洞、迷妄的功用上看起来，自然不可轻视了它，但是要晓得它的缺点，会造成青年对于世界、人生发动无价值、无兴趣的感想。这种感想自然会造成空虚、黑暗、怀疑、悲观、厌世，极危险的人生观。这种人生观也能够杀人呵！它的反动，它的救济，就是最近代的思潮，也就是最新的思潮。古代思潮教我们许多不可靠的希望，近代思潮教我们绝望，最近代思潮教我们几件可靠的希望。最近代思潮虽然是近代思潮的反动，表面上颇有复古的倾向，但它的精神、内容都和古代思潮截然不同，我们不要误会了。（参看本志六卷六号中《文艺的进化》）

最近代最新的思潮的代表，就是英国罗素（Bertrand Russell）的新唯实主义的哲学，和法国罗兰（Romain Rolland）的新理想主义的文学，和罗丹（Rodin）的新艺术。这也是我们应该知道的。（参看本志前号中《精神独立宣言》）

这思想变动的时代，自然是很可乐观的时代，也是很危险的时代，很可恐怖的时代，杜威博士和蒋梦麟先生所虑的，想必也就是这个意思。但是主张新思潮运动的人，却不可因此气馁，这是思想变动的必经的阶级，况且最近代的最新的思潮，并不危险，并无恐怖性，岂可因噎废食？

（第七卷第二号，一九二〇年一月一日）

基督教与中国人

陈独秀

（一）

　　凡是社会上有许多人相信的事体，必有他重大的理由，在社会上也必然是一个重大的问题。基督教在中国已经行了四五百年，奉教的人虽然不全是因为信仰，因为信仰奉教的人自必不少，所以在近代史上生了许多重大的问题。因为我们向来不把他当做社会上一个重大的问题，只看做一种邪教，和我们的生活没有关系，不去研究解决方法，所以只是消极地酿成政治上、社会上许多纷扰问题，没有积极地十分得到宗教的利益。现在若仍然轻视它，不把它当做我们生活上一种重大的问题，说它是邪教，终久是要被我们圣教淘汰的，那么，将来不但得不着它的利益，并且在社会问题上还要发生纷扰。因为既然有许多人信仰它，便占了我们精神生活上一部分，而且影响到实际的生活，不是什么圣教所能包办的了，更不是竖起什么圣教的招牌所能消灭了。所以我以为基督教的问题，是中国社会上应该研究的重大问题，我盼望我们青年不要随着不懂事的老辈闭起眼睛瞎说！

（二）

在欧洲中世，基督教徒假信神、信教的名义，压迫科学，压迫自由思想家，他们所造的罪恶，我们自然不能否认。但是欧洲的文化从哪里来的？一种源泉是希腊各种学术，一种源泉就是基督教，这也是我们不能否认的。因为近代历史学、自然科学都是异常进步，基督教的"创世说""三位一体说"和各种灵异，无不失了威权，大家都以为基督教破产了。我以为基督教是爱的宗教，我们一天不学尼采反对人类相爱，便一天不能说基督教已经从根本崩坏了。基督教的根本教义只是信与爱，别的都是枝叶。不但耶稣如此，《旧约》上开宗明义就说：

有害你们生命流你们血的，无论是兽是人，我必讨他的罪。人与人是弟兄，人若害人的生命，我必讨他罪。凡流人血的，人也必流他的血。因为上帝造人，是按着自己形像造的。（《创世记》第九章之五、六）

所以基督徒或是反对者，都别忽略了这根本教义。

（三）

基督教在中国行了几百年，我们没得着多大利益，只生了许多纷扰，这是什么缘故呢？是有种种原因：（1）吃教的多，信教的少，所以招社会轻视。（2）各国政府拿传教做侵略的一种武器，所以招中国人的怨恨。(3)因为中国人的尊圣、攘夷两种观念,古时排斥杨、墨,后来排斥佛、老,后来又排斥耶稣。(4)因为中国人的官迷根性,看见《四书》上和孔孟往来的人都是些诸侯、大夫,看见《新约》上和耶稣往来的,是一班渔夫、病人,没有一个阔佬,所以觉得他无聊。(5)偏于媚外的官激怒人民,偏于尊圣的官激怒教徒。(6)正直的教士拥护教徒的人权,遭官场愤恨、人民忌妒;邪僻的教士袒庇恶徒,扩张教势,遭人民怨恨。(7)基督教义与中国人的祖宗牌位和偶像显然冲突。(8)白话文的《旧约》《新约》,没有《五经》《四书》那样古雅。(9)因为中国人没有教育,反以科学为神奇鬼怪,所以造出许多无根的谣言。(10)天主教神秘的态度,也是惹起谣言的引线。

上列十种原因当中,平心而论,实在是中国人的错处多,外国人的错处不过一两样。他们这一两样错处,差不多已经改去了,我盼望他们若真心信奉耶稣最后的遗言——《马太传》的末章最后二节所说——今后不要再错了。我们中国人回顾从前的历史,实在是惭愧;但现在是觉悟到什程度么?我盼望尊圣卫道的先生们总得平心研究,不要一味横蛮!横蛮是孟轲、韩愈的态度,孔子不是那样。

(四)

我们今后对于基督教问题,不但要有觉悟,使他不再发生纷扰问题;而且要有甚深的觉悟,要把耶稣崇高的、伟大的人格和热烈的、深厚的情感培养在我们的血里,将我们从堕落在冷酷、黑暗、污浊坑中救起。

支配中国人心的最高文化,是唐虞三代以来伦理的道义。支配西洋人心的最高文化,是希腊以来美的情感和基督教信与爱的情感。这两种文化的源泉相同的地方,都是超物质的精神冲动;他们不同的地方,道义是当然的、知识的、理性的,情感是自然的、盲目的、超理性的。道义的行为,是知道为什么应该如此,是偏于后天的知识;情感的行为,不问为什么只是情愿如此,是偏于先天的本能。道义的本源,自然也出于情感,逆人天性(即先天的本能)的道义,自然算不得是道义,但是一经落到伦理的轨范,便是偏于知识、理性的冲动,不是自然的、纯情感的冲动。同一忠、孝、节的行为,也有伦理的、情感的两种区别。情感的忠、孝、节,都是内省的、自然而然的、真纯的;伦理的忠、孝、节,有时是外铄的、不自然的、虚伪的。知识、理性的冲动,我们固然不可看轻;自然情感的冲动,我们更当看重。我近来觉得对于没有情感的人,任你如何给他爱父母、爱乡里、爱国家、爱人类的伦理知识,总没有什么力量能叫他向前行动。梁漱溟先生说:"大家要晓得,人的动作不是知识要他动作的,是欲望与情感要他往前动作的。单指出问题是不行的,必要他感觉着是个问题才行。指点出问题是偏于知识一面的,而感觉它真是我的问题都是情感的事。"梁先生这话极有道理,但是他说:"富于情感是东方人的精神。"又说:"这情感与欲望的偏盛是东西两文化分歧的大关键。"他这两层意思,我都不大明白。情感果都是美吗?欲望果都是恶吗?情感果能绝对离开欲望吗?只有把欲望专属物质的冲动,情感专属超物质的冲动,才可以将它两家分开。其实情感与欲望都兼有物质的、超物质的两种冲动,不能把它们分开,不能把它们两家比出个是非高下。欲望、情感的物质的冲动,是低级冲动,是人类的普遍天性(即先天的本能,它自性没有善恶),恐怕没有东洋、西洋的区别。欲望情感的超物质的冲动,是高级冲动,也是人类的普遍天性,也没有东洋、西洋的区别。所以就是极不开化的蛮族,也有他们的宗教。所以我以为:西洋、东洋(殊于中国)两文化的分歧,不是因为情感与欲望的偏盛,是在同一超物质的欲望、情感中,一方面偏于伦理的道义,一方面偏于美的、宗教的纯情感。东洋的文化自然以中国为主,阿利安人(Aryan)的美术、宗教,本是介在这两文化系间的一种文化,与其说他近于中国文化,不如说他近于西洋文化。至于希伯来(Hebrew)文化,更不消说的了。

中国的文化源泉里,缺少美的、宗教的纯情感,是我们不能否认的。不但伦理的道义离开了情感,就是以表现情感为主的文学,也大部分离了情感加上伦理的(尊圣、载道)、物质的(纪功、怨穷、诲淫)彩色。这正是中国人堕落的根由,我们实在不敢以"富于情感"自夸。

中国社会麻木不仁。不说别的好现象,就是自杀的坏现象都不可多得。文化源泉里缺少情感,至少总是一个重大的原因。现在要补救这个缺点,似乎应当拿美与宗教来利导我们的情感。离开情感的伦理道义,是形式的不是里面的;离开情感的知识,是片段的不是贯串的,是后天的不是先天的,是过客不是主人,是机器、柴炭,不是蒸汽与火。美与宗教的情感,纯洁而深入普遍我们生命源泉的里面。我主张把耶稣崇高的、伟大的人格,和热烈的、深厚的情感,培养在我们的血里,就是因为这个理由。

（五）

我们一方面固然要晓得情感的力量伟大，一方面也要晓得它盲目的、超理性的危险。我们固然不可依靠知识，也不可抛弃知识。譬如走路，情感是我们自己的腿，知识是我们自己的眼或是引路人的眼，不可说有了腿便不要眼。

基督教的"创世说""三位一体说"和各种灵异，大半是古代的传说、附会，已经被历史学和科学破坏了，我们应该抛弃旧信仰，另寻新信仰。新信仰是什么？就是耶稣崇高的、伟大的人格和热烈的、深厚的情感。

不但那些古代不可靠的传说、附会，不必信仰，就是现代一切虚无、琐碎的神学、形式的教仪，都没有耶稣的人格、情感那样重要。耶稣说：

我告诉你们，现有一比神殿更大者在此。（《马太传》十二之六）

又说：

我不为祭祀而为怜悯。（《马太传》十二之七）

犹太人杀害耶稣罪状，就是因为他说：

我能破坏这神殿，并且三日内造成。（《马太传》二十六之六十

(一)

我们应该崇拜的,不是犹太人眼里四十六年造成的神殿(《约翰传》二之二十),是耶稣心里三日再造的、比神殿更大的本尊。我们不用请教什么神学,也不用依赖什么教仪,也不用借重什么宗派;我们直接去敲耶稣自己的门,要求他崇高的、伟大的人格和热烈的、深厚的情感与我合而为一。他曾说:

你求,便有人给你;你寻,便得着;你敲门,便有人为你开。(《马太传》七之七)

(六)

耶稣所教我们的人格、情感是什么?
(1)崇高的牺牲精神。他说:

我是从天降下的活面包,吃这面包的人永生。为了人世的生命,我所贡献的面包就是我的肉。(《约翰传》六之五十一)
我的肉真是食物,我的血真是饮物。(《约翰传》六之五十五)
吃我肉饮我血的人,与我合一,我也与他合一。(《约翰传》六之五十六)
爱父母过于爱我的人,不配做我的门徒;爱子女过于爱我的人,不配做我的门徒。(《马太传》十之三十七)
不背着他的十字架随我的人,不配做我的门徒。(《马太传》十

之三十八)

想保全他的生命的人,将来必失去生命。他为我失去生命,将来必得着生命。(《马太传》十六之二十五)

耶酥在将要被难之前,知道他的十二门徒中,有一人要卖他,他举起酒杯向他们道:

请你们满饮此杯,因为这是我的血,为誓约、为众人赦罪流的血。(《马太传》二十六之二十七、二十八)

(2)伟大的宽恕精神。他说:

你们宽免别人的罪,天父也要宽免你们的罪。(《马太传》六之十四)

悔改与赦罪将由他的名义从耶路撒冷起,宣传万国。(《路加传》二十四之四十七)

一人悔罪,天使大喜。(《路加传》十五之十)

我告诉你,那妇人许多罪恶都赦免了,因此她爱也多。被赦免的少,爱也少了。(《路加传》七之四十七)

神欢喜一个有罪的人悔改,过于欢喜九十九个正直的人无须悔改。(《路加传》十五之七)

别人告诉你们:爱你们的邻人,恨你们的敌人。我告诉你们:爱你们的敌人,为迫害你们的人祈祷。这样才是天父的儿子:他的日光照善人也照恶人,他降雨给正义的人也给不义的人。(《马太传》五之四十三、四十四、四十五)

勿敌恶人：有人打你右边脸，你再把左边向他。有人到官告你，取去你的上衣，再把外套给他。(《马太传》五之三十九、四十)

我不是为无罪的人而来，乃为有罪的人而来。(《马太传》九之十三)

(3) 平等的博爱精神。他说：

使瞎子能看，跛子能走，聋子能听，有癞病的人洁净，死的人复活，穷人得着福音。(《马太传》十一之五)

尊敬你的父母，爱邻人如爱你自己。(《马太传》十九之十九)

卖你所有的东西，送给穷人，如此你将得着天国的财宝。(《马太传》十九之二十一)

富人入天国，比骆驼穿过针孔还难。(《马太传》十九之二十四)

第一尽全心、全精神、全意爱你的神，第二爱邻人如爱你自己，一切法律、预言者，都是遵这两大诫。(《马太传》二十二之三十七、三十八、三十九、四十)

你们须相爱，你们须相爱如同我爱你们。(《约翰传》十三之三十四)

穷人少的布施，多过富人多的布施，因为富人布施的是他的有余，穷人布施的是他的不足，是尽其所有。(《路加传》二十之三、四)

Pharisee 人与学者讥诮耶稣和税吏及罪人同食，耶稣对他们说道：

你们堂中,谁有一百只羊?若失去一只,他不离开这九十九只,去将那失去的寻得吗?寻得了,是要喜欢地把它背在肩上。他回到家里,他要邀集他的朋友、他的邻人,对他们说,恭喜我寻回来了我失去的羊。我告诉你们,神喜欢一个有罪的人悔改,过于喜欢九十九个正直的人无须悔改也是这样。(《路加传》十五之一至七)

这就是耶酥教我们的人格,教我们的情感,也就是基督教的根本教义。除了耶苏底人格、情感,我们不知道别的基督教义。这种根本教义,科学家不曾破坏,将来也不会破坏。

(七)

耶酥说:"听到我的话而不实行的人,好比一个愚人把房屋做在沙上。风吹,雨打,洪水来了,这屋是要倾覆的,这是很大的倾覆。"(《马太传》七之二十六、二十七)

现在全世界的基督教徒都是不是愚人?把传教当饭碗的人不用说了,各国都有许多自以为了不得的基督教信者,何以对于军阀、富人种种非基督教的行为,不但不反抗,还要助纣为虐?眼见"万国人祈祷的家做了盗贼的巢穴",不去理会,死守着荒唐无稽的传说,当做无上教义,我看从根本上破坏基督教的,正是这班愚人,不是反对基督教的科学家。大倾覆的责任,不得不加在这班愚人身上!

中国的基督教状况怎么样?恐怕还是吃教的人占多数。

最可怕的,政客先生现在又来利用基督教。他提倡什么"基督教救国论"来反对邻国,他忘记了耶稣不曾为救国而来,是为救全人类的永远生命而来;他忘记了耶稣教我们爱邻人如爱我们自己;他忘记了耶稣教我们爱我们的敌人,为迫害我们的人祈祷。他大骂无产社会是"将来之隐患","大乱之道",他忘记了基督教是穷人的福音,耶稣是穷人的朋友。

(第七卷第三号,一九二〇年二月一日)

近代心理学

张嵩年

译自伦敦《自然》(Nature)周刊五十年纪念号(一九一九,十一月初六出,即二千六百十号,属一百零四卷)。原题"The Modern Science of Psychology"。未著作者姓名。今译间有更改增补之所。

自从一八六九(按《自然》在那年十一月初四创刊)以来,心理学所作的进步真可正当地说为从来无比。在那年这个科目还无实验室,还看做一种哲学的研究。今日心理实验室既差不多各个重要大学都有一个,心理学也认成自然科学团里的最年少的新团员,便是成了心的历程(Processes 或译"程序",日本通译"过程")之自然科学。

近代的心理学,虽也承认哲学家们研究的老的、纯粹内省的心理学(此派在英以娃德 Ward 与斯陶谛 Stout 之著作为代表)之大价值,但很少见到它的危险,它的不足,因求把它脱离了一切元学的含蓄,而于既知的变的情形之下研究心的历程。因此遂成立了实验心理学。由这个实验心理学又起了许多小分科:(一)生理心理学,研究心的对于神经的历程的关系;(二)动物心理学,研究动物的对于人的心态和行动之关系;(三)个人的和种族的心理学,考定不同的个人间和人种间心的差异。

此外又发展了"应用"心理学种种支派。例如,(四)教育心理学,此科研究结果今为为教师者在学习之时所必肄习;(五)社会心理学,此包有宗教和其他种社会制度及特性之心理学;(六)变态心理学,研究反常或病的心理,现在剑桥、爱丁堡、曼切斯特等地大学便以此为心理的医术科毕业试验一科目;(七)工业心理学,此科所涉在发见得工人最高的心的效率之最好的情形,就是在什么情形工人心的效率最大,近来大工商行时有聘请老练的心理学家的,就是为的此事;(八)美学之心理学,在此科里已有很多对于美术很重要的实验室的研究公刊。现在在西方各所谓文明国,特如美与德,对于教育心理学、变态心理学、个人心理学、动物心理学、宗教心理学、工业心理学、证据心理学、心理生物学等科都各出有专门杂志。总科如实验心理学、应用心理学也都是各有专门杂志的。

费希纳(Fechner)工作于哥敦坚(Gottingen),翁德在来比锡(Leipzig)大学首创心理实验室(时一八七九)。此二人实可算实验心理学之祖。费希纳是第一个排列出心理物理学的种种方法的。这种方法是欲免除心理实验之许多陷阱,非贯□□(原文如此)根基他们不可的。翁德左右,或其学生中,特如居尔卑(Kulpe),常是为欧美各地学生求习实验心理的所集,来自美的为尤多。但在意、奥、俄,对于此学注意者尚少。在瑞士学此学多从法人黎菩(Ribot)、耶讷(Janet)和毕讷(Binet)之导。黎菩与耶讷立近代记忆病、人格病说之基。毕讷属于最先系统地研究个人心的差异并策划心能力试验方法的。

在美以受郝尔(Stanley)与狄臣讷(Titechener)之影响,德派的传说起初非常盛行。在瑞典、挪威、丹麦也然。大多数的美国心理

(学)者,与大多数的德国心理学者同,起初都是学哲学的,所刊的著作,普通也是照德国的样子,常是为得哲学博士学位而作的"处女"论文。但英国的实验心理学发展的路术却与此很不相同。此英国派特以受来威斯(Rivers)影响为多。来威斯于去今二十余年前始受聘到剑桥讲五官生理学。此派实验心理学是没甚受哲学资助的,研究它的多是于生理与医业已很有研究的人。故他们研究它也多是从生理学与医学而入。如来威斯与马克独孤(Mac Dougall),他今已由牛津大学应美哈佛大学之聘,为心理学教授补闵斯特堡(Ministerburg 死后留下的缺)之,研究始于视觉。麦尔斯(Myers)之研究始于听觉,以后有斯璧曼(Spearman),曾受业于翁德,则专门于种种心的能力之相关。在美科学的心理学尝受遇于通俗之危险,在英也无此病。英派所重尝在比较的心理学之一二方面,至像德国实验室之纯粹实验心理学实非其之重。因为他见到在不同的实验情形之下的得的心的差异比在同一样情形下观察不同的个人所得的,程度上、意义上都较着小。在英、在德,诚都对于酒精和他种药料在一指定的个人心的历程上的影响有过研究,但就在此,以至如爱宾豪(Ebbinghans)和弥勒(G. E. Muller)在记忆上著名的研究,特别的兴趣总注在研究不同的个人的行动上。英国比较心理学的研究又很为晚近生长很速的教育心理学、工业心理学、医术心理学几种应用科学所激动。海敦(Haddon)率领到都列斯海峡(在澳大利亚与新几内亚之间)的剑桥人类学探险队,中有心理学者三人,也是于此研究极有影响的。

就是在德与美,也不能常守着起初的,虽基本而少成效的研究题目而无破。石泰伦(Stern)的个人心理学的著作是随着英国噶尔顿(Francis Galton)的精辟的研究的。美国甄宁斯(Jennings)、桑代克(Thorndike)、颜克斯(Yerkes)关于动物行动的工夫又是根于英国罗曼斯(Romonces)与劳得摩根(Lloyd Morgan)的立的基础的。这都是破例的。

自尔以来,老的内省心理学的不充足乃益显然,不论在实验室里研究,或在其外研究,通是一例的,新近娃岑(Watson)等曾求立一种只以行动(Behavior)作解说的心理学。(按马克独孤于其在一九〇五年刊的《生理心理学》小书已界说心理学为"生物之的行为之实证科学"。并言此界说最好、最周博。)洛布(Loeb)与鲍劳(Pawlow)则求立一种以纯粹机械的或生理的历程解说的。海德(Head)和其同事曾证明除非研究周边神经的与神经中枢的伤损之影响,不能解析和循迹感觉的及高等的历程之进化。他新近发表其十八年来研究感觉与脑皮的关系之结果,对于旧说颇多推翻,影响甚巨,倾动一时。佛洛德(Freud,成立"心解"术 Psychoanalysis 的)与其高足弟子和批评者曾指出种种内省不可得的情绪的、本能的、副意识的(Sub-conscious 潜在意识)历程之研究非常重要。佛洛德的见解,不论我们全体承认他们不全体承认,他的著作确实已与心理学以大激刺:一方因为注重由相敌不相容的心的(特情绪的)历程而起的冲突,一方因为指明自然和医生可以用以反抗这种冲突的种种不同的原理。欧战以来,佛洛德的学说愈益见重。他学说真实重要的部分是在有意识的心的活动对于诸种本能一般的关系,并不在此活动与一特殊本能的关系,即不在专说凡神经病、凡梦、凡心的活动都与男女性欲本能(Sexual instincts)有直接关系。佛洛德说的痛苦的思想与欲望压抑成无意识,且以矫揉了的形状重现于梦中,重现于舛错的记忆中,或于神经病的确定征候中:一种学说,现在差不多已经公认。不过说所有这种压抑、遏制都有一个源泉在性欲本能，懂得的人还少。（近风传佛洛德的意见新近已有修改，但尚未证实。）佛洛德的无意识与意识的关系的学说一个重要结果，就是在神经病治疗上的应用。这种治疗法是：假使这种病是痛苦的观念在无意识中之矫揉牵强的表示，治法只应把这种痛苦观念回到病人意识的心中来，并助病人去愈合它，且助之见到它是能够顺顺当当愈合的。这种方法（即所谓心解法）已非常见效验，是有很强的理论基础的。寻常以为对于不快的经验，最好是把它忘掉，心解法的指趣却与此正相反。但平常也有以为待遇疯颠莫若使他事事随心，意思则与此法有些相近。

欧战以来，美军中马恪德（MacCurdy）等公刊的经验，和布劳恩（Brown）、哈谛（Hart）、马克独孤、麦尔斯、皮尔（Pear）、来威斯、楼斯（Rows）以及别的心理学者，战时在英军中从事于机能的神经病及心病的治疗的。公刊的经验，也都曾指示出早点应用适当的心理治疗法治这种病功效能怎样伟大。这次战争又见出用心理的验试选对于一种工作最相宜的人的功效。心理实验的重要不但在职业指导上，就在论到工业的疲乏上，工作休息时间的长短与分配之影响上等等，也都公认了。

以前曾有通俗的见解以为心理学的研究考索是限于反应时间的实验的，又或把它与研究心灵现象的"心灵研究"（Psychical research）混同。在德对于反应时的实验所费的力固然在究竟上于研究情绪的复杂结构和职业的选择也可希望得有用的结果。又若心灵研究结果执行它的人是于实验方法有系统的习练，并是超脱个人的偏执与成见的，自非心量褊狭的人，也没有把他摒诸心理科学之外的。但是无论如何，心理学最有希望的将来发展，却非在这两层上面，是要从别的路上去找的。如前文所指，特有希望的是在神经伤损与精神病、神经病之影响的研究,和个人心的差异之考察、核认里面。

(第七卷第三号,一九二〇年二月一日)

人口问题,社会问题的锁钥

顾孟馀

一

讲人口问题,永远离不开人口学的鼻祖马尔塞斯(Thomas Robert Malthus)——无论是赞成他,还是反对他。

马尔塞斯的公式被人误会、被人抨击,人口学的真理——马氏人口论的真理——却是更显著了。

马尔塞斯人口论的要旨,只说食品增加的速度赶不上人口增加的速度。若要保持二者的均势,人口的增加一定须受节制。这节制人口的途径,只有两个:(一)预防的节制(人为的)。(二)积极的节制(天然的)。这就是:有碍卫生的职业、过度的工作、极端的贫穷、儿童恶劣的食品、恶浊的风俗、疾病、时疫、战争、饥馑。

反对马尔塞斯人口论的人可分三派。

(一)社会主义派 举几个重要的,葛德文(Godwin)和马尔塞斯的争论,把马尔塞斯人口论的真理更发挥明确了。马克思(Marx)说马尔塞斯的人口公例是资本制度之下的人口公例,这是没有细察人口增加的趋势和条件。佐治(Henry George)的强辩——他说,人口增加的趋势正与马尔塞斯所说的相反——纯是一种妄想,离事实太远了。总而言之,这些社会主义家,对于他们所号召的太热心,所以不能或不愿看见事实。但是社会主义家之中也很有赞同马氏学说的:英国人铎木孙(William Thomson)的组合制度里,不能任人自由婚嫁。社会要规定婚嫁的数目,预防人满的祸患。法国人卜郎(Louis Blanc)也承认马尔塞斯人口论的确实,但是以为自制不可靠。要行他的工作组织,提高工人的生活程度,让他们爱惜高尚的生活,自知警戒。德国人文克雷希(Winkelblech)说:"人类的增殖繁衍,若是不自行制限,祸乱必要循环无已。"奥国人高慈启(Kautzky)说:"在人口问题未就绪以前,社会问题决不能得圆满的解决。"

（二）乐观派　这派的人以为人口将来的趋势不足为忧。即便不改革社会和国家的组织,人满之患也自然可以消释。举几个重要的:巴斯嘉(Bastiat)说:"文明进步,欲望日繁,出产也随着欲望扩充。但是需求在前头跑,供给却是跛行着在后面追随。所以人永远有缺乏之感,马尔塞斯把它误认作人满之患了。"凯利(Carey)说:"天然界里头一切构造和生活,都是谐和一致,不能自己冲突。人的神经发展,生育力便要减少。"乐观派的假定虚无缥缈,完全没有察看人口的事实。

（三）根据天然科学的反对派　举几个重要的:德柏对(Th. Doubleday)说:"食品和生育力是相反抗的。无论动物、植物,吸取的滋养料愈丰,生育力愈减。所以贫穷的民族食品最粗劣,生育率也最大。富足的民族,生活饶侈,生育最少。食品适中的民族,人口不增不减。"这派最有力的是斯宾塞尔(H. Spencer)。斯宾塞尔说,动物的生活有两方面:第一是个体的发达,第二是种类的繁衍。

以生物学看起来,这两方面生活是反对的。生物界里,可以得以下的公例:(1)机体愈小,维持个体生活的材料也愈少。维持个体生活的材料愈少,生殖之力愈强。(2)机体的构造愈简单,繁殖的能力愈大。(3)动物中行动愈不灵敏而操作愈少的,繁殖之力愈大。由这动、植物的公例可以预测人口变迁的趋势。人口日繁,生存的竞争一定剧烈,人便不能不增进他的知识技术,不能不自己节制,为的是在社会里生存。如是生理上神经脑髓既然发展,生育力就要衰弱,直到均势而止。这天然科学派的话,乍一听见,似乎可信。生物学的证据,向来是有眩惑的效用的。其实人口增加的情形,并不这样简单。"人的生理上神经脑髓发展,生育力就要衰弱",这话并不能在经验上得一个确证。现在文明各国生育率的低减,还是心理的原因,并不是生理的原因。究竟人的"食物""神经""脑髓"于人的生育率有什么显著的影响,这还不曾证明。但是据以前和现在的"食物""神经""脑髓"的发展看,他们即便在生育率上发生影响,这影响也非常之小,决不能些须抵消那急烈的蕃衍力。"均势"是更不可望了。

那么,马尔塞斯学说的原理,是不能摇动的了。我们且借这原理的光线,来烛照中国的人口。

二

现在所能知的最古的调查人口方法的记载,要在《周礼》里寻找。《周礼》说:"小司徒之职,掌建邦之教法,以稽国中及四郊都鄙之夫家九比之数,以辨其贵贱、老幼、废疾。……乃颁比法于六乡之大夫,使各登其乡之众寡、六畜、车辇,辨其物,以岁时入其数。

以施政教,行征令。及三年,则大比。大比则受邦国之比要,乃会万民之卒伍而用之……以起军旅,以作田役,以比追胥,以会贡赋。"又:"乡大夫以岁时登其夫家之众寡,辨其可任者:国中自七尺以及六十,野自六尺以及六十有五皆征之。"又:"司民掌万民之数。自生齿以上,皆书于版。辨其国中与其都鄙,及其郊野,异其男女。岁登下其死生。"由这些记载看起来,调查人口的目的,第一是军役,第二是寻常的力役,第三是赋税,这都是维持当时操政权的人的势力必需要的。至于操政权的人很愿欲人口的增加,这是古今中外一律,不消说的。他们永远要拿人口作扩充势力的器具,而人口的天然的增加趋势,也正可以供他们的利用。

以中国而论,周以后人口的被战争淘汰,班班可考。杜佑说:"战国之时,考苏秦之说计,秦及山东六国戍卒尚余五百余万。推人口数,尚当千余万。秦兼诸侯,所杀三分居一。犹以余力北筑长城四十余万,南戍五岭五十余万,阿房、骊山七十万。三十年间,百姓死没相踵于路。陈、项又肆其酷烈。新安之坑,二十余万。彭城之战,睢水不流。汉高帝定天下,人之死伤亦数百万,是以平城之卒不过三十万。方之六国,十分无三。"以当时的政治史看起来,这数目确有几分可信。马端临说:"汉孝平时人口五千九百余万。光武中兴之后,三十余年所附养,至末年户数仅及西都孝平时四分之一。兵革之祸,可畏也哉。"又说:"兴平、建安之际,海内荒废,天子奔流,白骨盈野。……割剥庶民三十余年。及魏武克平天下,文帝受禅,人众之数,万无一存。"相类的记载,还可以引许多。总而言之,鼎革的战争,封建的战争,夷狄的祸患,无论他政治的、文化的结果如何,变动一次,人口便大大地削减一次。因为死亡的原因,不限于兵燹直接的影响,间接的影响比直接的影响还要利害。但是平和多少年，休养生息的结果，人口数目总还要很快地复原。所以我们只要把最高的或平均的数目知道，便可以满意了。

最古的数目是出自夏禹时代。那时候的"九州"，说是有人口一千三百五十五万。马端临说："周公相成王，政理刑措，人口一千三百七十万。"这是长江以北的人口。地面大约占现在国境的百分之六十五。所以那时候的人口大约有二千余万。汉时的数目是五千万至六千万。南北朝之后，隋炀帝时大约五千五百万。唐玄宗末年，安史之乱以前，大约六千万。宋时数目和唐时不相上下。金、元的扰乱，把人口又削减了一大部分。明代最高数目大约六千三百余万。至于这些数目的来源，自然是不很可靠的。探讨的问题，只是用科学的方法，确定一个差错的界限罢了。清代的人口调查，起初也只是为的征赋，并且"令直省每岁底将丁、徭、赋籍汇报，以户口消长课州县吏殿最"。如是调查所得的纳赋人数，直到乾隆六年前，每次都不过二千余万。康熙五十一年的谕诏说："朕览各省督抚奏编审人丁数目，并未将加增之数，尽行开报。今海宇承平已久，户口日繁，若按现在人丁加征钱粮，实有不可，人丁虽增，地亩并未加广。应令直省督抚将现今钱粮册内有名丁数勿增勿减，永为定额。自后所生人丁，不必征收钱粮。编审时止将增出实数察明，另造册题报。朕凡巡幸地方，所至询问，一户或有五六人，止一人交纳钱粮。或有九丁、十丁，亦止一二人交纳钱粮……由此观之，民之生齿日繁。朕故欲知人丁之实数，不在加征钱粮也……直省督抚及有司官编审人丁时不将所生实数开明具报者，特恐加增钱粮，是以隐匿不据实奏闻。岂知朕并不为加赋，止欲知其实数耳。"粉饰太平和矜夸的意思，固然在所不免，但是综合着看起来，算是一种脱离国帑狭见的人口观察。这谕诏一时自然还是没有效果。直到乾隆六年调查人口的数目才达到一万四千三百余万，这个数目或者离事实不远了。乾隆末年大约增到三万万。按照乾隆时屡次调查的数目计算起来，每年天然的增加数大约是百分之一点六九。这是用几何级数推算的平均数目，不是代数的平均数目。若是原来的数目尚有几分可靠，这增加数便可以给我们一个大概的形象，并且可以暂且拿来和东方的日本、印度比较比较。日本自一九〇〇至一九一〇年十年间平均的每年增加数是百分之一点三七。印度于一九一一年的调查，由原来的三亿一千五百一十三万三千人口，在十年中增加了百分之七，平均数（代数的）是每年百分之零点七。这都是代数的平均数——实在的增加数还要小——更可以知道中国数目的大了。

近年的人口数目，经过欧美人多少估计。这种估计的价值，自然大多数也是很不可靠的。先举几个例：中国内地教会 The China Inland Mission 所出的 *The Chinese Empire*（一九〇六年）说苏州的人口本年有七〇〇，〇〇〇（七十万）。*Richard's Comprehensive Geography* 说有五〇〇，〇〇〇（五十万，一九〇八年）。一九一一年的《海关十年报告》*Customs' Decennial Report* 说一九〇九年的时候官署调查结果有二十五万六千五百二十四。一八九一年的《海关十年报告》里的《福州报告》说福建人口有六百万至八百万。同时《厦门报告》的福建人口数目是三千万。四川的人口据《海关报告》说是大概有七千二百万。但是下面注着 Hosie（前英国驻重庆领事）估计有四千五百万。Parker 所著的 *China, past and present* 也是这样说。中国政府的人口调查的价值，也与此相差不多。中国人自己调查，机关虽然较为完备，但是一般人对于这个问题没有兴味。至于近年全国的人口数目，各种估计，相差很多。先把各种估计中最高的数目和最低的数目提出来对照：

	最高数目	最低数目
直隶	32570000	20930000
山东	38000000	25810000
山西	17050000	9420000
河南	35310000	22380000
安徽	36000000	14080000
江苏	37800000	15380000
浙江	26300000	11580000
江西	26530000	11000000
四川	79500000	45000000
湖南	23600000	18000000
湖北	35280000	21260000
广东	32000000	23700000
广西	8120000	5140000
福建	30000000	8560000
云南	12720000	4000000
贵州	11300000	5000000
甘肃	10380000	3800000
陕西	10310000	6730000
东三省	20000000	12740000

续表

	最高数目	最低数目
蒙古	10000000	1800000
新疆	2490000	1000000
西藏	6500000	2200000
共	544760000	289510000

以上的数目是这样集成，最高数目：河南、湖北、甘肃、江西、山西、西藏是光绪廿八年户部估计。浙江、江苏、广西、陕西是根据一八八二年的《海关报告》。安徽、山东、广东是根据一九一〇年的《海关每年报告》。直隶、湖南、贵州是根据宣统二年民政部的调查。福建是录自一九〇一年的《厦门海关十年报告》。云南是录自Richard的《地理学》。四川是根据俄人Popoff的报告。东三省、蒙古是依着The Chinese Empire。最低的数目：河南、山东、山西、江苏、安徽、湖北、福建、广东、陕西、甘肃是依着宣统二年民政部的调查。浙江、广西是依着光绪廿八年户部估计。湖南是依着一九一一年的《海关十年报告》。江西是根据一九〇三年的《英国领事江西报告》。贵州、新疆是根据The Chinese Empire。四川是根据Hosie。云南是根据《蒙自海关报告》。东三省是根据民政部调查。西藏、蒙古是依着Richard《地理学》。以上最高、最低的数目，相差二万五千多万！

宣统二年民政部的调查和同年海关的估计，是比较的最可靠的。据前者的调查，全国人口数目是：（廿一省）三三一一八八〇〇〇，加上新疆、西藏共三四二六三九〇〇〇。民政部的调查，只是调查户数。然后用一个由多少详细调查得来的每户平均人数去乘它。这每户平均人数是五点五，但是奉天一处每户平均人数却是假定八点三八。所以这种调查，其实也只是一种估计。同年海关估计，二一省共有人口四三八四二五〇〇〇。

近世兵燹、饥馑、灾疫等对于人口的势力，大约如下：明末清初的流寇的鼎革的封建的扰乱，是不消说的。洪、杨之役，蹂躏了九省，死于兵革的大约有五千万人。嘉、道之际，死于饥馑的也约有五千万人。光绪四年的饥馑，死亡的约有一千万人。光绪二十六年陕西饥馑，死亡的人约占全省人口三分之一。前数年江北饥馑，死者约有三百万人。这都是重大的事件，显而易见的。其余如各省河流的溃决、海盗、会匪、胡匪、瘟疫等等，所吞没的牺牲一定数目很多，不过我们不能举一个详确的数目罢了。婴儿死亡的数目，可以由香港的调查得一个写真：据一九〇九年香港的调查，本年一岁以下的中国婴儿，每百分中死亡八十七分。由这个数目，可以推测到南方沿江海大城镇的相类的情形了。婴儿死亡率高，是一个确凿的人满的征兆！

和这死亡数有关系的便是人口的密度。我把几个密度最高的省分和他们约略的人口密度列在后方：

省名	密度1	密度2
山东	204	262
江苏	173	213
浙江	179	123
广东	107	124

由这个数目看起来，山东人口密度，按照海关的估计，远超过欧洲人口最稠密的比利时。就是按照民政部的调查，也赶上工商业最繁盛的英格兰。江苏人口的密度恰像英国三岛，浙江、广东也赶上德国。这种现象的意义是非常重大的。

以上是种种记载估计。我们若是再想想那"不孝有三，无后为大"、以延嗣为人生惟一天职的宗教（这个关系最大），那以子女为父母的投资的伦理，那早婚、纳妾的风俗，那苟且偷安、节省神经的性情，就知道这记载估计是虽不中不远了。由此看来，足见：（一）中国的人口是超乎中国经济能力以上。这种离均势的状况决不能持久，必要时时发生天灾人祸。（二）现时社会的困苦，不能全归罪于政治不良。（三）人口离均势的社会很难助成好政治，即使有了好政治，若是不在限制人口上做工夫，好政治也不能收长久的效果。（四）无论改革政治或改革社会，须同时根本上打破那造成人满的宗教伦理，改铸那造成人满的风俗。

三

人满的结果很多，我还须详细列举：

（一）由经济一面观看　人类居住在天然界里，如要维持他们的物质生活，有两件东西是不可少的：第一是人工，第二是社会的资本或国民的资本。社会的资本就是一切动的货物，可资以出产，或可利用之以增益出产的效果的。譬如原料、助料、机器、工作场、器械，辅助出产的各种交通器具（如铁路、各种运送机器、传递消息机器），田地内灌溉排水等等的建筑、肥料、仓廪、堤坊、屯积的生活品等。凡这些社会的资本，都是社会一代一代渐渐贮蓄下来的。

社会资本的作用，是增益人工在出产上的效果。人若是徒手工作，出产能力极小，社会资本愈完备、愈充足，工作的效果愈大。所以一国天富（土地、矿产）无论如何丰裕，倘或没有社会的资本，徒有人工，不能开发富源。这人工的效果既然太小，除去他们的消耗——因为人都要衣、食、住——便没有富余可以贮蓄。并且工作的效果既然小，工作人的生计一定艰难。他们除去苟延残喘之外，决不能享受文化的幸福，这是社会很不幸的事。由此看来，一国贫富的区别，就在此处：富的国所以富，就是社会资本和人口相形之下比较地充足；贫的国所以贫，就是社会资本和人口相形之下比较地缺乏。

若是社会资本比较地充足，工作的效果（每人每日工作所得的结果）便可以大，因此社会中平均每人所得的收获才能丰厚。社会中平均每人所得的收获丰厚，然后这国人的生计才能优裕，这就是富国的情形。社会资本若是比较地缺乏，工作的效果（每人每日所得的结果）一定小，因此社会中平均每人所得的收获必少，而这国人的生计自然也要窘迫，这便是贫国的情形。由此看来，一国的社会资本和一国的人口一定要持平均之势，然后这国的人民才能免于贫困。在人满的国里，一面社会的资本太少，不能安置那蕃衍太速的人口；一面人口太多，不能找得卖力求生的机会。

所以在人满的国里，人的生活程度是一定很低的。但是什么是生活程度？

生活程度是人在饮食、衣住、卫生、娱乐、学问等等之所用的货物的数量和品格。所以生活程度的高低和费用大小不是一件事。尽管一个人或一个地方全体的人费用很大，花的钱很多，他们的生活程度不见得一定就高。但是在钱币经济时代，一切货物的价格，都是以钱为标准。生活程度高，所需要的货物的价格也高，值的钱也多。所以以个人论，收入的钱多，便是高等生活程度的一个重要条件。

我们细看这收入的"钱"对于个人的生活和社会的生活都有什么影响，于个人和社会都有什么价值？一个人收入了一定数目的钱之后，他先拿一部分满足他和他家族的生活必需的欲望。这生活必需的欲望满足之后，他若还有富余的钱，他便可以用在卫生、娱乐、读书、求学、教育子女等等上头。他若是这些欲望满足之后，还有富余的钱，他便可以用在赏玩美术品、旅行、游览、提倡或捐助公益事业上头。这样看起来，他收入的第一部分，专拿来维持他个人的生活，别无效力。以后一部分一部分地加增，他才能拿来作些于社会的文明有益的事情。所以"钱"——此地专指"消费人的钱"——对于人的价值有两个，就是：（1）个人的生存价值。（2）社会的文明价值。前者（个人的生存价值）是一个人收入中第一部分的钱所产生的，后者（社会的文明价值）是第二、三部分以下各部分的钱所能产生的，并且第三部分钱的文明价值便比第二部分钱的文明价值大，第四部分钱的文明价值又比第三部分钱的文明价值大。如是递推，收入的钱愈多，每一个钱的单位所能发生的文明效力亦愈大。在不用钱币的社会或时代里（以前的天然经济或是将来社会式的经济），各人所分得的财货的价值，正与此同，不必重复述说。这就叫作"财货效力递增的公例"。按照这个公例，一样这多的财货，若是集在一个人手里，刚可以（我不说"一定"，这是为的顾虑一切非经济的条件）发生文明的效力的，倘或分给两个人消费，便只能维持他们两个人的生存，决不能发生文明的效力了。所以无论直接恤贫还是间接恤贫，都不是根本上救济多数贫人的方法。

贫人为什么贫呢？

惟一的原因，就是社会资本缺乏。(1) 因为社会资本缺乏，所以他们虽然愿欲工作谋生，却得不着工作的机会。——因为徒手是不能工作的。——社会里工作的机会有限，竞争的人太多，工作力不值钱，——并不是因为资本家垄断——虽然情愿廉价卖力，却不可得了。(2) 因为社会资本缺乏，所以教育的设备不完备。一般蕃衍无限的人，自幼失学，长大了之后，一无所长；道德、知识、身体都是不及格的（培养道德、智识、身体，一定要资本）。这些人除去下等的兽欲之外，没有一点思想感觉，其中驯善的只是辗转就死，狡黠的便可以逞他们的恶欲，实行他们的残杀行为，这便是人满社会的现象。

（二）由社会的心理一面观看　一国人满或是人口增加得太快，影响于人的心理很大。因为职业少而谋职业的多，竞争一定剧烈。竞争若是剧烈，必有一部分道德薄弱的人施种种不道德的恶劣的手段，达他谋生的目的。平心而论，人要到了饥寒交迫的时候，尚能操守坚贞、丝毫不苟的，千万人之中实难找出一两个来。大多数的人总是枉道以求了。但是甲既然违背良心去谋生，乙更要加甚，丙更要加甚、更要卑劣，如是互竞不已，道德的堕落便没有止境了。

人满的或人口增加太快的社会里头，谋生是最急、最要、最难的事。所以无论某人的行为如何，即便是盗窃抢夺，只要能够自谋衣食，并且可以给他的家族、亲戚、党羽谋衣食，社会的一般人就一定羡慕他、佩服他。一个社会的毁誉，就是表明这社会里的人的需求。人满的社会里，多数的人要靠着少数的人生活。这些寄生虫占大多数，所以他们的毁誉有势力，他们准着他们的利害造成社会的是非。

人满的或人口增加太快的社会里，人口的压力太大，生计的竞争太烈，所以养成互相残害、互相嫉忌的心理，把一切互助互爱的动机都摧残于未萌。因为受了生计竞争的严酷教训，所以人人脑中都深刻着一个印象，这印象是"凡事于人有益，便多半于我有损"。

（三）由文化一面观看　文明有两大种，便是物质文明和精神文明。若是一国人口太多或增加太速，经济窘迫，自然没有物质文明，更无从有精神文明。人满的社会里头，没有高等技术、高等科学的需要。一切的职业事务，只有数量，没有品格；一切的货物（广义的货物）只要问他目前能够延长多少人的生命，不问他对于人生有什么价值。所以高等技术、高等科学的人才，不能在这种社会里生存。他们本来不容易享受高等的教育，既享受高等教育之后，决不能施展他的才干。什么缘故？这是很容易明白的：高等技术科学所以能够应用的条件是集中组织，是社会的资本，它的原则是在精不在多。人满的社会，一切情形正与此相反，所以决不能产生文化的人才。即便有了文化的人才，也决不能收他的效用。

人满的社会，生计最贵，人最贱。所以人格是卑下的，风俗是恶浊的。谋生太难，所以急不暇择了。

（四）由社会的挑选一面观看　社会里的人，哪个可以生存，哪个必要灭亡，哪个人可以发展，哪个人必须被淘汰，这些事都有一个伟大的势力在暗中主持。这伟大的势力就是社会。个人是不能独立生活的，他的一切物质的生活基础和一切精神的快乐，都仰仗他所附属的社会。他的性情、意向、志趣、态度若是与社会所崇尚的性质、意向等等相符合，他便可以生存；他的那一切等等若是与社会所崇尚的相违背，他便不能立足。所以社会的生活，就如一个大法庭：社会是法官，他有权力挑选某某人应生、某某人应死。社会里的个人就是被挑选的。但是一个社会里哪种人便可以生存荣盛，哪种人便要枯衰凋落呢？再进一步，我们要问问社会这个法官公平不公平呢？他还是把善良的分子——忠直的、义侠的、智慧的、优秀的人——保存住呢，还是把恶劣的分子——奸诈的、虚伪的、愚钝的、粗鄙的人——保存呢？换一句话说，他还是传播良种、淘汰劣种，使社会进步呢？还是反乎此道而行呢？

由历史的经验看起来，一个社会很健康的时候，这个法官——社会——的判断，实在很公道。但是在不健康的社会里，这个法官便非常地倒行逆施。他把忠直义侠的人都残害了，他把智哲优秀的人都抛到荒野去饿死或监闭在污秽的空气里忧郁死了。然后，他便把死的人的财产分给一帮凶恶的无赖和狡黠的滑头，饱他们的兽欲，弄得暗无天日，这便是这法官时常作的事。什么缘故呢？这缘故自然很多，但是多少缘故之中的一个大缘故就是人满。

在人满的国家（或地方），因为上几条所说的关系，惟有恶劣的分子才能生存。因为物质的竞争太烈，非把一切的顾虑——道德的——都抛置脑后、非把良心埋没不能生活。在人满的社会里，贤者被淘汰，凶恶狡诈的人，才能有立足之地。

由历史上看起来，文化的真进步，人类真价值的增加，都是社会的良善分子、优秀分子牺牲他们的心力、生命争来的。社会的一般人，只是受他们的赐，才能够物质上、精神上发达进步。社会所以有生气，能够繁昌荣盛，也只是这些良善分子、优秀分子的血汗的作用。所以这些良善优秀的分子就譬如燃料，社会就譬如机器：

机器所以能转动，全靠着焚烧燃料；社会所以能进步，全靠着牺牲贤者。这是历史的事实，人类的运命，无可更易。但是非人满的社会和人满的社会的区别就在这里：第一，在非人满的社会里，良善、优秀的分子牺牲了他们的心力、生命之后，便一定可以在社会里成全一点事业，建设一点功绩。他们的牺牲，不是枉然的，社会的确因为他们的牺牲得了益处了，社会里大多数的人的确因为他们的牺牲增添了幸福了。所以他们的牺牲是经济的，这就是说，他们的牺牲——这是社会全体的消耗——是可以产生相当效果的。用将才所举的譬喻说，就如同一个机器有高的"效用率"（efficiency），消耗最少的燃料，产生最多的能力。在人满的社会里，这种效用是没有的：良善的、优秀的分子无论如何牺牲，在社会上不能发生效力。就譬如一个窳败的机器，无论焚烧多少燃料，因为它的消耗（泄露能力、糟蹋能力的地方）太多，所以不能够产生应用的能力。第二，在非人满的社会里，物质的竞争不烈，生活比较地还容易；所以良善、优秀的分子，还有独善其身的机会。社会的恶毒的气焰还不至于逼人太紧。良善、优秀的分子还有休养的时候。他们虽然仍要为社会牺牲，但是牺牲的宗旨、牺牲的方法，还可以从容选择。并且利用人类的摹仿性，还可以传播他们的高尚的理想和纯洁的习尚。社会的良善的、优秀的种子多了，他们的势力自然厚了；他们的牺牲的宗旨、方法，便更可以慎重选择了。他们虽然牺牲，却是他们的根蒂不断，所以社会的进步可以绵亘永绩。在人满的社会里，四周的恶浊空气逼人太甚，好似冰霜，把一切向上的萌芽都冻死了。这种社会里，有无量数恶魔时时捉人入地狱，躲避也躲避不开。所以良种没有工夫传衍——没有发育已摧残了。良种绝了，社会的进步也停滞了。这就譬如——再用我们的譬喻——把燃料全焚烧尽了,机器也停顿了。

　　以上是人满的结果,我想这些结果都是我们不幸所眼见的。救济的方法,我想不能拘定一种,必要把各种的方法同时应用才可。就是:(一)禁止早婚(规定最低的婚嫁年岁)。(二)禁止纳妾。(三)打破一切造成人满的宗教、伦理、风俗。(四)传播人口学说和各派限制人口的方法。(五)提高人民的生活程度。(六)提高科学、美术的教育。(七)施行有统系的恤贫律。(八)施行各种保护工人的政策。

(第七卷第四号,一九二〇年三月一日)

贫穷与人口问题

陶孟和

一

什么叫做贫穷？以各人生活程度的高低和他收入的多少有不同的解释法。譬如那督军每年要赚几十万元的，看了他的下级士官每年不过有一二千元的收入，就是穷人。那些丧心的卖国贼他那非义的、不道德的收入每年有几十万元的，看了他部下每年只有二三千元收入的官吏，是穷人。行政官吏每年只收入二三千元的，看了那店铺的伙计，每年薪水和花红至多不过四五百元的，是穷人。至于店铺的伙计，做小生意的和中小学校的教习，那一类人每年的收入，平均四五百元。他们看了那做苦工的，每年只赚一二百元的，又是穷人了。由此类推，大概贫穷本没有一定的标准。因各人的身份不同，每年所得的薪俸工钱不同，他的贫穷的观念也就不同了。

但是贫穷的标准不能如上边所说，专用主观的眼光判定的。假使我们另寻一种看法，定下一个数目做贫穷的标准；说是一个人的收入在这个数目以上的就不算贫穷，在这个数目以下的就算贫穷。但是人的嗜好不同，脾气又不同。因此两个人的收入虽然相同，他们的生活不一样，费用也就不同。生活简单的人的收入还有余剩，花销浩大的人的收入还忧不足。所以这种标准还是不定，贫穷的意思，还是不能解释。

要知道贫穷是一个社会问题，不是个人真问题。所以我们要找出一个客观的普遍的标准，才可以解释这贫穷的意义。一个人活在世上，最不可缺少的当然就是衣、食、住三者。现在文明社会里，无论什么人每天总要有三餐果腹；有可以避风雨、御寒气的房子住居，两三件衣服可以蔽身体，保体温。就是那些诗人，学者，无论他们如何屏弃世俗，超轶群伦，也不能把衣、食、住缺了一样。假使他们缺了一样，他们连活人都做不成，更不必说诗人、学者了。但是衣、食、住的程度（即生活程度）各人不一样。所以我们不能取任一人的——你的或他的——生活程度做标准，上边已经说过了。那客观的、普遍的标准就是一个人的衣、食、住的最简单的需要。这种需要不用科学、只用我们普通的常识也可以考察出来的。那最简单的需要是到什么程度呢？一个人每年至少要吃大米若干升（假使他是北方人，他要吃麦粉或小米若干斤），蔬菜、肉类若干斤，至少要穿单衣、棉衣若干件，袜子、鞋子若干双，还要占据若干方尺地，做他栖身之所。这个需要可以算为人的生活最低限。假使生活在这最低限度以上，他可以任普通各种的劳动；假使在这最低限度以下，因为他身体上缺少营养发现了病态或发生其他种种现象就立减少他平日劳动的能力。

生理学者和医学者研究人的身体上的组织，知道身体上器官的常态、变态，应该怎样保养，才可以维持健康。身体健康是劳动不可缺的唯一条件。不健康的人即使可以勉强劳动，他的能力、效果总赶不上健康的人。我们借着生理学、医学的知识,可以明白我们的身体应该如何营养。胃里要有相当的食物,才可以取脂肪,保我们的体温,化血液,营养我们的全身,排泄体内的废物;皮肤上要有相当的遮盖,才可以防御体外过分的刺激,维持普通必要的温度;所住的屋里要有充量的新鲜空气,才可以使心里的血液新陈代谢,永远干净。近几十年以来,有机化学,非常进步,分析各种食物,把它们的价值都可以定出来。文明人普通所用的食物,总不外米、面、豆、鱼、肉、蔬菜、盐、糖、牛乳几种。这些种食物从有机化学上看来,会有若干原质,为人类身体所必不可缺之成分。有属蛋白质的,有属脂肪质的,有含轻气的,有含铁的。普通的人保持他的身体常态(即健康态)每日需要有相当的成分,相当的重量。这些成分从普通重要食品里都可以分析出来的。上边所说的生活最低限用常识可以看出来的。现在按这诸种科学的发现,可以寻出一个更可靠的标准来,验明各种重要食品,成人每日须用若(干)重量才可以保持健康常态。

我们既认定生活最低限为贫穷的标准,那生活最低限又要用衣、食、住的需要指示出来。但是用饮食、衣服、房屋来量生活限度,觉得困难并且麻烦。人的生活所要的固然是衣、食、住,但是人的劳动直接所得的却不是衣、食、住。文明社会的人因为所造的物品、所做的事务种类繁而又杂,不能直接地用物品互相交换。所以发明了一种货币,代表物品。交换物品就用货币来做它的媒介。所以一个人由劳动所换来的,不是衣、食、住所需要的物品,乃是可以换衣、食、住所需要的物品的货币(金钱或金钱的替代物如纸币、支票等)。所以现在生活最低限,不能取个人的衣、食、住所需要的物品为标准,要取那可以购买他衣、食、住所需要的物品的货币为标准。如此看来,生活最低限究竟还是如本篇第一、二两节所引之例,要用金钱的数目来做标准。但是这个数目却不是随意滥定的,也不是任取一个人的生活程度来做标准。乃要考察普通人生活上最简单的、必不可缺的需要,才可以定的。调查那个人所居的社会里的重要食品和衣服、房屋的价格,和他收入的金钱,就知道他可以有购买多少物品的能力。假使一个人的劳动换来若干金钱,可以换到他最简单的衣、食、住所需要的物品,他就是在生活最低限以上。倒转身来,假使一个人,由劳动所换来的金钱,不够换到他生活上所需要最少的物品,他就是在生活最低限以下。但是金钱的收入又不能认为绝对的标准。因为金钱不是物品(Commodities),乃是代表物品的东西。金钱的价格,因物品之增减时有改变,所以金钱自身是没有绝对的价值。我们用金钱的收入量生活的限度,也是一个不得已的方法。因为现在文明社会里,都用金钱代表一切物品,我们所谓生活最低限度不外乎表明所需要的物品。所以我们也只好用金钱指示生活程度。由个人金钱的收入的多少,可以推知他对于物品的购买力。上边说过的,金钱自身的价格,不是绝对的,是依赖物品的多寡的,所以我们时时要注意时间上、空间上物品之增减,调查物价的高低。假使这一个地方物价低,每年有二百元的收入就可以在生活最低限以上,但是另一个地方物价高贵,每年有二百元的收入的,反在生活最低限以下。这是地方上的不同。也有同在一个地方,同是二百元的收入的,而前一年的生活,在最低限以上,后一年的生活,落在最低限之下。这又是时间上的不同。所以经济学者在各地方研究物价的升降,用物价指数指示物价的变迁,于研究贫穷问题,是非常重要,非常有用的。

二

以上所说的都是解释什么叫做贫穷。贫穷既然是一个人的劳动，不能换到生活最低限的需要品，那么他与人口的关系，从上文里也就可以大略推出来了。贫穷问题最根本之点，就是衣、食、住所需要之物品，人口问题最根本之点，也就是衣、食、住所需要之物品。换一句话语，贫穷与人口的关系，就在于人类衣、食、住最简单的需要。一个人不能满足他最低限度的需要就是一个穷人。他不能满足需要或者有许多的原因。有因为懒惰不能劳动去赚钱去买那生活上的需要品，因此变成穷人的。也有因为身体残废，不能用劳动去谋生活，变成贫民的。这几种都与人口问题没有直接的关系。假使一个人因为社会上劳动力太多，所以不能用他的劳动换得生活上的需要品，或是一个人口为社会上所产出生活需要品，虽然已经到了最高限额，还是不敷分配，他纵有劳动的能力也不能换到生活需要品，这就是人口问题所应该研究的了。

人口问题应该从过多过少两方面研究。从人类历史上看起来，人口过少，不是重要的问题。人类的趋势向来是合群的，团结的，繁殖的。假使一个地方人口太少，不能生存，他们当然要迁徙到别的地方去与旁的种族结合，或者依赖旁的种族，以求生命的安全。假使他们连迁与联合他族的能力都没有，那只好等待自然淘汰，终结将种族完全灭绝为止。人类历史上因为人口过少终归灭亡的种族，共有多少，现在无从去推测。但是被灭亡的种族大概是由于错综的原因，不能说全由于人口过少的缘故。有因为文化低的被文化高的种族吞并的。这不是人口过少的原因，是文化的原因。况且被征服的民族常与征服者通婚姻，繁衍成杂种苗裔，也未必就沦于灭亡。有受疫疠之传染，而种族灭亡的，这也不是人口过少的原因，常因知识低陋，不知道卫生，或身体上抵抗力薄弱的原因。我们只能承认那孤立的民族，因为人口过少，不能克服自然，所以引起"灭种"的大问题。人口过少果然是要灭种，但是灭种的原因决不是完全为得人口过少，所以人口过少不过是灭种里一个局部的问题。

人类生殖的能力向来是繁衍的。历来发生文明的民族，人口都是繁盛的。欧弗拉底斯河流域、尼罗河流域、黄河流域，这些古代的文明发生地的人口较为稠密。因为人口密度加增，并且有好的环境才创造文明，发达文明。这里有两层关系：（一）人口加多就是劳动力加多。劳动力是制伏自然界的能力，也就是创造财富的能力。所以在洪荒草昧的时代，人口充足就可以利用自然，（如利用河边淤泥从事耕种，利用天生的植物制作衣服、修盖住房）来改进衣、食、住的状况。满足衣、食、住的需要的物品或事业（Services），这两种经济学者统称做财富（Wealth）。假使一个人口众多的民族住在气候温和、土壤肥沃的环境里，各人都从事劳动就可以增加财富。财富增加是文明发生的根本条件。上边说过的，无需什么人衣、食、住的需要是缺不得的。人口少的时候，劳动力也少，人民都要努力才可以用劳动换来衣、食、住所需要的物品。人口稠密的时候，劳动力大，财富加增，人民也就可以省出闲暇的工夫，致力于衣、食、住以上的事业。衣、食、住以上的事业就是文明。思想，科学，文学，美术，这些文明都是财富有余时的产物。所以人口密度加增的结果，直接的增加财富，间接的就是产生文明。（二）人口加多的时候，人的相互接触更加复杂。社会关系变复杂了，社会间就容易起利益的冲突。所以维持复杂的社会,需有复杂的社会制度,规范人民的活动,调和人民的利益。人口密度加增,需有适当的制度维护生命财产的安全,使人民共同活着。所以复杂的社会制度就是人口稠密的结果,也就是文明的产物。

从此看来,人口稠密是发生文明的一个条件。但是人口密度增加也得有个限制。那么增加到如何程度,就算过多,并且凋落到如何程度,就算过少,又需找一个标准。

三

过度问题最初有系统的研究,当然要推英国马尔塞斯的《人口论》。马尔塞斯读了葛德文(Godwin)革命的著作《中正》(On Justice)这部书,起了疑惑,他以为考察人类的前途,决不能像葛德文所说的那样,能够达到完满的境界。他考究人口的趋势是繁殖的,那繁殖的能力是每二十五年人口可以增加一倍。但是事实上却不是如此,因为人口的增加必须受生计(means of subsistence)的制限。(马尔塞斯《人口论》的第一章说人口是按着几何级数增加,生计是按着数学的级数增加,但是以后全书绝没有提到这一点。所以近来的人口论者以为这句话在他的人口论里,没有重要关系。)假使生计加增的时候,没有方法去遏制生殖力,人口必然增加。所以我们现在据马尔塞斯的意见以生计做人口密度的标准,生计就是满足衣、食、住的需要的方法。假使社会里人人都有生计,那社会的人口,不得谓为过多;假使有不得生计的,那就是人口过多的征象。不得生计就必陷于贫穷的状态。马尔塞斯又说,除去有大饥馑的时候,生计并不是直接的限制人口。"直接箝制人口的,乃是由于生计缺乏时所酿成的风俗和疾病。还有其他原因,虽然与生计缺乏没有关系,但是他们道德和物质的性质上却有害于身体的。"(原书第六版第十二页)所以马尔塞斯以为贫穷是直接限制人口的要素。

按着马尔塞斯的见解,贫穷与人口的关系,更显得密切。贫穷是遏制人口繁殖的一种积极的原因。但是贫穷并不是完全因为人口过多、生计缺乏的征象。马尔塞斯论到生计与人口增加关系的时候,表明贫穷未必与生计缺乏是一件事。他说:"生计或者可以增加,但是考今日社会的现状,决不能把新增加之生计分配给低级社会里去,所以还是不能发生促进人口增加的势力。"(前书第廿四页)他在前边也说过,人类的生殖永远是超过生计的增加。因为这个缘故,低级社会常受窘迫,他们的生活状况,不能有经久的改良。(前书第十七页)

以上所说的,就是马尔塞斯对于人口研究最有价值的贡献。总括他的意思,就是:生计限制人口,但是生计所以限制人口的不是生计自身,是因生计缺乏时所产出的状况为疾病、贫穷、恶风俗等等。一国里的低级社会不容易享受生计增加的益处。第一,因为一国的生计向来低级所得的份是少的。第二,因为生计加多的时候,假使不设法遏制生殖力,人口自然要增殖,仍然得不到生计增加的益处。如此看来人口永远有超过生计的危险,人类也就会时时陷于穷困的境遇。马尔塞斯说,从历史上观察起来,过度的危险有自然的抑制方法。天灾、战争、疫疠、饥馑,常不断地祸害人类,都是天然抑制过度的大势力。但是马尔塞斯所最希望的、最称赞的还是道德的抑制。文明社会里深思远虑的人到了应该结婚的年龄,遇见结婚的机会,再四思维,考究独身生活和结婚生活的利

弊,终安于独身生活,就是马尔塞斯所说的道德的抑制。(参看前书第十三页)

四

马尔塞斯的《人口论》出版以后惹起当时约数反对的批评,反对最利害的当然是一般迷信最深的耶教徒。这层姑且不去论它,且说本篇目的是研究贫穷与人口的关系,所以现在只就上述马尔塞斯的结论,做我们研究的参考。

人类的趋势永远是繁殖的。取各国最近统计的材料可列表如下:

年度 国别	一八六〇	一八七〇	一八八〇	一八九〇	一九〇〇	一九一〇
合众国	31443000	38558000	50156000	62948000	75995000	91972000
英国	28927000	31485000	34885000	37733000	41459000	45222000
英领印度	不明	不明	不明	287271000	2400316000	315086000
澳大利亚	不明	不明	2253000	3183000	3773000	4455000
坎拿大	不明	3518000	4336000	5035000	5592000	7447000
纽锡仑	不明	不明	490000	637000	773000	1008000
俄罗斯欧洲本部	不明	65732000	71028000	91862000	106159000	131022000
挪威	不明	1702000	1813000	200000	2240000	2392000
瑞典	3860000	4169000	4566000	4785000	5136000	5522000
丹麦	1608000	1785000	1969000	2172000	2450000	2737000
荷兰	3309000	3580000	4013000	4511000	5104000	5858000
德意志	37611000	40085000	45095000	49241000	56046000	64926000

续表

年度 国别	一八六〇	一八七〇	一八八〇	一八九〇	一九〇〇	一九一〇
比利时	4732000	5088000	5537000	6069000	6694000	7424000
法兰西	37386000	36102000	37672000	38343000	38962000	39602000
奥地利	不明	20218000	22144000	23895000	26151000	28572000
匈牙利	不明	15509000	15739000	17464000	19255000	20886000
西班牙	15655000	16799000	16432000	17545000	18608000	19589000
布尔格利亚	不明	不明	2008000	3200000	3744000	4329000
罗马尼亚	4000000	4754000	5300000	5800000	5957000	6966000
阿金丁	不明	1803000	不明	3964000	不明	7092000
乌拉圭	229000	334000	438000	751000	936000	1043000
日本	不明	33111000	36500000	40719000	44816000	50896000
意大利	21777000	26810000	28460000	30536000	32450000	34671000

（上表中统计数目是从 W. S. Thompson 的人口论文里一〇四页至一〇九页抄来。这篇人口论文是美国克仑比亚大学出版的，名叫《人口论》，别名《马尔塞斯主义之研究》(Population: A. Stndy in

Malthusianism）

上边所列的国别一共二十三个。有新的国家如澳大利亚、坎拿大、纽锡仑、阿金丁、乌拉圭；有老大的国家，如英国、英领印度、日本、意大利；有工业发达的，如英国、德意志、比利时；有工商业不进步的，如西班牙、罗马尼亚。各国情形虽然完全不同，但是人口逐渐增加，却是一律。按着马尔塞斯所说的道理，人口所以增加的原因自然也是一样，都是因为生计扩张的缘故。但是生计扩张可以称做总原因，此外与生计扩张相伴或是受生计扩张之影响，发生许多不同的现象，促进人口的增加。待我逐条说来。（一）自从欧洲产业革新之后，人类用机械代筋骨的劳动，省了若干人工，增加生产的分量，满足生活的需要品加增，所以现在世界足可以维持那屡增不已之人口。德意志的人口自一八六〇至一九一〇年增多二千七百万以上，日本自从一八七〇至一九一〇年人口增加二千万以上。所以人口增加的主要原因，都是因为工商业发达，物品充斥的结果。（二）与产业膨胀相伴的现象就是生活进步，文化进步。所谓生活和文化的进步，未必是全社会或全人类的进步。但是至少必有一部分人享受这个福气，增进他们的文化，改进他们的生活。生活进步的时候，使疾病减少，同时使死亡率低减。人类文化进步的时候，知识发达，明白生活之道，如医学、卫生学等都是，使死亡率低减。假使生殖率无变更而死亡率逐渐地低减，结果就是人口增加，人口学者把它叫做自然增加。（自然增加是生殖率与死亡率的差，研究人口问题的不可专注意生殖率，应该注意生殖率和死亡率的比例。）所以生活进步也是人口增加的一个主要原因。（三）新开辟的地方，天产富饶，一时取之不尽，用之不竭，因此可以吸收无数人口。合众国自一八六〇至一九一〇年，六十年间人口增加几有三倍。坎拿大自一八七〇至一九一〇年,五十年间,人口增加亦有两倍有余。阿金丁在同年(?)内,五十年间,人口增加几至四倍。这一类增加的主要原因,也是因为从外国移来的人民多。(四)生计应该包括衣、食、住三种农产物,当然是生计上所最不可缺的。但是也有农产少的国家,人口反倒增加的。例如英国出产的谷类不足养活本国的人口,但是现在借着轮船、铁路交通的便利,得从谷物丰饶的地方运来供给他们增加的人口。这是因为英国工业发达,可以用他们的制造品,换外国的农产物品,补本国农产的不足。所以一个国家,虽然农产不足只要工业发达,有交通的便利,人口也是增加的。

　　综观以上所述四项,人口增加的情形虽然不同,但都是直接或间接原因于生计。生计充裕的表现,或是生活必要品充斥,或是生活程度进步,或是天产富饶为人利用,或是本国的制造发达,用之有余,得以与别国所出产的生活必要品相交换,这都是促进人口增加的。十九世纪以来各国人口的增加,可以说都是生计充裕的缘故。假使百年以前,科学没有进步,如同汽机电气没有发现,工业没有革新,新地方没有开拓,国际贸易没有发展,人类生活没有改良,我们敢断言人口绝对不能有那样的增殖。至于人口九百万以上的伦敦、纽约大都会更是梦想不到了。总而言之,近百年以来,生计扩张,诚然是人类可庆的事,并且最可注意的事实。生计扩张的结果,不只是供养了无数的增加的人口,并且使人类一部分的生活程度增高,享受物质文明的幸福。(经济学者研究近世纪经济的发展以为最显著的现象,就是财富之增加。究其实,财富之增加就是物品和事业比前代加增,现代人民能享受多量的物品,满足他们生活的需要。)马尔塞斯的人口论经了这百年的历史,更显得确凿,没有可驳诘的地方。世界人口虽然是累累加增,但是马尔塞斯所栗栗危惧的过庶,始终没有现诸事实,就是生计扩张的缘故。

五

过度虽然没有现诸事实,但是马尔塞斯所说的那遏制人口的贫穷,却变成了文明社会普遍的现象,成为现在人类一种最苦痛的社会病。文化灿烂的国家里面尚且有若干饥寒交迫的贫民。英国的伦敦总算是在都会中首屈一指,文明、经济都是最发达的了。据一八八八年的调查,伦敦人口百分之三十点七都是在贫穷境里。每十人中总有三人死在贫民院、疯人院、施医院里。(参看 Charles Booth: Labour and Life of the People of London 1891)又如纽约总算是新世界第一个都会,物质文明在世界无匹的了。亨特调查它的贫民竟占去百分之十四至百分之二十。这种悲惨的现象不特发生在都会里。亨特调查纽约、麻萨珠塞、米西甘等九州的人民,也是有五分之一是在贫民之列。由此看来,生计扩张产出两种结果来:一种结果就是供养许多新增加之人口,一种结果就是造出贫穷的大问题。"所以我们现在所应该研究的就是,贫穷是不是人口过多的变象。我们在上边已经声明过度没有现诸事实,那世界普遍的贫穷状况当然不是过度的变象,定是由于旁的原因了。

从理论上推想起来,人类确是有过度的危险。人类的生殖力原来是无限的。马尔塞斯计算人类繁殖廿五年分可加增一倍。现在生理学者考查男子媾合时一次所泄精虫之数足可供全世界及笄女子授胎之用。人类生殖力之伟大可以想见了。但是地球上可居之土地是有限制的。蒙古的高原,美洲的草野,各处人口虽然疏落，但长此以往终有人满之一日。农业化学、食物化学凭它进步多少，食品种类凭它是发现多少，将来出产总有穷竭之时。总之，土地、食物二种是有穷的，生殖是无穷的，后者终须受前者的限制。所以过庶的危险在理论上确是无可疑的。但是现代社会还没有这个危险，为什么呢？因为凡是文明社会，虽然如本篇表上所列，人口逐渐增加，但是自一八七〇年以后生殖率却都是日见低减。据人口学者的调查，澳大利亚洲的生殖率降得最低。其次就是比利时、萨逊、纽锡仑、法兰西、德意志、澳地利、英格兰、丹麦、瑞典、挪威这些国家。现在采几国可靠的统计，列出表来，做为参考。

年度 国别	一八七〇	一八八〇	一八九〇	一九〇〇	一九一〇
英格兰	34.8	32.9	29.8	28.3	25.4
澳大利亚	38	36	35	27	27
纽锡仑	40	38	29	26	26
挪威	不明	30.9	30.2	30.0	26.1
瑞典	32.0	29.6	27.9	26.8	25.1
丹麦	21.6	22.0	30.8	29.8	27.8
德意志	40.3	37.9	36.3	35.7	30.7
比利时	不明	31.6	29.5	28.8	24.4
法兰西	26.1	24.9	22.6	21.8	19.1
澳地利	40.2	38.6	37.3	36.7	33.0

（上表系从前述 Thompson 书中录出。Thompson 在书中声明过，所取统计数目都是依据政府统计录。）

总之，世界上文明国家除去合众国，俄罗斯同日本以外，没有一国不是生殖率逐年减少的。生殖率虽然日见低减，但是贫穷问题反是日见困难。据人口学者的研究，一国里各种阶级的生殖率低减的程度也有差别。大概高级社会的生殖率减少最烈，低级社会的生殖率低减最微，也有保持原态的或增长的。但是低级社会的死亡率也是最高。所以我们推想近五十年来世界大部分的人口增加，除去移民不计外，当然是由于自然的增加，就是生产率与死亡率差的增高。

现在既证明近年人口增加是自然的增加。我们仍然不能断定自然的增加与过庶有别，不至于发生贫穷的问题。所以我们需考察现在社会的经济状况，世界的产物果否可以敷现在人口的分配。全世界的生产统计，现在不能详述。只看英美两国的财富，全国人口如何分配，也就可以推知其余了。英国全国的收入在一九〇八年值十八亿四千四百万金镑。从所得税的统计调查这财富如何分配："全国人口百分之十二竟取去全国总收入二分之一，而全国人口三十分之一，只取去三分之一以上。"（参看 Chiozza Money. *Riches and Poverty* 1010 版）美国斯帕尔调查："美国住户百分之一竟取去全国总收入四分之一，而住户之百分之五十只取去总收入五分之一。"（参看 Charles B. Spar：*An Essay on the Present Distribution of Wealth in the United States* 1896）上边曾说明金钱是代表物品的东西。全国总收入都是按金钱计算，我们用它指示全国一年所出产的物品。所以计算一国生产品有多少值格，即可推知那一国的生计。把生产的值格由全国人民平均分配即可推知所生产的物品是否能满足人民的需要。照上边所引的调查看起来，那分配的方法，太不公平。英国的总收入假使平均分配起来每人每年可以得四十镑，五口之家共可得二百镑。所以现在文明社会的贫穷问题，不是由于人口过多，实在是由于分配不均。

　　但是有一派人反对这个道理。他们说假使把全国的财富平均分配于人民，结果必至使全国人民尽陷于贫穷的境遇。例如假使英国人民每人都只收入四十镑，他们都不能有安舒的生活。法国经济学者吉德即是这种主张。（Charles Gide；《*principe de l'Economie polique*》论社会主义章内）他们又说现在低级社会的生殖率已经表示增高，或保持原态的倾向，假使他们的生活进步，将来他们的生殖率扩张，使他们的子孙膨胀于全社会，岂不又产出过度的现象吗？这种议论都是昧于晚近人口上最显著的事实。那个最显著的事实就是文明越进步，生殖率越低减。文明越进步的国家，他的人民生殖率越低减。一个社会里也是一样，文明最高的阶级也是生殖率最低。爱理司说："与社会巩固相伴有生殖率低减的倾向诚然是文明的本质。这种倾向在个人或者是熟思的，但是在社会上只可以认为本能的冲动，用它支配生活的状况，解决贫穷病死的问题。"（Havelock Ellis：*the task of Social Hygiene*"论低落的生殖率"章第一八六页以下）爱理司的话是由许多人口统计的材料考查出来的断语，不是凭空杜撰的。所以我们敢说贫穷是生计分配不均的缘故，不是人口过多的缘故。我们并且可进一步说，低级社会的过度也是生计分配不均所产出的结果。分配问题是经济学的最重要部分，本篇不能离题太远，现在只好置之不论。读者要注意的就是贫穷与分配的关系，较贫穷与人口的关系更为切要。

六

以上所说都是引用外国的学说,采取外国的事实,讨论人口与贫穷的关系。论到中国,有种种的困难,不能为彻底的研究。第一,我们没有详确的人口统计。(《续文献通考》论户口登耗说:"国家户口登耗,有绝不可信者。有司之造册,与户科、户部之稽查,皆仅儿戏耳。掌民部者宜留心经理焉。")第二,我们没有财富的调查。所以我们人口到底是过多、或是过少实在无从稽查。中国人口,普通常用的数目是四万万或三万五千万。这个数目是推测的,不是切实调查出来的。假使只有这个数目没有全国财富的统计,仍然是不能考出中国的人口能否有享受贫穷以上的生活。现在满街跑的是乞丐,到处有的是流氓,是大家都知道的。但是乞丐、流氓,是原因于过度,还是原因于生计分配不均,我们是无从推测。

外人对于中国人口的研究,有说中国的人口将来膨胀不可限量,必然充满全球的。但是细心观察的人都知道中国的生殖率虽尽极发达,而同时死亡率也异常伟大。十年前美国的洛斯教授来游历中国,征集了外国医士三十三人的意见,说殇儿在西洋大概是占十分之三,在中国就要占十分之八。(参看 E. A. Ross: the Changing chinese)那么,中国的生殖率虽然发达,终结仍然是让死亡率抵消。所以生殖率过度的危险,在中国社会里到底到若何程度我们不能断定。

但是一般的议论常以为中国的贫穷是过度的弊病。例如山东、广东、福建和扬子江下流诸省分,都是人口密度最高的区域,他们向外移出的人口非常得多。我们现在没有人口统计、物财富统计不能只依据人民迁徙的现象，就断定过度为事实。中国各地方的人都是从事农业，所以移民的现象，只可认为农业上不能消纳他们。农业以外还有许多职业可以消纳。至于农业上可以消纳若干人口与农业上可以供养若干人口又不是一事。前者指从事农产的人口，后者指农产所维持的人口。我们考查每年海关报告，即可以知道中国农产可否维持现存的人口。假使中国的农产不足供给中国人口之用，我们仍然不能就认为过度的现象。因为农产不足的社会可以用他们的制造品去换食料，上边所举英国的例即是如此。假使农业、工业发达的程度都是幼稚，全国人口的生计总需依赖外国的补助，那一国的输入额定然超过它的输出额。这个还不能判定为过度的现象。例如英国的输入额常是超过输出额的，但是它不感过度的苦痛。英国的输出品运到外国，变成了生产的要素，在国外更造出物品，输入英国。所以英国所输入的实在还是它以先所输出的变象。由此看来中国输入额超过输出，还是不敢就认为过度的现象。

据我看来中国人满的现象经过这几层推敲讨论，只可认为先天的、事前的判断，还是缺少归纳的、科学的研究。我们再观察社会现状：见那横征暴敛的政府，嚣张跋扈的军人，蝇营狗苟的政客，敲剥脧削的财主，在那里肆无忌惮地吸取小民的膏血。收入分配的不均平，一方有月入几万元的军人、政客，一方有月入六、七元的车夫小贩。全国的物产、产业，向来虽然没有发展，还算是小民公有之物，现在竟渐渐地都集中于少数人之手。看此情形，中国的贫穷更是与人口的关系小，与政治及经济的关系大了。

(九、二、廿四)

(第七卷第四号，一九二〇年三月一日)

马尔塞斯人口论与中国人口问题

陈独秀

一

我向来有两种信念：一是相信进化无穷期，古往今来只有在一时代是补偏救弊的贤哲，时间上没有"万世师表"的圣人，也没有"推诸万世而皆准的制度"；一是相信在复杂的人类社会，只有一方面的真理，对于社会各有一种救济的学说，空间上没有包医百病的良方。我对于马尔塞斯的人口论，就是这种见解。不但马尔塞斯人口论是这样，就是近代别的著名学说，像达尔文自然淘汰说，弥尔自由论，布鲁东私有财产论，马克思唯物史观，克鲁泡特金互助论，也都是这样。除了牵强、附会、迷信，世界上决没有万世师表的圣人、推诸万世而皆准的制度和包医百病的学说这三件东西。在鼓吹一种理想实际运动的时候，这种妄想、迷信，自然很有力量、价值，但是在我们学术思想进步上，在我们讨论社会问题上，却有很大的障碍。这本是我个人的一种愚见，是由种种事实上所得一种归纳的论断，并且想用这种论断演绎到评判各种学说、研究各种问题的态度上去。

二

马尔塞斯人口论的内容,简单总括起来,就是:(1)自然界一切生物(人类也包含在内)的增殖,常有超过食物范围以上的倾向。(2)这种不断的倾向的结果,生物常苦于食物不足,自然界所以发生种种悲惨,人类社会的贫困罪恶不能绝迹也就为了这个缘故。(3)因此人类社会要想断绝这个祸根,凡是没有赡养家属资力的人,不得不遏制性欲,守独身主义,来防止人口过多的自然力。

后来新马尔塞斯派,对于前列的(2)(3)两项大加修正。这修正派的人,以为人类的贫困和罪恶,不仅是人口过多的结果,社会组织的缺陷,的确也是一种原因。他们又以为拿制欲和独身主义来限制人口,未免太酷,不如实行预防受胎的法子。因为预防受胎比制欲合乎自然,而且不损身体的健康。

后来无论赞成马尔塞斯的学说或是反对的人,对于修正派的意见,反对的却少得多了。但是他们对于马尔塞斯的(2)(3)两项意见,虽然加了多少修正,却于他的根本学说,还是不曾动摇。因为马尔塞斯主张的大前提,是在前列的(1)项,马尔塞斯得了永久不朽的大名,迷信他的学说当做万古不动的一大真理,也就在(1)项,因此人口论的研究,便不得不集中于(1)项了。

三

人口的增殖率,果然是照马尔塞斯的推算,每二十五年必定增加一倍吗?

生物的生殖力,自然都很伟大,即以一切动物中生殖力最低的象而论,他一生百年间,平均生殖六子。这六子果然都能生存繁殖,从最初的一对夫妇起,经过七百四五十年,应有一千九百万匹子孙。生殖力最高的微生物,有几种一昼夜可以生殖一万倍以上。若照马尔塞斯的主张,单就生物生殖力的理论,便可以推断生物在事实上计年增加的倍数,那么单是生殖力最低象一项,也已经充满地球了。

生物的生殖力和繁殖力,本来不是一件事。人类也和他种生物一样,事实上繁殖增加的倍数,决不能拿理论上的生殖力用数学式来武断推算的。人类的生殖力固然伟大,克鲁泡特金所谓自然的破坏力(寒冷、大雪、暴风雨、旱灾、水灾等)亦复伟大。战争的、瘟疫的破坏力更是不用说的了。据中国的历史,三千年间人口增加不过二十倍,再加上调查不精密,国土古今广狭不同,合并异族的人口增加等原因,实际增加当然还没有二十倍。可见马尔塞斯的人口增殖率,未免离事实太远了。在马氏他自己也知道在历史的事实上因有自然的限制,人口增加率不是这样快,所以他说:"人口若无限制,是按几何的比例增加。"(《人口论》第一版十一、十四页)后来迷信马氏学说的人,只注意下半句,忘记了上半句,因此比马尔塞斯更要武断一点。

在马氏著书当时,机器初兴,失业的人多,一时现出人口过剩的假象。马氏不在这多人失业上研究救济方法,却想用限制人口来根本解决,已经和用石条压平驼背的法子同样可笑。自从他死后一直到现今,欧洲大陆各国,不但没有人口过多的现象,而且却有人口不足的恐慌,这真是马氏警告、预言当时所想不到的了。如今大战后更是不用说的了,就在战前,即以法、德两国而论,如何使人口增加，不是两国几十年来政治家和学者苦心研究的问题吗？法国因为人口减少，Bertillon 有三百年后降为三等国，五百年后种族灭亡的警告。"法国人口增加奖励协会"（Alliance nationale pour l'accroissement De la population francaise）曾提出奖励人口增加议案十二条。议会也屡次提出同样的议案。德国自从一九〇〇年以来，产儿力非常低减，因此国论沸腾，一九一一年至一九一四年间，关于这个问题的著书多至二百十六种。Julius wolf 教授等所组织的"德国人口政策学会"（Deutsche Yesellschalf für Bevolkerungspolitik.），他们的政策：（1）产儿的限制。（2）产儿的障碍，如花柳病预防、女工保护、产妇保护等。（3）保护现生的小儿。此等现象，岂不正和马尔塞斯的警告、预言相反吗？

四

生物的增殖，果然和食物的增殖不能保平均的速度吗？文化进步的社会，果然不能按照人口增殖速度扩张食物的范围，增加食物增殖的速度吗？

多数的生物一方面是食物的需求者，一方面又是食物的供给者。伤这种生物，自己吃别的生物而生存，同时别的生物又吃它而生存。因此可以说生物的增殖速度增加，同时也就是食物的增殖速度增加。例如猛类鱼吃普通鱼而生存，普通鱼吃小鱼及甲壳虫而生存，它们在一方面是食物的需求者，同时在他方面不又是食物的供给者吗？

即以最进步的人类而论，一方面吃别的生物而生存，一方面也算是别的生物的食物，像那最大的猛兽和最小的微菌，不都是吃人的生物吗？前一项现在或者可以说渐渐减少，后一项无论医术卫生如何进步，将来能否绝迹，还是一个疑问。

人类的人口递增固然是事实，食物随着递增也不是空想。在文化进步的社会，除了宗教上、私有财产上、非生活品的工业上等障碍，又加上科学的发达和生产技术的进步，那时食物增加的速度，恐怕不是现在时代的人想象得到的，何以能断定它只能照算术的比例增加呢？

人口增殖率当然不能每二十五年增加一倍，供给人类吃的生物，它们的生殖力，每二十五年却可以增加数十倍或数百倍。倘用科学来选择、培养和人力保护，不叫别的生物侵占，增殖的速度更要大大地无限增加。例如有许多我们现在不吃的生物，若是利用科学来选择、消毒，我们食物的范围便自然扩张了；我们现在所吃的生物，若是用科学来培养和人力来保护：像养鱼隔离法（产卵期内和他鱼隔离，防止卵为他鱼所吃）、农业上、蚕业上驱除害虫法、家畜防疫法、牧场防兽法，都严密实行起来，食物增殖的速度，自然没有不意外增加的道理。

私有财产废止的好处：（1）社会资本在真能集中；（2）全社会资本完全用在生产方面，不会停滞；（3）人人都有劳动生产的机会；（4）可以节省用在拥护私有财产（国内、国际）大部分的劳力资本，到生活品的生产事业上去。在这时候，自然可以实现"无旷土、无游民"的理想，再加上农业化学天天进步，农产物增加的速度，自然非常伟大了。

姑且让一步说，这都是未来的空想。就以现代的经济制度、现代的科学程度而论，自从马尔塞斯死后现在八十五年间，因为资本集中、机器广行、交通发达、殖民地开拓这四个缘故，欧美经济状况生了绝大的变化,和马尔塞斯时代迥不相同。一方面农产物输入多量,毫没有收获渐减的恐慌;一方面工业物却有收获渐增的效果,生产过剩的恐慌,居然成了经济学上一个原则。因为有生产过剩的恐慌,所以他们寻找销场的希望比寻找殖民地的希望,更要热烈得万倍。他们用极强大的海陆军保护殖民地还不过是一种手段,扩充销场,拥护商业,才真是他们的根本目的。所以近代的国际战争,往往拿出极大的牺牲,所争得的并不是一块土地,不过是几项有利的通商条约。

再让一步说,这种过剩的生产物,乃是资本私有制度之下,分配不均、劳动者无力购买的结果,不是实际的过剩。这话固然不错,但无论分配如何不均,也必定在勉强维持社会生存以上,资本家才能够拿过剩的名义输出国外。像现在俄、奥两国产业界的情况,无论有如何大力的资本家,也不能够把维持国内的生存尚嫌不足的生产物,用过剩的名义输出国外。在一种生产过剩急找销场的国家,若是没有资本私有制度,平均分配起来,当然有维持生存以上的余裕了。因此就是这种非实际的生产过剩,一方面可以证明社会上贫困的现象,不是因为生产物不足,乃是因为分配不均;一方面可以证明马尔塞斯食物增加和人口增加不能保持平均速度的理论,确有不验的地方,不验的时代。况且棉纱、米谷更是生活品中第一不可少的东西,决没有绝对不足还可以输出的道理。近代中国、日本、美国的人口都非常增加,而棉纱、米谷,反是大宗的输出品,这岂不正和马尔塞斯的预料相反吗?

五

科学发达，生产技术也进步，人类食物的范围，自然有无限扩大的可能性，但是对于土地这一层，有一以为土地的丰腴力有一定的限度，因此对于这一定丰度的土地上所加劳动的生产力，也不能不有一定的限度，这就叫做"收获递减法则"。这种法则都是马尔塞斯人口论的一个有力的帮助，因为这种法则若是真理，在人类食物范围扩大上有很大的影响。这种法则就是说：一块土地的收获分量，决不能随劳力分量比例增加。例如第一年十人耕种一块土地，有百分的收获，第二年加十人耕种，收获分量虽有增加，决不能照人数增加的比例增加一倍。照人数比起来，反有劳力递加收获递减的现象，如下表：

	一年度	二年度	三年度	四年度	五年度
劳力人数	10	20	30	40	50
收获总量	100	180	240	280	300
（最后增加的劳力所收获）	80	60	40	20	

第一我们要晓得我们的食物不全靠农产物；第二我们要晓得化学发达可以人工增加不须耕种的食物；第三我们要晓得将农业化学发达，收获的增加还可以在人数增加的比例以上；第四我们要晓得此时地球上未开垦的荒地还多得很，假定收获递减法则是真理，人口有加无减也是事实，这种真人满的恐慌，也不知道在多少年以后。若是把眼前的社会问题放下不理，预先忧虑那多少年以

后的事，那么，有人说地球将来也要毁坏的，我们应该怎样预防呢？

六

有人把经济思想分为二大系统：一是富的哲学，说明富的性质及原因；一是贫的哲学，说明贫的性质及原因。斯密亚丹属于前者，马尔塞斯属于后者。人类的贫困不单是食物一样，乃是衣、食、住、知识、娱乐一切等等不足者对于足者比较的现象。不但没有衣、食、住是贫困，吃素菜的比吃肉的是贫困，着布衣的比着绸缎的是贫困，住茅屋的比住大屋的是贫困，着短衣的比着长衣、外套的是贫困，没有钟表用的比有钟表的是贫困，步行的比坐马车、汽车的是贫困，无钱结婚的比妻妾成群的是贫困，无力量读书的比学者是贫困。倘在均产社会里，权利均等，机会均等，没有足不足的比较，个人贫困的现象便不会发生了。个人比较的贫的现象，不一定是因为人口超过了生活资料，大部分是因为财产私有分配不均，一阶级人的占据有余造成一阶级人的不足。若拿有余补不足，岂不立刻成了"均无贫"的社会吗？到了均产社会时代，若公共觉得生活资料不足，那时才可以拿人口过剩算贫的一种原因，也不是全原因。因为还有科学不发达，生产技术不精，劳力的数量不充分，交通不便，也都是造成生活资料不足的一种原因。马尔塞斯说明贫的性质只注重食物一样，已经不大周到了。他说明贫的原因只注重人口过剩这一层，把分配不均、科学不发达、生产技术不精、劳力的数量不充分、交通不便这五种贫的重大原因都忽略了。他这种贫的哲学，恐怕还不及斯密亚丹富的哲学稍有根据。

马氏生在盛唱均产、人权的时代，不肯盲从时论，对于 Godwin

及 Condorcet 加以有系统地攻击,我们不能不佩服他有胆识。发明了贫的一种原因——即人口过剩,我们不能不承认他在社会经济学上有很大的贡献。但是他过于偏重他发明的这一种原因,和别的发明家、持论家陷于同样的偏见。不但如此,假全人口过剩是造成贫困的唯一原因,此外没有别的原因,非限制人口不能救济,也没有理由专门要限制下层贫民,上流富裕阶级就有孳生的权利,他们的这权利是从哪里来的？又何至主张贫民没有生存权,又何至说没有得父母财产的人没有吃饭的权利,好比宴会里未请的宾客没有入座的权利一样呢？(《人口论》第二版五三一页) Place 说马尔塞斯否决无事的穷人有吃饭的权利,却许无事的富人有这种权利。像马氏这种掩护资本家的偏见,不免要发生学者良心问题。

贫民多子,自然是社会上一种悲惨的现象,我们应该设法救济的;但是救济的方法,不能够像限制人口那样简单。第一要问贫民是怎么会贫的,是不是社会制度的罪恶？第二要问贫民的子女何以没有公共教(育)的机关,是不是社会制度缺点？若丢开这两个问题,专门限制贫民人口,这种劫贫济富的办法,就不说什么生存权和人道主义,社会上必招两项实际的损失:(1)贫民的子孙中往往有许多伟大的人物,倘限制贫民多子,社会上岂不是要受绝大的损失？(2)富人的子弟多游惰,贫民的子弟多勤劳,倘专门限制贫民多子,社会上游惰的分子渐渐增加,勤劳的分子渐渐减少,岂不是可怕的么？

优种论虽有点和个人自由、人权平等冲突,比人口论似乎还好些。因为优种论所要淘汰的,在他的观察总是社会上恶劣分子,还没有贫富的分别。

七

说到中国人口问题，有一班糊涂人常常以我们中国人口众多自豪，实在是梦话。第一我们要晓得我们中国一百万人口左右的都市，不过上海、武汉（合武昌、汉口、汉阳而言）、广州、北京四处，拿人口和土地比例起来，是不是人口众多，还是一个问题。第二我们要晓得无知识、无能力、无职业游惰偷生的人口越多，社会越发不得了，单是人多不一定就可以自豪。单是我们人口数目比别国多不算是真人多，必须我们人口和土地的比例比别国多，才真是人口众多。单是人口众多也（不）能自豪，必须是有知识和生产能力的人多，才可以自豪。

但是中国人口问题，也不曾是马尔塞斯的学说可以解决的。中国不生产而消费的人过多，人口增加似乎是超过了生活资料之上，这也是到处发生生活困难的一种原因。但这种原因，不是专靠限制人口可以解决的，因为中国人口过多的现象，不是和土地比例的人口过多，乃是不生产而消费的游惰人口过多。生活资料不足，不是生活资料增加的可能性赶不上人口增加，是增加生活资料的方法赶不上人口增加。照现在增加生活资料的方法和"游惰神圣"的社会制度，若不改造，就照现在的人口减去一半，恐怕仍然免不掉贫困的现象。若依马尔塞斯的主张专门限制下层阶级，不承认贫民有生存权，那么，中国式的上流阶级——即富贵游惰分子渐渐增加，贫苦的劳动的生产分子渐渐减少，不知道将来要变成一种什么社会？

所以我主张要解决中国人口问题，应该并行下列的几个方法：

（1）发展生产事业。劳动方面，大都市的工厂里，每天工值两三角做十二点钟的工，大家还惟恐谋不到手；人口稠密的农村里，因为租地竞争，地主除收租外还有种种不法的需索，佃户终年辛苦还不能够饱暖；农家的帮工，每年工价不过十余元，这都是人口过多，工价过低到这样地步。但是我们中国不但矿业、工业、交通事业，都还有无穷的发展，就是已经发达的农业，不但东北、西北的边地，就是内地各省的荒地荒山也不知有多少，拿这一样就可消纳无穷的人口。

（2）发展交通事业。此事对于人口问题有两种效果：（一）增加能生产的人口；（二）利用有余以补不足，等于增加生活资料。

（3）发达科学。此时欧美各国的物质文明虽是进步，将来科学越发达，衣、食、住各种生活资料还要随着无限地增加，至于我们科学还未萌芽的中国更是不用说的了。

（4）发达生产技术。无论农产、工产品，技术越发进步，生活资料增加的速度越发增加。

（5）增加劳力的数量。土地劳力在生产要素上应该居首要地位，在我们"游惰神圣"的国里，不但劳动的人数过少，劳动的力量也不充分，一般劳动者做工的时虽多，大半等于西洋的怠工。现在要增加生活资料，应该在社会制度上、经济组织上取消那"游惰的上流阶级"和"游惰神圣"的风尚，使劳力的数量充分增加。

（6）分配平均。现在军阀集中资本，人民已经是受不了。财阀倘再来集中一下，将来恐怕只有极少数的人生活余裕，那最大多数、最大痛苦的人，连一班拥护资本主义、大骂社会主张的学者自己或是他的子孙，都要变成没有生活资料的贫民，都要被马尔塞斯取消他们的生存权了。在财产权（私）有社会里，似乎不可因为有许多穷人生活资料不足，便马上断定是人口过剩，更马上断定人口常有在生活资料以上增加的倾向，因为若将全社会合拢起来平均分配，不见得生活资料真是不足，恐怕是一班强盗太有余了，别人便当然不足呵。所以若要讨论社会上究竟是不是人口过剩，究竟生活资料足不足，候实行分配平均后再谈，似乎才能够得到真相。纵然大家说平均分配是一种不能实现的空想，那就请大家狠狠心肠拿出一部分剩的价值（他们说是什么红利）来，办几个贫儿公育院，这总是做得到的罢。这种分配的法子固然离平均还差得远，但是也可以救济人口问题一部分的危急。

（7）限制人口。在以上几种方法没有收效以前，用限制人口的法子减轻社会上一部分生活困难，也可使的。但限制的方面应该注重在游惰的上流社会，不限于贫苦的劳动者，这却和马尔塞斯的主张有点不同。

（第七卷第四号，一九二〇年三月一日）

什么是科学方法？

王星拱

自孔德提倡实证主义、穆勒实行逻辑革命以来，科学方法之重要，渐渐为公众所承认了。科学方法是什么呢？换一个名字说，就是实质的逻辑。这实质的逻辑，就是制造知识的正当方法。

知识缘何而来，本是一个屡经辩论的问题。讨论这个问题的，大约可以分为两派：第一派说，知识是由经验得来的，是后天的；第二派说，知识是由理性得来的，是先天的。这两派所用的逻辑不同：第一派的逻辑是归纳，第二派的逻辑是演绎。我们且先看这两派的意见如何，再看科学家的意见和这两派有什么不同的地方。

第一派的人说，宇宙之间，每件东西，有每件东西的特点，决没有两个相同的东西。宇宙的全体，就是无数不同的团体集合起来的，并没有什么类、什么定律，可以管理它们。一万个人，有一万个不同的面孔，一万个人，有一万个不同的性质，谁也不能反对谁。因为各有各的道理，各有各的主观，没有两个人真正可以互相了解。所以我们彼此相待遇，应该要持互相容纳的态度，不能强迫人家同自己一样。而且，依进化论讲起来，宇宙一层一层的接续不断，往前进行，每层所发现的，都是新的，决不会和已经过去的那一层相同。况且宇宙之进行，既是接续不断的，那已经无层之可分了。不过我们智慧的习惯，把它分成层数，以期便于了解、便于研究罢了。这样看来，宇宙之行为，是没有秩序的，所以我们不能预测将来，即最近的将来，也是不能预测的。这是从异的方面着想，自然有充分的理由。然而宇宙间每个东西，把它分析起来，有无限的性质或表德，可以做我们的参考点。选择这些参考点之若干保存起来，就是概念；把这些参考点记录下来，就是界说。无论如何相同的两个东西，它俩的参考点，决不能完全都是同的，然而无论如何不同的两个东西，它俩的参考点，决不能完全都是不同的。如果我们所经验的东西，每个都是完全不同的，那就无从构造科学了。但是我们这儿实在是有个科学呀！个体的事实，当然不能抹煞，然而类和定律，是弃其异点、取其同点构造起来的，是个最经济的方法。不过类和定律，只能作推测的指导，没有能够强纳事实入其范围的道理。科学是能预测的，但是我们不能预先断定这个预测准到什么地步罢了。这是科学家和这一派不同的地方。

第二派的人说，宇宙间各件东西，都是有系统、相贯串的。宇宙的全体，是一个合一，倘若宇宙的全体不是合一，则宇宙之各部分，不能互相影响、互相反应了。然而宇宙之各部分，是能互相影响、互相反应的。换一句话说，宇宙是有秩序的，是有系统。我们只须得了这个秩序、系统，就可以推论未知——预测将来，和"割牛得其纹理"一般。这就是因果律的道理。宇宙之间，有一定的因，就有一定的果，万众森罗，形形色色，都有迭相接续的因果关系。所以宇宙之进行，是有定的，是可以为我们所预测的。然而我们有时不能预测将来，又是什么道理呢？这是因为我们所凭借的张本不能完备的缘故。若是有一个超人，能够观察无限，记忆无限，思想无限，他一定可以广知四海，远知万世，丝毫都不差错的。科学最注重因果律——科学之成立，全靠因果律做脊椎，所以科学家承认宇宙是有定的。但是我们观察，是用我们自己的器官，不是用超人的器官（天眼通、天耳通）；我们推论，是用我们的智慧，不是用超人的智慧。所以我们推论所得的结果，不过是或然的。这样讲法，和意志自由论并不冲突。意志自由论家恐怕：如果因果律是普遍的真实，则我们的意志，将有"为外境的因所强逼，去愿意我们所不愿意的"的时候，岂不是人类的大苦恼吗？殊不知因果律不过表明一种关系，因不能强逼果，和果不能强迫因一般，不过有个时间的先后罢了。我们的意志，究竟倾向何方，谁能说不受历史和环境的影响？只须我们智慧发达，能够把外界的情境分析得明明白白，让我们自由地权衡轻重，自由地选择途径，就不至于有愿意我们所不愿意的苦恼了。总而言之，宇宙虽是有定的，然而我们预测将来，不能完全是必然的，必得要有试验来证明它。这是科学家和这一派不同的地方。

科学家和这两派既有不同的地方，所以科学所用的制造知识的方法，也不是纯粹归纳法，也不是纯粹演绎法，它所用的是科学方法。科学方法有什么特点呢？概括起来说，它有五个特点：

一、张本之确切　知识最初的起源，都由于器官的感触，但是在这些感触的时候，有一个智慧的我在里边认识它。这些感触所得的结果，叫做器官的张本。要造好房子，须用好砖瓦、好材木；要造真实的知识，也须用真实的张本。我们好多不真实的知识，如神异的知识、玄想的知识，都是由于没有真实的感触张本。科学中的观察，是极其小心的，用各种方法去防备错误，去减少错误，所以科学中的张本是真实的。而且科学中所用的各种仪器，不但可以得真实的张本，而且可以观察得到我们裸体的器官观察所不能到的地方。自望远镜发明,天空里不知添了几多星辰;自显微镜发明,世界上不知添了几多小的东西啊!

二、事实之分析　　当我们研究问题的时候,各方面的情境,呈具于我们面前的,淆杂混乱,梦如乱丝。我们必须把它分析到最小的部分,因为从最小的部分里边,易于看得出它的性质。而且如次分析之后,纵有错误,也易于寻觅出来。譬如电学家研究磁力,把它分成力线;力学家研究速率,把它分成微分。宇宙本是个毫无间断的连续,但是我们有认识的需要,所以我们必定把它分析出来。分析是智慧——理性的能事,科学中智慧发达最强,所以科学是擅长于分析的。必定如此分析,我们才能除却神秘的态度,而得个明白的态度。

三、事实之选择　　当我们比较繁复的事实而综合,或搜集过去的经验而构造假造的时候,这些事实经验,是无限的。若要从这些事实经验之中,取其有同点的综合起来,成一个定律或理论,不能完全凭借智慧——理性去决定,是要凭借我们的直觉去选择。即如科学家做试验去寻因果的关系,也只能首先凭借直觉去构造几个选择的假定,然后做试验去证明它。但是既是凭借直觉,就不是方法所能范围的了。不过这个直觉可以培养得来的。我们无论遇着什么问题,都让我们自身有比较事实、创造假定的机会,那就可以增加这个直觉能力了。这就是自动教育之原理。

四、推论之合法　　经院学派遗传下来的逻辑,都是研究推论如何合法。科学方法还能比它好吗?然而科学方法和那普通逻辑有大不同的地方。科学方法和普通逻辑,都注重界说之清晰,都注重概念之确定。但是普通逻辑把这个概念当做具体的,把所推论的对象和所用以推论的概念,看做同一的东西。科学方法却不然,它把这个概念当做抽象的,凡我们所推论的对象,并不是界说里纯净的假定(把概念用言辞记录下来,就是界说),不过是这个概念的影子,也许有大同小异的地方。例如"人是要死的",是人的略说;"要死"的观念,是人的概念。我们用这个概念推论某甲,某甲的"人"和界说里的"人",并不是同一的东西。所以推论所得的结果,如果能满足一个界说,都是一个新真实。

五、试验之证实　科学的知识,不是纯粹经验的记录所能了事的,所以必定有事实之选择和方法之推论。选择是一种简约的方法,简约必有牺牲之连带,由简约的得来的,并不是真实之本身,如何靠得住是真实呢？而不推论的时候,所推论的东西和所用以推论的概念,并且是同一的。那么,这推论所得的结果,又如何靠得住是真实呢？所以最后的判断,还靠试验之证实。如果没有试验一层,这个知识制造法,并没有完事,没有"告成"的资格。试问制造半途中止,如何能有良美的出产品呢？这样看来,知而不行,并不能算作真知。这就是实验派"以实行为思想之一部"之理由。

(第七卷第五号,一九二〇年四月一日)

《社会主义史》序

蔡元培

我们中国本有一种社会主义的学说,如《论语》记:"有国有家者不患寡而患不均;不患贫而患不安。盖均无贫;和无寡;安无倾。远人不服,则修文德以来之。既来之,则安之。"就是对内主均贫富,对外不取黩武主义,与殖民政策。《礼运》记孔子说:"人不独亲其亲,不独子其子。使老有所终,壮有所用,幼有所长,矜寡孤独废疾者皆有所养。男有分,女有归。货恶其弃于地也,不必藏于己;力恶其不出于身也,不必为己。"就是"各尽所能,各取所需"的意义,且含有男女平等主义。《孟子》记许行说"贤者与民并耕而食,饔飧而治"就是"泛劳动"主义。

中国本又有一种社会政策;《周礼》:"小司徒经土地而井牧其田野。""遂人辨其野之土,上地,中地,下地,以颁田里。"孟子说:"乡田同井;出入相友;守望相助;疾病相扶持。""设为庠序学校以教之。"《汉书·食货志》:"民年二十受田,六十归田。七十以上,上所养也。十岁以下,上所长也。十一以上,上所强也。""女修蚕织。""春令民毕出在野;冬则毕入于邑。……入者必持薪樵,轻重相分,班白不提挈。冬民既入,妇人同巷相从,夜绩女工。……必相从者,所以省费燎火,同巧拙而合习俗也。"虽是偏着农业一方面,但不能不认为社会政策之一种。后来宋儒常常想恢复井田,但总没有什么机会。

西洋的社会主义,二十年前,才输入中国。一方面是留日学生从日本间接输入的,译有《近世社会主义》等书。一方面是留法学生从法国直接输入的,载在《新世纪》周刊上。后来有《民声》周刊简单地介绍一点。俄国广义派政府成立以后,介绍马克思学说的人多起来了,在日刊月刊中常常看见这一类的题目。但是切切实实,把欧洲社会主义发起以来一切经过的情形,叙述出来的,还没有。我友李君懋猷取英国辟司所增订的克卡朴《社会主义史》用白话译出,可以算是最适用的书了。

克氏此书成于一八九二年,于社会主义的学说,叙述得颇详。但是社会主义派最近的运动,自然有遗漏的。经辟司于一九一三年增订一回,加入的不少。虽然大战以后,俄国新政府的设施,国际联盟条约中劳工规约的讨议,各国同盟罢工的勃起,矿山铁道国有问题的要求,这些重大事变还没有包在里面。但是一九一三年以前的事实,很可以资考证了。

克氏辟氏都是英国人,自然是稳健派。所以对于以前的社会主义,很有消极的批评。又如辩护家庭、辩护宗教、辩护中央与地方政府,甚且辩护英国的殖民政策,读的人一定有嫌他们不彻底的。但是他们所叙述的给我们的教训,已经很多。

在这部书里面说:"现在一般有名的研究家,都承认历史——经济的历史在内——是许多有次序的现象之连续体,凡在连续线内的各种情形,都有种种特别的事实和倾向标明出来。""一个时代的失败,常指出以后一个时代中成功的路道。""我们讨论社会主义运动的问题,不独当以历史和人类为标准则,还须特别参考现在流行的各种势力—工业的，政治的，社会的和道德的势力。"很可以令我们猛省，知要实行这种主义，必要有各种的研究。不是随便拈出几句话头，鼓吹鼓吹，就有希望的。

他说："差不多没有一国的工界像比国工界一样，受那种难以名状的苦痛。从前比国工人毫无知识，做工的时间极长，工价极廉。他们既没有政治上的权利，又没有一点组织，所以常被压制。"这不是我们工界的缩影么？但是"最近几十年来比国社会主义运动，以组织坚固和包罗宏富两点著名。""从英国采入它的协作和自助；从德国采入它的政治上的策略和根本上的原则；从法国采入种种理想的倾向。"它的特点"是它的协作的大组织。""比国的协作社会已经使比国的工党根深蒂固，在世界各国中，除德意志外，没有能和它相比较的。"这不是我们应该注意的方法么？

他叙工团主义的起源说："法国人发生三种观念：一、工人阶级在政治上得不到救助；二、国会是一群自谋私利的空谈家，他们只要有官做，或有贿得，他们就会牺牲他们向来的主义；三、中央政府是一个仇敌。"因而工团主义的观念："一、工界的救援不在乎政治方面，而在乎自助和自己组织团体；二、要制胜资本家不在乎公众所组织之政治性质的团体，而在乎工界所组织之工业性质的团体；三、工人第一是一个作工的人：如做矿工，工程师，或制棉工人，第二才做一个国民。""工团主义是纯粹工界的产物。不是一个人的力量造成的，它是由许多不著名的人之种种意见相合而成的，它的发生是出乎自然的。"我们中国无论什么组织，总是有政客想利用它，那法国的工团主义不是我们很该注意的么？

他说："人类发展之中，有两种要素：是脑力的发达，和合群原则的发达。"又说："从现时过渡到社会主义时代……一定是渐进的,必先做一番预备工夫,使大多数人民的知识,道德,习惯和组织,都合于一种更高的社会经济的生活。"这就是工人教育问题。第一是学者的加入。如"美国各大学校学生中有许多是社会主义者,这些人中间有许多是在德国各大学得过学位的。当一九一〇年,各校社会主义社有十支社,到一九一二年,增至五十二支社。"又如英国"费边会在各地方组织支部……在牛津大学,剑桥大学和别的大学里面,都有支部。……近来联成一个大学社会主义同盟会"。第二是特别的教育。如德国社会民主党有教育委员会"当一九一二年至一九一三年的时候,对于经济学、历史、文学、美术、社会主义、哲学、协作运动、工联主义、政治学和各种专门学科,共讲演三千五百次。此外,还公开无数的音乐会,欢迎会和演剧等"。"又有一种活动影片也是用作传播社会主义之用的。""柏林有一种社会主义学校。在这个学校里面,每年有三十一个当选的年龄不同之男子和妇女,教授普通史、社会史、宪法史、政治经济学、社会主义的历史和学说、社会和工业的法律、演说术和作文法、新闻事业和别的学科。""设一个妇女部……预备各种小册子和别种印刷品,在妇女中分发。""设法使青年和社会主义相接触,组织六百五十个地方委员会,专办这一类事。还办一种特别的新闻纸,名为《劳动少年》。在二百七十四处地方,设有少年图书馆。自一九一二年至一九一三年,举行演讲会四千五百次;开音乐会和欢迎会二千四百零五次;举行旅行会博物院参观会等等共一万四千三百次。他又刊布小册子八十二万五千份,分发国内各青年。"这不是我们应该效法的么?

我读了这部译稿,发生许多感想。特将重要一点的写出来,表示我介绍此书的诚意。

中华民国九年七月二十三日，蔡元培

（第八卷第一号，一九二〇年九月一日）

新历史

陶孟和

新历史是与旧历史相对的名称。今日讲演新历史的目的有三层:(一)可以得历史的新眼光。(二)可以略知研究历史的方法。(三)可以明研究历史的用处。

(一)

未讲新历史之先,不得不述明旧历史梗概。旧历史记载方法,无论中外皆附于文学之内。历史向来为文学之一部分。试观自古以来之历史,概皆以极佳妙之文词述之。至于与事实相符合与否,反不甚注意。故无论名人传记、政治历史、宗教历史、战争历史,向来皆重在文笔之巧拙。文笔优畅则群推为好历史。艰晦则鄙夷微不足道。其最明显之例如吾国之《史记》《汉书》。其写法为后代历史家之模范。所以历史写法必称班、马。又如英国文学家马哥莱(Macaulay)所著的《英国史》其文体至今为习英文者所模仿。重在写法,即常忽略事实。逞一时之文气,势必至牺牲事实之真相。历史与文学本来是两件事。若必合为一谈,则必将二者之精神全行失去。若以历史附属文学别为一支,则必将历史之真精神全行失去。

　　历史重在文笔，是历史家历来的通病。但是所记的内容也因各人趣味不同，所注重的不一样。一派的历史家专记骇人听闻的故事。将"天雨血""兽人立而啼""凤凰来临"等虚无缥缈的事记在历史上。比这个较胜一筹的是专用大战争或奇怪的事迹做历史变迁的线索。中国的历史演义就是这一派。

　　又一派历史家取纪年的体裁。按着年代先后做出大事表。《春秋通鉴》都是这一类。西洋称 Aunals 或 Chronicles。历代大事年表的写法在年月日底下列了许多人名地名。表示某种事实曾发现过。

　　又一派专记载政治的事实。普通称为政治史。政治史占旧历史中最重要之部分。历史家所最注意的就是政治的变化。他们以为历史的用处是做政治家之圭臬、为军事家之参考资料。吾国之《资治通鉴》即属此类。英国史学家佛里曼（Freeman）常说"历史就是过去的政治。"我们把佛里曼的话掉转过来，可以说除法过去的政治的大部分就都不是历史。德国史家兰克（Ranke）曾写了很好的历史，并且会用校勘法选报正当的史料。但是他也是偏重政治一方面。他以为国家是人类发展的继续绵延的基础。所以历史的目的是使我们明白国家的起源及性质。

　　总之旧历史不过供文学家炫示舞文弄墨的伎俩。所记的都是些耸人听闻的琐碎事或撼动天地的大变乱，或是记些没有关机（系）的年月日人名地名，或是记帝王卿相的行为和政治事迹。常有一种史兼有数派之性质者。我们读了这几类的历史到底有什么用处？我们人类是向前进的，我们的眼光是向前看的。过去的事我们读了有什么用处？几千年前在现在曲阜的地方生了一个名叫

新历史

孔丘的,我们现在知道了于我们有什么关系？又如几千年前希腊人和波斯人在塞毛披雷(Thermupaelae)那个地方开了一个大战,打破战车若干辆、掳获俘虏若干人,我们知道了又有什么好处？充其量也不过挂个博学的招牌。因为人家知道,我们也不得不知道。因为受过教育的人都知道,我们要表示我们是受过教育的贵族阶级,所以也不得不知道。但是到底有什么用处呢？这是读旧历史的时候可发生的疑问。

我们对于这个疑问暂缓答复,现在先把各种旧历史的短处批评出来。旧历史是属于文学的。假使我们所研究的是事实,我们就不能牺牲事实专注意文笔。历史家的始祖 Thucydides 在两千年前就看不起那专图"悦耳"不说实话的历史家(但事实上他还脱不了这个习气。他的历史写法也是讲究辞藻愉悦读者的)。历史是记载过去的事实的。注意事实,照着事实原原本本用普通言语发表出来,对于事实没有损益、没有夸张、没有贬损,历史家的能事已毕,又何必计较文笔的巧拙。我们读历史为知道过去,不是为的学文学。若以历史为文学之一部那就是认错本题。

骇人听闻的事不能无故而发生。不过因为那事实奇异,是我们所不经见的,所以历史家特别标出来。但是历史家因为注意不经见的,却把那经见的事忽略,是大错的。惊天动地的事不是孤立的。与惊天动地的事件发生的前后都是些有关系的事实。历史家只注意非常之事,竟把所以致非常之事的情形和非常之事所发生的影响一概忽略,可谓不明历史的性质。历史是长久的经过,所有的事实都是相连贯相衔接的。国家的兴亡、朝代的盛衰不过是长久经过中最惹人注意的事。所以发生兴亡、盛衰的事实,是不促人注意的。但是仔细看来那些事实虽然不惹人注意却是非常重要。

历史自太古以来一直连贯不绝、相衔接的。那衔接的关系不能用年代做枢纽,也不能用枯燥无味的人名、地名、做枢纽。年代、人名、地名联络起来,不能作为历史。

历史记载人群各种的行为,并不限定政治一种。希腊大哲学家亚里士多德曾云:"人为政治动物。"后来德国的政治学者,也以为人类最高的组织是国家,所以人类最高的活动,也是为国家的活动、政治的活动。但是人的生活是多方面的。人不只是政治的动物,并且是生产的动物、群居的动物、思想的动物、有欲望的动物、求进步的动物。历史所记述的,应该包括全体。政治不过是人类活动的一部分,也就是历史之一部分。只有全体可以包括一部分,不能以一部分包括全体。故吾人研究历史之全,最为重要。

总括向来的历史缺点如下:(一)偏重文学的。(二)人名地名过多,于读者无意味,不能促发他的兴趣、思想。(三)偏重政治而排斥其他事实。(四)常注意于骇人听闻的事实,不能判别事实的重要与否,失去正确的历史眼光。

(二)

新历史是因为旧历史不恰意才产出的。但是它的产出也与时代的思想、科学,有密切的关系。(一)思想方面。自从达尔文用自然淘汰的道理说明进化,开思想界的新纪元,我们得到许多益处。今只就历史简单言之,有三层:第一层,我们的眼光不是限于一时一处的,扩充到久远。第二层,使人有连贯的观念,从事于发生的Genetic 的研究。将人类的历史扩充到有史前的时代。人类自有生以来到现在之进化,久远自远过于有史之时代。第三层,历史是人类的演化嬗变，不是各不相关的片段的事实。人事复杂，所以嬗变的关系，也是复杂。（二）各种科学之发展。以前研究古代历史，只有古代的书籍碑板，材料有限。近来因新科学日有成立，材料大为加增，如人类学发源于十九世纪之初，研究现代之野蛮民族，我们可以取来作为研究历史之参考，现在之文明人类乃古时野蛮民族所化，而古时野蛮民族未发达时之生活状态，今与之非洲、美洲、澳洲诸处土著殆有相近似之点。各民族的生活，不是完全一样的。现在的野蛮民族，实在是已经经过几千年的进化的，更未必与古代半开化的时代相同。但是他们的生活，却是可以供我们的参考。如吾三国代之文明不必全与然昔Aztecs（古墨西哥族）Incas（古秘鲁族）相同，但其文化状态和宗教想思、社会制度，颇足供研究历史者之考证。又如地理学，不只供给历史上地名的考据并且由地方之形状，可以研究人类之迁移。如古时欧洲罗马文明向北传播，为何只传至于克伦Koln而未能深侵入今日北德腹地。此问题若从历史自身，恐不能得完满之解释。今若从地理的情势研究，可以知昔日罗马人北上时，系沿莱茵河而上。河流交通之形势，限定历史上之事实。罗马人为河流所限，没有深侵入日耳曼蛮族的腹地。

  近来学者推测人种的历史有若干年，还没有共同见解。有人说人类自初生到现在有十万年。又有人推测为二十万年。单以十万年而论，只有五千年的历史是有破碎、不完全的记载的。此外尚有九万五千年，是没有一点记载可寻的。而此九万五千年虽不能考究，然亦不可因为没有记载的历史，就一笔抹杀。这又是人类学、古物学，可以供给历史家参考的材料。

  此外更有社会学，比较宗教学，经济学，心理学，等——都可以帮助历史家考查历史事实，理会那事实的意味，检查事实的关系。

历史是不是一个科学问题,曾引起了多少的争论。但是看现在的情形,应用各种科学,历史自身已经无形的变为科学了。不过各种科学内容不同,所研究的东西不同,所以应用科学方法研究,也不是一样。历史当然与物理化学不是同种的科学。

我们研究新历史应当:

(一)取批评疑惑的态度。

(二)应当权历史事实之轻重,无论其经见,微细,或隐晦,皆须注意。不可以事小而轻忽视之。

(三)应排斥神学的、怪异的、种种非科学的解释。

今举一例,如煮饭本来是一件小事,不足写在历史上。然而在中古时罗马人何以能如是战争?所向无敌,统一全欧,战胜诸族。其兵士之组织,何以如是之精?煮饭也可以说明其一部分之原因。古时交通不便,运输粮食、极其困难。后罗马人代以麦粉 Polanta。此粉可以在任何地方,随便煮食。不需备制就得大量的粮饷。煮饭之事虽小,对于军事极大。对于历史上的事实,有重大的影响。

(三)

以上所说,都是说方法应该怎样改变。讨论方法与目的和用处是相关联的。现在先用欧洲历史家的见解论研究历史的眼光。

古人对于历史研究之眼光不同。罗马的 Polybius 说历史注意事实。无论事实之重要与否,均以诚恳之态度写出。他以为历史专供政治家及军人的参考。这就是司马光的看法。我们中国史学家用往古鉴来今的意思。及基督教盛行于欧洲,历史家专用历史上的事实,证明宗教,或是用宗教观念说明历史。他们以为历史上所有的事实，都显上帝与魔鬼的关系。例如圣僧奥格斯丁所著的《上帝之市》就是证明人类历史纯然是上帝的计划。人类受了许多苦痛，都是上帝的意思。等到耶稣再生，末日审判，赏罚分明，人类就没有苦痛了。又如法国的 Bossnet 文章简洁流丽，做了一部《世界史》(*Historic Universelle*)可称为文学上的美品。可惜他的眼光还是神学的，用历史显明上帝的意旨。十七八世纪的时候唯理派的思想勃兴，宗教的迷信一时受了大打击，历史家的眼光也随之俱变。福禄特尔谓历史专为寻"有用的真理"。但是什么叫做真理，真理是做什么用的，要是叫福禄特尔解释起来恐怕还脱不了十八世纪玄学的思想的窠臼。

及至德国哲学家黑格尔，历史家的眼光受了唯心论的大毒，变出了一种玄而又玄的历史哲学。这一变就变到一种玄学的历史观。黑格尔的历史哲学的讲义，说明历史是显示历史的民族的世界的精神(Weltgeist 英文译为 Universal Spirit)。黑格尔所谓历史的民族，指波斯、希腊、罗马，和当时的日耳曼族。历史的民族都是能够驾驭全世界统制全人类，所以他们具有世界的精神。所以黑格尔一派的历史家都流于一种主观的、国家主义的、狂妄的、骄恣的历史观。这种观念浸入人的脑筋里，人人都要变成帝国主义军国主义一派，危险不堪言状。后来德国的历史学者大概都沾染了他的思想。Treits chke 可以说是他的高徒。现在还有一位日耳曼化的英国人名叫 Honston Stewart Chamberlain 的，也算是黑格尔一派。他做了一部《十九世纪之基础》两大厚册，真是大著作。可惜他苦心孤诣都是为证明德意志民族是历史上最高贵的民族，向来各族伟大的人物都带着条顿族的色彩或血统。以上所说各种历史观都是属于神学的，主观的，玄学的或国家主义的，不是科学的。

我们的新历史观,应该像照相的对光一样。对于所看的应该清楚,正确,不能支离恍惚。把一桩事情,看得畸轻畸重,都是不当。历史上的事实,各有比较的关联的位置。所以我们不能用主观的神学的玄学的或国家主义的观察去研究历史,我们要采用观客(客观)的科学的方法考究历史的真相。

(四)

我们研究新历史有什么用处?历史不是为博学的人做广告的。人的知识的价值在乎应用在人生上。假使不能应用,只变为贵族阶级、知识阶级的装饰品,那就没有普遍的价值。历史也不是我们的借鉴。古时之情形与现代不一样。如自然界的花必须有水、有热、有光而后能生长。要素简单,可以推论它的生长变化的情形。人群变化的历史不能如是简单。故不能以古事为今事之榜样。人类之生活状况不同,而生种种之情形,如国会、革命、复辟、文化运动等各国皆有,而现象不完全相同。人类的情形极其复杂,不能以孟子所说的五百年一治一乱之语包括历史上的变象。由此观之,历史于我们不能考鉴,可以不必研究。历史既然不能作考鉴,吾人又何必研究呢?欲解决此问题、必须从进化论的眼光观察,现代与过去相衔接。明古代过去之事,即可帮助我们明白我们的现在,我们自身和我们同胞。明白人类现在的问题和将来的希望。简言之历史是与人一种看法。

人类思想的习惯和社会上情形的变迁,速度向来是不一样的。前者永远是比后者迟缓。我们最容易有的,也是最常有的危险,就是用已经陈腐的情绪,观察现在的问题,并且用已经陈腐的思想解决那个问题。我们生活向来不能完全的与所处的环境相调和适应，这就是一个最重要的原因。我们对于现在的问题，用陈腐的脑筋观察，用陈腐的脑筋解决，那永远没有解决之一日。所以改良现在的社会，绝对不能用古时之社会做参考。更不能因袭固有的制度或社会的惯习。应该先求明白现在的情形、现在的思想。但是要求明白现在的情形和现任的思想，需先知道他们有怎样的经过。过去的事实说明现状何以如此。历史所研究的，不是过去的事实若何，是怎样会产出那样的事实。这就叫"历史的观念"。

历史的用处不是供给人类行为的前提。但是我们的行为也应该有根据，有基础，乃不致有盲目的无意识的行动。那个基础就是要对于现状十分明了。要想明白现状，必须对于过去具有充分的知识。杜威博士曾说过：读历史是明白现在不是解决现在。

这是我在北京高师附属中学的教育研究会的讲演，由该校学生张世泰君笔记后，又加修正增损，成了这一篇文章。愿意研究历史的我介绍读下列各书：

Robinson：*The New History*

Adams：*Historical Literature*（参考用）

Pollard：*Essential Facts of History*

Yooch：*History and the Historians*

H. G. Wells：*uniersal History*

（现正在刊行中尚未出完。Wells 是当代有名的小说家，小说以外他曾著了许多社会学的论文，都是极有价值的。去年夏间我在梁任公先生席上曾遇见他，他说正在编述世界通史自人类发生直至近代，现在已出了两册，可称为一种模范的"新历史"。）

（第八卷第一号，一九二〇年九月一日）

生存竞争与互助

周建人

凡纯粹科学的一种学说，本来只有是非，无所谓什么功罪，然而一经输入中国，便时常无端的定出功罪来，其最甚的，尤莫如"生存竞争"与"互助"。

"生存竞争"即旧译所谓"争存"，输入还在戊戌政变以前。其时的读书人不但心以为然，而且还用作催促革新的方便，所以争存说非常风行。到后来，革新与复旧两俱失败，国人略略自己觉到劣点了，于是对于争存生出恐怖，只有恐怖而不肯努力，于是又变了怨恨，甚且至于怨恨到达尔文，说他提倡争存，便是这回大战的引子。

克鲁泡特金的《互助论》，初版本在一九〇二年。欧战时候，协约国要鼓吹协力，盛行翻印，余波也流到中国——先前的少数人的介绍，是别一事，——才都知道天下有互助这件事。那时候鼓吹的意思，已经与著者的本意不同了，然而中国几个论客，却又以为此说驳倒了达尔文，从此可以从生存竞争里救出，是一种有益社会的学说，扶助人类的福音。现在，欧战大略已完，中国却并未得救，牢牢记着中国在协约国之内的人，便又对互助说抱了疑心，露出慨叹了。

其实，自然界中的生物，生活方法原不一律：同一蜂类中，有合群的蜜蜂，也有不合群的蜾蠃，或者生活极其活泼，或者极其简单。各样的生活，只是要有生活的机会，而且能繁殖它们的子孙，所以如何适于生存，它们便如何生活。这并非用了我们自己的道德观念，可以评论功罪的事。

生物究竟如何生活，如何进化，我们应该向自然中去寻，因为进化论不是书卷上的学问。书上所说"生存竞争"与"互助"，也不是著作者私自造作的教条，教人应该如何模仿生活，却是在自然界中研究过许多生物的生活状况，然后得到的一个解释；这解释的当否，只有生在自然中的生物，可以证明，也并非用了"想当然"便可以评论是非的事。

何况达尔文的生存竞争说与克鲁泡特金的互助说，本来并不背驰，也不见有所冲突，自然更无所谓驳倒与否了。这缘故极易了然：就是达尔文所研究的是物种何以繁变，归结到生存竞争；克鲁泡特金所研究的是何法最利于生存竞争，归结到互助。

我们试略看两人的学说，就更明白了。

物种起源的问题，在希腊哲学家也早说起，直到达尔文少年时代，物种说还有二派：一派是林那（Liuni）学说，说各种生物本来各自化生，并非由别种转变；一派是赖马克（Lamarck）学说，说物种能受外缘的影响而起变化，生物又能将从外缘得来的变化遗传下去，于是愈变愈著，愈与外缘适宜，各种物类无不如此变成[①]。达尔文到南美洲，目睹地层中化石形状，和 Galapogos Archipalago 岛上生物分布状况，便发生极大的感想，知道生物逐步变迁，并非千古如一。他后来又见园艺家培养动植物，凡留种时候，必将好种拣起，使 px 再出；如是代代选择，果实大的便愈大，花美的也愈美了。他又见家鸽中,有尾羽较多一支的,使与同一的雌鸽相配,那生产的雏鸽,尾羽竟有多出二支或三支的了②。因此他深信生物具有变化的性质。这变化性又能遗传后代。若将起了变化的种类选择起来,自然愈变愈显,能够成一新样的物种。这便是培养下动植物变种的由来。

生物在培养下既如此,在自然中当然也该有变化性和遗传性了。它们能够变出新种也便是因为在变化性和遗传性上,再加选择的作用。但人为的选择物种,是在合用,自然中的选择作用却不同。自然中的选择作用,只是适于生存者当选!

自然何以有选择?便因为自然中有生存竞争。生存竞争这意见,也不始于达尔文,以前的毕封(Buffon)等,早已说过了。达尔文于一八三八年间读了马勒赛司(今译作马尔萨斯)(Malthus)的《人口论》,受了极大的影响③。眼见得生物的生殖数,要比能生活的数目多,可知它们虽然各求生存,但其中的一部分不免死亡,只有适宜的能够存活,这便是生存竞争。但生存竞争的事,又并非如现在论客所意料,是自相残杀,或强食弱肉,只是各个挣扎性命。希图生存,竞争的结果,能适合环境的便得存活——便是优胜。所以达尔文在《物种起源》上说:"我须说明,我用生存竞争这名词,是广大的,比喻的,包括彼此的依赖;而且包括(最重要)不特个体的生存,又在后代的成立。④"又说:"如两个食肉动物在饥馑时候,固可以说彼此因为求食而起竞争。但如有一株植物,生在沙漠近旁,可以说它对于旱叹争生存。一株植物生了数千的子,其中一株长大起来,可以说它和密被地上的同类和异类的物种有竞争。"又说:"槲寄生是依赖鸟类传布种子的,它们的生存所以依靠着鸟,倘使鸟类喜吃他的果实,比别种果实更喜欢,因此传布它的种子也多,便可以说槲寄生和别种果树有竞争了。[5]"由此看来，可知达尔文的生存竞争说，范围本极广大，生物生活一日，即不免有一日广大范围的竞争。罗曼尼司(Romanes)更明白解释说："生存竞争这名词，应该知道它的意义所指，不但是同种类中同时期的个体争生存；其实也集合一起，争它们种族的永久。"[6]

生物生存的要因，既在适于自然，则"自然选择"这话，便与斯宾塞所谓"最适者生存"无异；所以达尔文也说，"我称自然选择，便是最适者生存"。物类许多变种都由这理由而来：例如生存寒地的动物，皮毛何以独厚？便因为抵抗寒冷，皮毛薄者即不适于生存，唯有皮毛厚的，生存机会可以较多，所以独得存留；传到后代，依样抵抗，适的生存，不适的淘汰，于是寒地的动物的毛皮，便与热地的不同了。又如牛何以有角呢？便因为当初的牛虽本无角，以常受别种野兽的攻击，群中头部强大体力强壮的，生存机会便比其余的多；若使有牛，头上有发育未全的角，则它的生存的机会自然更多，不但自身生存，又能繁衍他的子孙；不适的渐渐灭亡，以至后代依样竞争，于是自然而然只剩了头上有角的牛了。而且生理上又有发达相称的原理，一部既有不同，别部也起相应的变化，因此全体的形状，便都与从前不同了。诸如此类，便是自然选择的作用，生存竞争的来由，也便是使物种变化的缘故。达尔文一部《物种起源》，即用了自然选择说，来说明自然界中千变万化的物类，如何由一个祖先变化而来的理由；但其结果，欲对于生物如何存活这问题，也下了一点解释。

达尔文对于生物如何存活这问题，解答是生物经过生存竞争之后，只有最适于生存的才能够存活。至于怎样的才是最适者，却并无说明。克鲁巴特金(今译作克鲁泡特金)便对此下了解答，说最适者便是能互助者;《互助论》中明白说:"我们若用间接的证明,去问自然,——谁是最适者:这些继续战斗的呢,还是互相维持的呢? 我们可以即刻看出,这些动物有互助的习性的,是最适者无疑。⑦"

一部《互助论》,便是根据许多事实,反复声明,动物同种里没有自相残杀的情形,只有互相维持的趋势,个个相助,合力抵抗环境的严苛;互助的利于生存,则因少费能力而能保持极大的公益⑧。因此,大概能互助的动物多繁衍,强盛,而且动物愈进步,互助的范围也愈广大,所以动物的互助,也正是进化的公例。至于动物里面,不合群的也很多,据克鲁巴特金(今译作克鲁泡特金)的意见,便是动物之所以离群独生,是环境有以使然。例如印度甘蔗田多,以及欧洲制糖厂多的地方,离群独生的蜜蜂很多;蜜蜂本是富于社交性的昆虫,现在因遇境便利上,使它们变为独立的生活了。但此种生活,能力总不及合群的强,所以将来总要受自然选择而淘汰。

合群的生活,何以便是最适于生存?《互助论》上没有细说,现在从生物学方面讲,便因为合群生活合于生活的经济的缘故。各种生物,生活上都有一种经济的相互关系,个体的生活和种族的生活,都是如此。寄生物的变为简单,也就因为生理上的便利。但生物中愈发育的种类,它们的生活愈复杂,生活上不能一一迁就环境,即不能不设法来应付。有如蜜蜂蚂蚁之类,生活既不如蚱蜢蟋蟀的春生秋死,遗卵土中,待明年再发,便不能不营过冬的巢穴,贮藏粮食了。它们生活既然复杂,也便不能不协力合作了。所以这种合群的生活,便"少费能力而得极大的公益",显然是适于生存的一个条件,——是极经济的事情。

《互助论》所引的事实,虽然全是动物,但我们在植物界里,也能发现这情况。人都知道禾本科莎草科等植物，在地上分布最广，种类也极多，最高等的菊类，更不必说了。这种植物的花，都有聚集一处的趋势，菊科的花，合许多小花，变成"头状"。这样生法，在生活上便有极大的便利，因为植物的根叶等是营养用的，生殖部分是消费的。倘使菊类的一个头状中所集合的多数小花，个个离生，而且颜色仍须照旧美丽，即不免每朵花外，须有几片极美而且大的花瓣，此外更须很长的花梗，更大的花萼，消费便增多了。现在它将许多花朵集在一处，花极小，极简单，可以减少许多消耗，然而美丽和作用却并不减少，在生活上极其便宜，也极其经济。

照上文看来，可以知道生存竞争与互助，本只是生物现象的一事的两面，或后者是前者的较为绵密的说明；而且因为有互助，却愈足证明生物界有竞争。达尔文自己也曾举出许多互助的事例，中国的杂志日报都介绍过他⑨。但几个祖述他的进化论者如赫胥黎等，往往侧重竞争，收小范围，去讲个体竞争的事，这是克鲁巴特金（今译作克鲁泡特金）所弹射的。

现在生物学的研究更加精密了。达尔文以自然选择说，于说明物种的起源有些不足，互助说也是一样，于说明最适者有些不足了。但也还不失为见到生物现象的一方面。现在知道生物的变化——因有变化，所以有进化——便起于生物自己，因为它自具变化的性质，所以虽在同一境况之下也能自生变种，并非逐渐而来，且这变种，又非都变复杂，或者反失掉它们祖先原有的性质的一部分（Retrogressive Mutation）。一方面，又能受环境的影响，美国妥惠（Tower）曾在实验室中改造环境，培养甲虫，后来仔虫便发生变化，与原种不同；而且这变种的后代，能保持它所变化的形状⑩。至于自然的境界中，使生物发生变化的要素（Factor）如何，却正与生物自起变化的内部要素如何这问题相同,至今不能解析明白。

　　但因为环境不同,生物自身又有变化的性质,所以物类的生活,极不一致,只要如何适于生存,它便如何生活。动物界里有秩序井然合群的蜜蜂,蚂蚁;也有散生的蜜蜂,有退化到极简单的绦虫,肝蛭,只要有生活的机会,它们都能发育,繁衍它们的子孙。这生活状况愈不一致,便是生活的门路愈广大。若离开生物界,照人意判断,就所谓积极的一方面的生活说,则必生物愈进化,它们的生活便愈活动,与环境的抵抗也愈多,到独力不济的时候,便自然而然的发生合群协力的必要。例如许多鸟类,平时虽然散处,一到迁徙时节,便要合成大群了。

　　因此合群这一种习性,也只是起于生活上的必要。倘使生活上并无此种需要,它们即不必都营合群生活,就令本是合群的物类,到一新境遇,适于散处,也要离群独生;此后如境遇不变,也便能长久存在。

　　生物的遗传上,各种的物类,既自具固有的性质,则同种的物类,性质自然相近,这便是一遇必要时候,容易合群的动机,例如相同的分子,结起晶来,自然容易聚成一定形状的晶体。但它们虽因为遗传相似,易于合群,而最重要的原因,却还在生活上的必要,在这时候,便是本不同种,也就有互相维持的了。

　　克鲁泡特金虽假定散生的蜜蜂,将来不免死灭,但如最近学说,生物能依环境的要素而起变化,则也就仍有生存的希望,必须固执不变,才会灭亡。所以互助固然利于生存,但也只是利于生存的一条件。

　　互助利于生存,仍不能免去生物的生存竞争,对于团体以内是互助,对于团体以外还是有竞争,所以中国论者之所谓互助说打破了自私自利的进化论这一类话，实在陷于谬误。生物界现象极分歧，关系也很错杂。合群的生物因为习性相同，成为大群，抵抗力因而增强，虽然是利；但习性相同，食物嗜好也就相同，据达尔文的意思，此中却又埋伏着生存竞争了。候鸟迁徙的时候，虽然合成大群，但胸部狭小，翅羽不强的，就容易遇到危险，中途坠死，也就是互助之中，仍行着生存竞争了。所以互助说并不能打破进化论；而克鲁泡特金的本意，也不在打破进化论。

生存竞争与互助两说，在今日不害其并存，谅将来也便如此；至于各有上述的不足，则因达尔文对于研究生物进化，是一个开始者，克鲁泡特金对于观察生物现象，是偏用了人间社会的眼光。至于中国论者的恐怖与怀疑，是在将生存竞争误解为同类相残，互助又误解为受惠！

①Osborn, - From the Greeks to Darwin. Chap. Ⅵ

②Weber, - History of Philosophy. p. 565 - 6.

③Seward, - Darwin and Modern Science. p. 13 - 5

④Darwin, - The Origin of Species. (Oxford Ed.) p. 58.

⑤do. p. 58 - 9.

⑥Romanes, - Darwin and after Darwin. vol. I. p. 267.

⑦Kropotkin, - Mutual aid. (Popularied.) p. 14.

⑧do. p. 14

⑨《新鲜》第三号及《时事新报》

⑩Castle, Couler, Davenport, East, Tawer. Heredity and Eugenics. p. 213ff.

(第八卷第二号，一九二〇年十月一日)

达尔文主义

周建人

进化这一个观念,虽然几乎和人类的思想一样古老,但不到达尔文五十多岁的时候,世界上还没有一贯的进化说。达尔文的进化说,便是"自然选择",始于一八五八年七月一日,和华来斯合作的一篇长文(*On the Tendency of Species to form Varieties, and on the Perpetuation of Variaties and Species by Natural means of Selection.*),由虎扣尔(Hooker)和雷侠儿(Lyell)两人介绍到林那学会去公开,于是才将自然选择的要义,告诉大众。次年十一月二十四日,他的有名的著作《物种的起源》刊行,于是从比葛尔军舰航行世界起,二十多年的工作,一并发表,放出烈日一般的强光,照着思想界,登时变了颜色;许多观念,都换了式样了。

达尔文的进化说,虽不是几句话可以说明,但重要的意义,却从以下的一段文中,可以看出:

"各种生物,生产的比能够存活的多,所以有循环不息的生存竞争了;物类在复杂而且有时极繁变的生活状况之下,变化得虽然微细,但若能合于生活,自能得到较好的生存机会,如是便自然当选了。由遗传的原则,各种优选的变种,自能递衍他的新的而且变迁的形状。"①

因此可知生存竞争,是自然选择的起因,最适的生存,是自然选择的结果。生存竞争的含义,我在《生存竞争和互助》(《新青年》八卷二号)中,已经大略说过;但所谓自然选择,也只是比喻的话,借了农家选择合用的物种,传播种子的意思,去引喻自然间的作动,并非说自然中也像人们一般是有意的选择。这不同处,便是"人的选择物类,只为合于他自己的用,自然的选择物类,只为合于自然的倾向"②。

所以照达尔文的意见,物类能生存的,便是最适合于自然的倾向的;克鲁泡特金进为解说,说互助便是最适;然而这是积极一方面的话,不能概括一切生存。若问不合群的物类,如何也得在自然选择中存活,则自不能不有更普遍的说明;罗素的意思,是"生物的能生存与否,便以一切选择作用进行的总结果为定;情形虽然异常复杂,但平均上能够存活的,便是一般最适任用的生物"③。

最适任用的生物,当然是适合于自然倾向的。这范围所指,自然广大,不单以一种性质的适合,便算最适;便能在自然中得优选,例如螳螂之能生存,当然不能只靠着保护色一端,其他必尚有适于生存的地方;但保护色在自然选择中的价值,却是最明显的事,所以就此一端,很可以作一条所谓适于自然的说明。税司诺赖(Cesnola)曾用一种很简单的试验,以验螳螂的保护色,在自然选择中的用处曾载在一九〇四年英国的《生物统计杂志》(*Biometrika*)上,说:

"意大利的螳螂,分两种颜色,一种褐色,一种绿色;绿的常生在青草上,褐的生在枯草上。税司诺赖先生曾将在青草上的二十个绿螳螂约束了,不使逃散;在枯草上的二十个褐色螳螂,也照样约束。十七日后,仍都活着。他又将二十五个绿的放在枯草上,十一日后都死灭。又换一方面试验,将四十五个褐色的放在青草上,十七日后只剩了十个。大多数的死于鸟,五个绿的死于蚂蚁。由此可以得到一论证,数目虽然少,然已经很可见这两族螳螂的保护色,选择的价值了。"

保护色和拟态等,都是最易显出功用的性质;但此种性质,是已由自然选择中成就来的,而选择作用的进行,在进化上的重要,殊不止此;达尔文的意见,和选择作用在进化上的重要关系,也便可以引他自己的话来说明:

"选择作用虽然缓慢,但若衰微的人能行人为选择,当大有成效,我看当变化无限,能增进美好,和一切生物间极复杂的适合,彼此及与他们生活的物理状况的适合,这宗生活的物理状况,也可以在许多长时期中,经过选择的自然能力,而成效果,这便是最适的生存。"④

照上文,可知他认选择作用,是进化上极重要的原因;但生物本身的变迁,却并非纯由选择作用而起,尚有别种原因做他的辅助;辅助原因之重要的,便是"有用遗传"(Use-inheritance)。所谓有用遗传,便是生物一生中,由习惯得来的有用性质,能遗传后代,这便是生物变化的又一原因。所以他说:

"变改习惯,能发生遗传上的效果,一种植物,由一种气候移至别种气侯中,能变更花期,便是一例。动物各部,如格外应用,或废止不用,也有很显著的影响。"⑤

"家鸭飞不及野鸭,走胜于野鸭,骨骼和野鸭的骨骼相比,也有相当的变化。马能教以步节,小马能承续这样合意养成的步伐。家兔圈禁惯了,成此柔顺的性情;狗和人相处久了,所以灵敏,来复犬能教以携运物件,而这些心智上的禀性,和身体的能力,均能遗传。"⑥

达尔文的著作中,说起法国著名生物学家赖马克的地方,虽然很少,然而谓由外界得来的习惯,能改变性质,又能遗传后代,则和赖马克的"用和不用说"(Use and disuse 也译作用进废退说)很相近了。从"有用的习性能够遗传"这一个观念上,又建立一种遗传说(泛生说 Theory of Pangenesis),谓细胞中能发生极细之点,名叫微芽(Gemmles),初则游走体中,后来归宿在胚种细胞中,所以外界的影响,能由微芽带入胚种细胞,将来胚种细胞发育而成个体,复将微芽发散出来,所以前代的性质,能发现于后代;但此事在本篇不关重要,姑且不论。

至于达尔文的自然选择说,便是他解释进化的一个重要的假设,所以平常所谓自然选择说,便是指达尔文主义,反过来说,达尔文主义,也便是一个自然选择说;然而有时,又常常称为达尔文和华来斯二人的自然选择说者,便因为英国的华来斯,也是一个倡道自然选择说的人。他在马来岛观察生物的生活状况,得了和达尔文很相像的意见;一八五八年送往林那学会的文章,又是二人合作。他后来著一册书,又称为《达尔文主义》(*Darwinism*);所以近人往往将这二人并称了。但他们虽然皆倡自然选择说,其中不同的地方却很大:第一,华来斯的学说,是认自然选择为进化中的唯一原因,不像达尔文的只认他是一个主要原因;第二的最大的不同,便是华来斯以为人类的进化不全是出于像生物一般的选择作用。例如人类躯干的构造,虽由于自然选择,但头脑的巨大,身体的裸出无毛,以及人的声音,手,足等等,虽然也由选择而来,但当不是"盲目的"自然选择所可能的;至于精神及智能方面,则以为不能用自然选择所可解释，这原因当在不可目睹的精神界里了。一八六九年四月间，达尔文曾给他一封信，信中说："照你的解释，我和你很有不同，我对于此事，甚觉可惜。我以为对于人类，可以无需更用了添加而且近切的原因来说了。"⑦这样看来，可知华来斯的所谓达尔文主义，其实并非达尔文的达尔文主义。

达尔文主义里的自然选择，上文已经说过，不过是比喻的话；便是自然选择这话的意义，也只是一个比喻。自然中的生物，只有生活现象，和变迁的景况，并不是生活的现象中间，分明有选择作用这一件东西存在；不过生物学家观察了许多分歧的生象，仿佛生物只有变得适于生存的能够存活，有如人的选择好种，加以传播一般，便将这"选择"二字，来形容自然。人类用了生活上几句应用的话，表耳闻目睹的事物，和动作态的这些言语，描写自然中的作动，自然不能不多少涉及比喻；但我们看到这些用语，更须想到所指的物象，一想他的含义。譬如中国旧医，常说感冒的症状是"鼻室声重"，声本无分量可称，然而"声重"的意思，却极了然，我们便不能再斥他"比不应事"；又如对人言语，说"是"或"不是"，这"是"或"不是"中间，当然包括着对语的人所发的一段言语；但若比喻我们不习熟的事，或并不细细推量含义，则便容易"望文生义"：所以赫胥黎用了"角斗戏中的展览物"来比喻生存竞争的现象，便惹人口实了。他的文章，于一八八八年二月间，登在《十九世纪报》（*Nineteenth Century*）上，其中说：

"从道德家的观点上看来，动物界实和角斗戏中的展览物相似。牲畜教至熟练，使他战斗，只有最强，最灵敏，最狡猾的，能够存活，供异日的战斗。败者不复宽容，也无需观览的人屈拇指了。"

这一节话的缺点，便在以人间特别的行为，去比喻自然原理，却再用他来说人间社会。便如德国有名的生物学家赫克尔（Haekel），也不免有这类误会的议论，他道：

"达尔文主义除却社会主义，便是一切。倘有政治方针，随顺此种英国的学说——也须很有此种倾向——这显然是贵族的，不是平民的，也不很是社会的。选择说是教导我们，说人生也正和动物植物等的生活一样，在各地方，和各时间内，只是少数有特别权威的少壮，能够继续，能够繁盛？大多数必须饿着，多少尚未成丁，便死于艰苦。有无数的个体，都是这班各类的种胚，许多的幼稚，都从这些胚种生发出来。得侥幸的，只有一部分；他们便不然了，他们能长足寿命，能得到他们的目的了。这蛮暴不仁的生存竞争，竟满遍生物界中，因此所有生物，有此不息而且惨酷的角逐，此是自然必行而不可免的事实；只有那适的少壮，能够胜此角逐，而得存活，更有大多数的参战者，不久便死在困苦之中！我们对此可悲的事。能不悲伤，然而我们不能否认此等事实，也不容改变他。'许多被召，当选者不多！'这宗选择作用，是合着遗弃大多数的弱者死者，选出优选者。别的英国学者，甚至说达尔文主义的要点为'最适者生存'，'最优者胜利'。显然选择的原理是凡百事件，但不是平民的，在字的真义上，他是贵族的。"[⑧]

其实达尔文主义中的所谓生存竞争，不过是生物各求生活；而自然选择，也只是合于自然倾向的物种，得以存在，与人间行为的"好勇斗狠"，截然不同。螳螂捕虫，虎豹食羊鹿，原不是"刀锯鼎镬以待天下"，便在人道主义之下，传染病流行的时候，抵抗力薄弱的人，若说比健全者更能幸免，我们实觉得不可思议。此等谬误的起源，都因为先以人间行为引喻自然，却再用他来解说人间社会，所以无端发生了许多恐惧与悲观。人类系生物之一部，自然逃不出公例；不但人类，便是物理界中，也仍有选择作用。物理学家谓世界在无生的时代，各种物理构造不同的化合物，也并非能够一律并存；极微的分子，彼此相遇，有的依然稳固，有的便自破灭，或者另行构成新化合物。能稳存的物质，物理学上。称为安定产物（Stable Product），此种作动，称为物理的选择（Physical Selection）。便是天空行星的创始，虽不能详细知道，但物理学家，未尝不用一般的理由去推测。微分子中有的为何能稳存，也便是合于环境；无机界的环境，只是无机界，不像生物的环境，除无机界外，又有有生界的一方面，情况自然更加复杂了。物理学家推测生物之初，也有这般起灭作用，较稳定的——便是适合外缘的——当然利于生存。如此演进，渐渐复杂，生物对于有生无生两界之间，也循着这选择作用演进，只是改了名称，称为生物的选择（Biological Selection），也就是自然选择。

但在人类的选择作用，却并不如赫胥黎的比喻，也不如赫克尔的推论；我们就事实上推究，可以知道人类是由个人的竞争，进而为群和群的竞争，再由以上两个要素，成为人类联合一气，与生物界及无生物界竞争。

未有历史以前，我们不能断定人类没有竞争；有社会之后，竞争也未尝免：然而竞争的发展，便是一切改革的动机；个人主义，也便是成社会主义的要素。社会的改进，断从竞争中产出，不是从服从中得来。服从的社会，必呈沉静的状态；沉静是退化的前兆。社会所以有一时安静，必有一时作动；安静是由于迟钝，然迟钝也是保持安定不可少的要素：至有一番作动，便有一番改进：静默之下，其实已有分子在中活动，如火山未发，地中已先作工，初只微微地震，终必喷发出来。社会中分子，也是如此酝酿，随着适于生活的一方面进发,渐渐将旧平衡倾倒。改成新的平衡,当时便又有分子在中工作;所以长处于保守状态,便是落后,不是奋进。例如动物界中的寄生物,他的适处,只在吸力强,可以吸住不放,卵壳或茧膜的牢固,进到肠胃,不致被消化液侵蚀,那便可以"苟延残喘",用不着奋斗,也无需合群了。所以合群也便由于竞争,克鲁泡特金说,"合群的生活,是广义的生存竞争中最有力的武器"[9],群与群的竞争,是合大群的动机,正如社会的改进,从群的内部的竞争中发生一样。

　　社会中有教育,训练等各种意趣,使社会中的各分子,都具强固的生活能力,使他们能在社会与社会的竞争中存立;各社会的奋进,便是人道主义的萌芽。由知识,商业,以及各种经济上的竞争,使世界人类的相关,愈加密切;一地方的人民,发明一种有益工具,世上的人共享便利,制服一种有害病菌,多少人的生命得救;少数人不能抵抗环境的竞争,于是人类联络一体,共负责任;一种工具,能利一国人的,也能利别国人;有害病菌,有害于某地的人,不能使别处人民有益:这便是引起合力的共同点。所以人道主义的基础,也正建立在生存竞争上。不可谓生类有社交性,人类便可乐观;社交生于相互关系密切之后,正与道德观念的发生相同。倘说社交是一切动物所固具,因有社交而后能群,这话便涉神秘;事实神秘,是引人讨究的激动要素,若神秘的解释,却是思想的牢笼了。

　　我们观察自然中的生象,知道竞争是生活前进的要素;互助下的生活,也只有努力和劳作的得到生活,团体不能在依赖和贪惰中建立;便是小动物如雀类,也不许在别个造成的巢中居住,即窃取草屑少许,也须受同群的攻逐[10]。所以人间社会,便在人道主义之下,也只有努力的前进;文明社会中的新生活,与未进化和不进化的人民全然无涉。而且自然中，物类又并非一律前进，许多生物，实反退后；虽说自然界中生活的状况异常复杂，退化的也尽有生活的门路，但这是就下级动物而言，若已进化为牛，断不能再化为牛虻；已进化为人，断不能再退化为头虱。古代尽有盛大的动物，不能追随环境的变迁，在地史的中途灭亡了；我们常见的银杏树，植物学家都知他渐就衰绝，虽然原因不能十分了然，但大半便因为古老的物种，不善于应变。古老的民族，也恐怕难逃公例；希望所在，便在人能觉悟，知道努力，奋力往能生活的路上走，这便是进化论借给人们的教训了。

① Darwin – Origin of Species. p. 3.

② Do. p. 65

③ Thomson and Geddes – Evolution. p. 168 – 9.

④ Darwin – OriginofSpecies. p. 85.

⑤ Do. p. 8.

⑥ Darwin – Variation of Animals and Plantsunder Domestication. Vol. II. p. 367.

⑦ Clodd – Pioneers of Evolution. Che ap Ed. p. 64.

⑧ Haeckel – Freie Wissen chaft und Freie Lehre. S. 73.

⑨ Kropotkin – Mutual aid. Populared. p. 49.

⑩ Do. p. 50.

（第八卷第五号，一九二一年一月一日）

《新青年》之新宣言

> 我将创造成整个儿的世界,
> 又广大,又簇新;请几万万人
> 终身同居住,免得横受危害,
> 只希望我自己的自由劳动……
> 我终看得见奇伟的光辉内
> 那自由的平民、自由的世界。
> 那时我才说:唉,"一瞬",
> 你真佳妙!且广延,且相继!
> 我所留的痕迹,必定
> 几千百年,永久也不磨灭。
>
> ——歌德之《浮士德》(Goethe,"Faust.")

新青年杂志是中国革命的产儿。中国旧社会崩坏的时候,正是新青年的诞辰。于此崩坏的过程中,新青年乃不得不成为革新思想的代表,向着千万重层层压迫中国劳动平民的旧文化,开始第一次的总攻击。中国的旧社会旧文化是什么?是宗法社会的文化,装满着一大堆的礼教伦常,固守着无量数的文章词赋;礼教伦常其实是束缚人性的利器,文章词赋也其实是贵族淫昏的粉饰。一九一一年十月十日的中国革命,不过是宗法式的统一国家及奴才制的满清宫廷败落瓦解之表象而已,至于一切教会式的儒士阶级的思想，经院派的诵咒画符的教育，几乎丝毫没有受伤。如何能见什么自由平等！可是中国的大门上，却已挂着"民国"招牌呢。当时社会思想处于如此畸形的状态之中，独有新青年首先大声疾呼，反对孔教，反对伦常，反对男女尊卑的谬论，反对矫揉做作的文言，反对一切宗法社会的思想，才为"革命的中国"露出真面目，为中国的社会思想放出有史以来绝未曾有的奇彩。五四运动以来，更足见中国社会之现实生活确在经历剧烈的变迁过程，确有行向真正革命的趋势，所以新青年的精神能波及于全中国，能弥漫于全社会。新青年乃不期然而然成为中国真革命思想的先驱。中国现时的旧社会，不但是宗法社会而已，它已落于世界资本主义的虎口，与世界无产阶级同其命运。因此，中国黑暗反动的旧势力，凭借世界帝国主义要永久作威作福，中国资产阶级自然依赖世界资本主义而时时力谋妥协。于是中国的真革命，乃独有劳动阶级方能担负此等伟大使命。中国社会中近年来已有无数事实，足以证明此种现象，即使资产阶级的革命亦非劳动阶级为之指导，不能成就。何况资产阶级其势必半途而辍失节自卖，真正地解放中国，终究是劳动阶级的事业，所以新青年的职志，要与中国社会思想以正确的指导，要与中国劳动平民以智识的武器。新青年乃不得不成为中国无产阶级革命的罗针。

新青年自诞生以来，先向宗法社会军阀制度作战，革命性的表示非常明显。继因社会现实生活的教训，于"革命"的观念，得有更切实的了解，知道非劳动阶级不能革命，所以新青年早已成无产阶级的思想机关，不但将于宗法社会的思想行剧激的争斗，并且对于资产阶级的思想同时攻击。本来要解放中国社会，必须力除种种障碍：那宗法社会的专制主义，笼统的头脑，反对科学，迷信，固然是革命的障碍；而资产阶级的市侩主义，琐屑的对付，谬解科学，"浪漫"，亦是革命的大障碍。因此种种，新青年孤军独战，势不均力不敌。军阀的统治、世界帝国主义的统治，如此之残酷，学术思想都在其垄断贿买威迫利诱之下，无产阶级的思想机关既不得充分积聚人才能力之可能，又内受军阀的摧残，外受"文明西洋人"的压迫，所以困顿竭蹶，每月不能如期出世，出世的又不能每期材料丰富。然而凡是中国社会思想的先进代表必定对于新青年表无限的同情，必定尽力赞助；新青年亦决不畏难而退，决不遇威而屈。现在既能稍稍集合能力，务期不负他的重任，所以在可能的范围内，重新整顿一番，再作一次郑重的宣言。

新青年当为社会科学的杂志。新青年之有革命性，并不是因为他格外喜欢革命，"爱说激烈话"，而是因为现代社会已有解决社会问题之物质的基础，所以以发生社会科学，根据于此科学的客观性，研究考察而知革命之不可免。况且无产阶级在社会关系之中，自然处于革命领袖的地位，所以无产阶级的思想机关，不期然而然突现极鲜明的革命色彩。中国古旧的宗法社会之中，一切思想学术非常幼稚，同时社会演化却已至极复杂的形式。世界帝国主义，突然渗入中国的社会生活，弄得现时一切社会现象繁杂淆乱，初看起来，似乎绝无规律，中国人的简单头脑遇见此种难题尤其莫名其妙，于是只好假清高唱几句"否认科学"的"高调"。独有革命的无产阶级，能勇猛精进，不怕"打开天窗说亮话"，应当竭全力以指导中国社会思想之正当轨道，研究社会科学。当严格的以科学方法研究一切，自哲学以至于文学，作根本上考察，综观社会现象之公律，而求结论。况且无产阶级，不能像垂死的旧社会苟安任运，应当积极斗争，所以特别需要社会科学的根本智识，方能明察现实的社会现象，求得解决社会问题的方法。凡是中国社会之新活力，真为劳动平民自由正义而奋斗的青年，不宜猥猥琐琐泥滞于目前零碎的乱象，或者因此而灰心丧志，或者因此而敷衍涂砌，自以为高洁，或自夸为解决问题；更不宜好高骛远，盲目地爱新奇，只知求所谓高深邃远的学问，以至于厌恶实际运动。新青年对于社会科学的研究，必定要由浅入深，有系统有规划地应此中国社会思想的急需。"社会现象复杂得很呢，单是几个'新术语'尚且要细加绎，然后能令真正虚心诚意的革命青年及劳动平民知道'社会'是个什么东西！"

新青年当研究中国现实的政治经济状况。研究社会科学，本是为解释现实的社会现状，解决现实的社会问题，分析现实的社会运动，真正的科学，绝不是玄虚的理想。中国新思想的幼稚时期已过，现在再也可以不用搬出种种现成的模型，勉强要中国照着他捏。其实"中国式的新乌托邦家"不但不详悉他自己所荐举的模型，而且也不明了中国社会，正因不了解社会科学的方法，不能综观实际现象而取客观的公律，所以不是泥于太具体的事实，说到中国政治，头脑里只有张曹吴孙几个大姓大名，就是力避现实，逃于玄想；说到经济改造，满嘴的消费、生产、分配等类的外国新名词，不会应用于实际。新青年现在也要力求避免此等弊病，当尽其所有区区的力量，用社会科学的方法，试解剖中国的政治经济，讨论实际运动。

新青年当表现社会思想之渊源，兴起革命情绪的观感。社会科学本是要确定社会意识，兴奋社会情感，以助受压迫被剥削的平民实际运动之进行。所以对于一般的思想及情绪之流动，都不得不加以正确的分析及映照。一切文学艺术思想的流派，本没有抽象的"好"与"坏",在此中国社会忙于迎新送旧之时,新青年应当分析此等流派之渊源,指出社会情绪变动的根由,方能令一般的意识渐渐明晰,不至于终陷于那混沌颠顸等于飞蛾投火的景象。再则,现时中国文学思想,资产阶级的"诗思",往往有颓废派的倾向,此旧社会的反映,与劳动阶级的心声同时并呈,很可以排比并观,考察此中的动象,亦可以借外国文学相当的各时期之社会的侧影,旁衬出此中的因果。却尤其要收集革命的文学作品,与中国麻木不仁的社会以悲壮庄严的兴感。

新青年当开广中国社会之世界观综合分析世界的社会现象。社会科学本无国界,仅因历史的关系,造成相隔离的文化单位,所以觉得各国有各国的"国粹",其实不过是社会的幻觉泥滞于形式上的差别。中国受文化上的封锁三千多年,如今正是滚入国际舞台的时候,非亟亟开豁世界观不可。况且无产阶级的斗争本来就是国际的,尤其不可以不知道各国劳工革命运动的经验。因此新青年当注意于社会科学之世界范围中的材料,研究各国无产阶级运动之过去与现在,使中国得有所借鉴。从最反动的日本至赤色的苏维埃俄国,都应当研究。

新青年当为改造社会的真理而与各种社会思想的流派辩论。社会科学,因研究之者处于所研究的对象之中间,其客观的真理,比自然科学更容易混淆。因此,人既生于社会之中,人的思想就不能没有反映社会中阶级利益的痕迹,于是社会科学中之各流派,往往各具阶级性,比自然科学中更加显著。新青年是无产阶级的思想机关。无产阶级,于现代社会中,对于现存制度自取最对抗的态度;所以他的观察,始终是比较上最客观的。何况新青年在世界无产阶级的文字机关中,算是最幼稚的,未必有充分健全的精力,足以为绝对正确的观察。有此两因,都足以令新青年不能辞却与各方面的辩论:一则以指出守旧各派纯主观的谬误,一则以求真诚讨论后之更正确的结论。于辩论之中,方能明白何者为无产阶级的科学结论,何者为更正确更切合于事实的理论。总之,为改造社会而求真理。

中国幼稚的无产阶级,仅仅有最小限度的力量,能用到新青年上来,令它继续旧时新青年之中国"思想革命"的事业,行彻底的坚决斗争,以颠覆一切旧思想,引导实际运动,帮助实际运动,以解放中国,解放全人类,消灭一切精神上物质上的奴隶制度,达最终的目的:共产大同。新青年虽然力弱,必定尽力担负此重大责任,谨再郑重宣告于中国社会:

新青年会为中国真革命思想的先驱,

新青年今更为中国无产阶级革命的罗针。

新青年既为中国社会思想的先驱,如今更切实于社会的研究,以求智识上的武器,助平民劳动界实际运动之进行。而现代最先进的社会科学派别,最与实际的世界革命运动有密切关系的,就是共产国际。所以新青年新整顿之时,特以此"共产国际号"为其第一期。

(季刊第一期,一九二三年六月十五日)

科学与人生观序

陈独秀

亚东图书馆汇印讨论科学与人生观的文章，命我作序，我方在病中而且无事，却很欢喜地作这篇序。第一，因为文化落后的中国，到现在才讨论这个问题（文化落后的俄国此前关于这问题也有过剧烈的讨论，现在他们的社会科学进了步稍懂得一点社会科学门径的人，都不会有这种无常识的讨论了，和我们中国的知识阶级现在也不至于讨论什么天圆地方天动地静电线是不是蜘蛛精这等问题一样），而却已开始讨论这个问题，进步虽说太缓，总算是有了进步。只可惜一班攻击张君劢、梁启超的人们，表面上好像是得了胜利，其实并未攻破敌人的大本营，不过打散了几个支队，有的还是表面上在那里开战，暗中却已投降了（如范寿康先天的形式说，及任叔永人生观的科学是不可能说）。就是主将丁文江大攻击张君劢唯心的见解，其实他自己也是以五十步笑百步，这是因为有一种可以攻破敌人大本营的武器，他们素来不相信，因此不肯用。"科学何以不能支配人生观"，敌人方面却举出一些似是而非的证据出来。"科学何以能支配人生观"，这方面却一个证据也没举出来，我以为不但不曾得着胜利，而且几乎是卸甲丢盔的大败战，大家的文章写得虽多，大半是下笔千言离题万里，令人看了好像是

"科学概论讲义",不容易看出他们和张君劢的争点究竟是什么,张君劢那边离开争点之枝叶更加倍之多,这乃一场辩论的最大遗憾!第二,因为适之最近对我说,"唯物史观至多只能解释大部分的问题",经过这回辩论之后,适之必能百尺竿头更进一步!因为这两个缘故,我很欢喜地作这篇序。

数学物理学化学等科学,和人生观有什么关系,这问题本不用着讨论。可是后来科学的观察分类说明等方法应用到活动的生物,更应用到最活动的人类社会,于是便有人把科学略分为自然科学与社会科学二类。社会科学中最主要的是经济学、社会学、历史学、心理学、哲学(这里所指是实验主义的及唯物史观的人生哲学,不是指本体论宇宙论的玄学,即所谓形而上的哲学)。这些社会科学,不用说和那些自然科学都还在幼稚时代,然即是幼稚,已经有许多不可否认的成绩,若因为还幼稚便不要它,我们不必这样蠢。自然科学已经说明了自然界许多现象,这是我们不能否认的;社会科学已经说明了人类社会许多现象,这也是我们不能否认的。自然界及社会都有它的实际现象。科学家说明得对,它原来是那样;科学家说明得不对,它仍旧是那样;玄学家无论如何胡想乱说,它仍旧是那样。它的实际现象是死板板的,不是随着你们唯物论、唯心论改变的。哥白尼以前,地球原来在那里绕日而行,孟轲以后,渐渐变成了无君的世界。科学的说明能和这死板板的实际一一符合,才是最后的成功。我们所以相信科学(无论自然科学或社会科学)也就是因为"科学家之最大目的,早摈除人意之作用,而一切现象化之为客观的,因而可以推算,可以穷其因果之相生"(张君劢语),必如此而后可以根据实际寻求实际,而后可以说明自然界及人类社会死板板的实际,和玄学家的胡想乱说不同。

人生观和(社会)科学的关系是很显明的,为什么大家还要讨论?哈哈!就是讨论这个问题之本身,也可以证明人生观和科学的关系之深了。孔德分人类社会为三时代,我们还在宗教迷信时代。你看全国最大多数的人,还是迷信巫鬼符咒算命卜卦等超物质以上的神秘。次多数像张君劢这样相信玄学的人,旧的士的阶级全体,新的士的阶级一大部分皆是。像丁在君这样相信科学的人,其数目几乎不能列入统计。现在由迷信时代进步到科学时代,自然要经过玄学先生的狂吠,这种社会的实际现象,想无人能够否认。倘不能否认,便不能不承认孔德三时代说是社会科学上一种定律。这个定律便可以说明许多时代许多社会许多个人的人生观之所以不同。譬如张君劢是个饱学秀才,他一日病了,他的未尝学问的家族要去求符咒仙方,张君劢立意要延医诊脉服药。他的朋友丁在君方从外国留学回来,说汉医靠不住,坚劝他去请西医,张君劢不但不相信,并说出许多西医不及汉医的证据。两人争持正烈的时候,张君劢的家族说,西医汉医都靠不住,还是符咒仙方好。他们如此不同的见解,也便是他们如此不同的人生观,他们如此不同的人生观,都是他们所遭客观的环境造成的,绝不是天外飞来主观的意志造成的,这本是社会科学可以说明的,绝不是形而上的玄学可以说明的。

张君劢举出九项人生观,说都是主观的,起于直觉的、综合的、自由意志的,起于人格之单一性的,而不为客观的、论理的、分析的、因果律的科学所支配。今就其九项人生观看起来:第一,大家族主义和小家族主义,纯粹是由农业经济宗法社会进化到工业经济军国社会之自然的现象。第二,男女尊卑及婚姻制度,也是由于农业宗法社会亲与夫都把子女及妻当作生产工具,当作一种财产,到了工业社会,家庭手工已不适用,有了雇工制度,也用不着拿家族当生产工具,于是女权运动自然会兴旺起来。第三,财产公有私有制度,在原始共产社会,人弱于兽,势必结群合作,原无财产私有之必要与可能(假定有人格之单一性的张先生,生在那个社会,他的主观、他的直觉、他的自由意志,忽然要把财产私有起来,怎奈他所得的果物兽肉无地存储,并没有防腐的方法,又不能变卖金钱存在银行,结果恐怕只有放弃他私有财产的人生观);到了农业社会,有了一定的住所,有了仓库,谷物又比较的易于保存,独立生产的小农,只有土地占有的必要,没有通力合作的必要,私有财产观念,是如此发生的;到了工业社会,家庭的手工的独立生产制已不能存立,成千成万的人组织在一个通力合作的机关之内,大家无工做便无饭吃,无工具便不能做工,大家都没有生产工具,生产工具已为少数资本家私有了,非将生产工具收归公有,大家只好卖力给资本家,公有财产观念,是如此发生的。第四,守旧维新之争持,乃因为现社会有了经济的变化,而与此变化不适应的前社会之制度仍旧存在,束缚着这变化的发展,于是在经济上利害不同的阶级,自然会随着变化之激徐,或激或徐地冲突起来。第五,物质精神之异见,少数人因为有他的特殊环境,一般论起来,漫说工厂里体力工人了,就是商务印书馆月薪二三十元的编辑先生,日愁衣食不济,那有如许闲情像张君劢、梁启超高谈什么精神文明东方文化。第六,社会主义之发生,和公有财产制是一事。第七,人性中本有为我利他两种本能,个人本能发挥的机会,乃由于所遭环境及所受历史的社会的暗示之不同而异。第八,悲观乐观见解之不同,亦由于个人所遭环境及所受历史的社会的暗示而异,试观各国自杀的统计,不但自杀的原因都是环境使然,而且和年龄性别职业节季等都有关系。第九，宗教思想之变迁，更是要受时代及社会势力支配的。各民族原始的宗教，依据所传神话，大都是崇拜太阳、火、高山、巨石、毒蛇、猛兽等的自然教；后来到了农业经济宗法社会，族神祖先农神等多神教遂至流行；后来商业发达，随着国家的统一运动，一神遂至教得势；后来工业发达，科学勃兴，无神非宗教之说随之而起；即在同一时代，各民族各社会产业进化之迟速不同，宗教思想亦随之而异，非洲美洲南洋蛮族，仍在自然宗教时代，中国、印度乃信多神，商工业发达之欧美，多奉基督；使中国圣人之徒生于伦敦，他也要奉洋教，歌颂耶和华；使基督信徒生在中国穷乡僻壤，他也要崇拜祖宗与狐狸。以上九项种种不同的人生观都为种种不同客观的因果所支配，而社会科学可一一加以分析的论理的说明，找不出哪一种是没有客观的原因，而由于个人主观的直觉的自由意志凭空发生的。

梁启超究竟比张君劢高明些，他说："君劢列举'我对非我'之九项，他以为不能用科学方法解答者，依我看来十有八九倒是要用科学方法解答"。梁启超取了骑墙态度，一面不赞成张君劢，一面也不赞成丁在君，他自己的意见是：

"人生问题，有大部分是可以——而且必要用科学方法来解决的。却有一小部分——或者还是最重要的部分是超科学的。"

他所谓大部分是指人生关涉理智方面的事项，他所谓一小部分是指关于情感方面的事项。他说："既涉到物界，自然为环境上——时间空间——种种法则所支配。"理智方面事项，固然不离物界，难道情感方面事项不涉到物界吗？感官如何受刺激，如何反应，情感如何而起，这都是极普通的心理学。关于情感超科学这种怪论，唐钺已经驳得很明白。但是唐钺驳梁启超说："我们论事实的时候,不能羼入价值问题"。而他自己论到田横事件,解释过于浅薄,并且说出"没有多大价值"的话,如此何能使梁启超心服!其实孝子割股疗亲,程婴杵臼代人而死,田横乃木自杀等主动,在社会科学家看起来,无所谓优不优,无所谓合理不合理,无所谓有价值无价值,无所谓不可解,无所谓神秘,不过是农业的宗法社会封建时代所应有之人生观。这种人生观乃是农业的宗法社会封建时代之道德传说及一切社会的暗示所铸而成,试问在工业的资本主义社会,有没有这样举动,有没有这样情感,有没有这样的自由意志?

范寿康也是一个骑墙论者,他主张科学是指广义的科学,他主张科学决不能解决人生问题的全部。他说:"人生观一部分是先天的,一部分是后天的。先天的形式是由主观的直觉而得,绝不是科学所能干涉。后天的内容应由科学的方法探讨而定,绝不是主观所应妄定。"他所谓先天的形式,即指良心命令人类做各人所自认为善的行为。

什么先天的形式,什么良心,什么直觉,什么自由意志,一概都是生活状况不同的各时代各民族之社会的暗示所铸而成。一个人生在印度婆罗门家,自然不愿意杀人,他若生在非洲酋长家,自然以多杀为无上荣誉;一个女子生在中国阀阅之家,自然以贞节为她的义务,她若生在意大利,会以多获面首夸示其群;西洋人见中国人赤膊对女子则骇然,中国人见西洋人用字纸揩粪则惊讶;匈奴可汗父死遂妻其母,满族初入中国不知汉人礼俗,皇太后再嫁其夫弟而不以为耻;中国人以厚葬其亲为孝,而蛮族有委亲尸于山野以被鸟兽所噬为荣幸者;欧美妇女每当稠人广众吻其所亲,而以为人妾为奇耻大辱;中国妇人每以得为贵人之妾为荣幸,而当众接吻虽娼妓亦羞为之。由此看来，世界上那里真有什么良心，什么直觉，什么自由意志！

丁在君不但未曾说明"科学何以能支配人生观"，并且他的思想之根底，仍和张君劢走的是一条道路。我现在举出两个证据：

第一，他自号存疑的唯心论，这是沿袭了赫胥黎、斯宾塞诸人的谬误，你既承认宇宙间有不可知的部分而存疑，科学家站开，且让玄学家来解疑。此所以张君劢说："既已存疑，则研究形而上界之玄学，不应有丑诋之词。"其实我们对于未发现的物质固然可以存疑，而对于超物质而独立存在并且可以支配物质的什么心（心即是物之一种表现），什么神灵与上帝，我们已无疑可存了。说我们武断也好，说我们专制也好，若无证据给我们看，我们断然不能抛弃我们的信仰。

第二，把欧洲文化破产的责任归到科学与物质文明，固然是十分糊涂，但丁在君把这个责任归到玄学家教育家政治家身上，却也离开事实太远了。欧洲大战分明是英德两大工业资本发展到不得不互争世界商场之战争，但看他们战争结果所订的和约便知道，如此大的变动，那里是玄学家教育家政治家能够制造得来的。如果离了物质的即经济的原因，排科学的玄学家教育家政治家能够造成这样空前的大战，那么，我们不得不承认张君劢所谓自由意志的人生观真有力量了。

我们相信只有客观的物质原因可以变动社会，可以解释历史，可以支配人生观，这便是"唯物的历史观"。我们现在要请问丁在君先生和胡适之先生：相信"唯物的历史观"为完全真理呢，还是相信唯物以外像张君劢等类人所主张的唯心观也能够超科学而存在？

十二,十一,十三。

(季刊第二期,一九二三年十二月二日)